LES DESMICHELS

VI

LE FIGUIER STÉRILE

THYDE MONNIER

LES DESMICHELS

VI

LE FIGUIER STÉRILE

FRANCE LOISIRS
123, Bld de Grenelle - Paris

Édition du Club France Loisirs
Paris, avec l'autorisation des Éditions Julliard

ISBN 2-7242-1297-5

LES DESMICHELS

Les terres de la Guirande, en Provence, sont entrées dans la famille Michel par le mariage de Vincent Michel avec Fleurie Guirand. Leur fils Laurent a voulu épouser Thérèse Aiguier pour utiliser sa fortune à les mettre en valeur, mais c'est son fils Firmin qui, par son union avec la riche Félicie Venel, a fait la prospérité du domaine, entraînant le changement de nom de la famille de « Michel » en « Desmichels » (cf. *Nans le berger*).

Comme bien des arbres, Laurent avait fait double souche : Pascal Nans est le fils qu'il a eu de sa servante Pascaline. Ce Nans sera le vrai père d'Antoine, le premier fils de Firmin et de Félicie (cf. *Grand-Cap, Le Pain des pauvres* et *Les Forces vives*).

Après Antoine sont nés Sébastien, Pierre, Marguerite, Louise, Florestan et Rosine.

De Rosine et de Marcel Jouve naît Aubette (cf. *La Demoiselle*). Enfin *Le Figuier stérile* relate la destinée de Marguerite et *Travaux* celle de sa fille Vincente.

LE FIGUIER STÉRILE

Marguerite Desmichels n'a pas osé affronter son père quand elle a compris qu'elle attendait un enfant. Elle s'est enfuie du domaine de la Guirande en prenant sa part d'argent dans le coffre familial pour aller rejoindre Richard Falconnet à Toulon. Elle l'a épousé, Vincente est née puis Faustin, mais ils n'ont pas été heureux.

Au début, si : quand Marguerite ne comprenait pas ce que faisait Richard ni ce qu'il était, quand elle était folle d'amour et de jalousie. Ses yeux se sont ouverts sans que ses sentiments changent.

Marguerite s'est adaptée, elle a tout accepté, même d'être vendue par son mari, même de devenir Margot puis Vivette — une fille perdue qui ne saurait plus reprendre sa place parmi les siens.

Comment en vient-on là quand on a été l'héritière de la Guirande ? C'est l'histoire de cette chute, l'histoire d'une vie, que recrée magistralement Thyde Monnier dans *Le Figuier stérile,* sixième volume de la chronique des Desmichels.

A MON GRAND AMI VICTOR GERMAINS,
ce livre qu'il a aimé d'avance,
en gage de ma profonde affection.

Evangile selon saint Marc. « Quand ils eurent quitté Béthanie, Jésus eut faim. Apercevant de loin un figuier, il alla voir s'il y trouverait des fruits, mais s'en étant approché, il n'y trouva que des feuilles, car ce n'était pas la saison des figues. Alors, prenant la parole, il dit au figuier « Que jamais personne ne mange de ton fruit. » Et aussitôt l'arbre sécha. »

PREMIÈRE PARTIE

I

Oui, c'est elle qui a fait ça. Cette nuit, couchée contre ce Richard Falconnet que la nature a voulu si magnifique, et que Marguerite aime jusqu'à la folie, cette nuit, elle revit par la mémoire ces heures où elle a quitté la Guirande comme une voleuse. « Et c'est bien ça que j'ai été, pense-t-elle, une voleuse. Et une meurtrière aussi, puisque mon départ a tué mon père. »

Elle se souvient de sa grosse peur : l'un de ses souliers était tombé, un seul, juste celui qui contenait l'argent noué dans un mouchoir. Elle avait rattrapé l'autre à temps, par le lacet qui les tenait liés autour de son cou et qui s'était détaché. Heureusement, elle était arrivée au bas de l'escalier et au lieu de choquer durement le granit, le bruit s'était étouffé sur le paillasson de corde tressée où couchait le vieux chien. Celui-là avait sursauté dans son sommeil, mais, reconnaissant sa jeune maîtresse, il s'était bonnement étiré des quatre pattes et rendormi.

Marguerite, restée immobile, avait senti son cœur battre si fort qu'il lui semblait que toute la maison devait l'entendre. Une porte allait s'ouvrir là-haut. Une voix rude, celle de son père, Firmin Desmichels, allait crier :

— Qu'est-ce que c'est ? Y a des fusils ici !

Mais non, un grand silence avait continué à étendre sur

tout son aile molle de chauve-souris. Seulement au-dehors, une huppe avait répété, dans la nuit déclinante, cette douce exclamation précédant le jour qui avait annoncé à l'amoureuse l'heure de se lever et de partir.

Combien de fois, jadis, quand elle se sentait prisonnière, de tout son cœur, de tous ses poumons qui étouffaient, dans le corset de fer de la famille, combien de fois elle s'était éveillée, fiévreuse dans ses nuits de jeune fille, en se demandant : « Quand j'aurai le courage ? Quand ? Quand ? » L'heure était venue. Les jours précédents, la veille encore, elle avait été exactement comme d'habitude. Elle avait servi la soupe à table, elle avait mangé avec le même calme, elle avait écouté le père d'un air de grande attention quand il avait expliqué comment, le lendemain, elle devrait, avec Louise, sarcler la planche des laitues, ces « grosses brunes paresseuses » qui mettent si longtemps à pommer. Elle avait répondu d'une voix paisible : « Bien sûr », quand le père avait recommandé de ne pas commencer la journée trop tard. Celui-là, n'est-ce pas, il ne pensait qu'à ses vignes, qu'à ses salades, qu'à ses profits. Il avait autre chose à faire, ce vieux, que de penser à l'amour ! Tandis qu'elle... Ah elle ! Elle ne songeait qu'à ça ! La nuit avec son corps brûlant, le jour avec sa tête où tournoyaient ses projets ! « Demain, je serai partie. Moi, Marguerite Desmichels, je quitterai ma maison. Il n'aura pas besoin de me mettre à la porte comme il a fait de mon frère Antoine. Moi, il faut que je parte, on m'attend... » « J'en peux plus, a dit Richard, je me détruirai si tu ne viens pas ! — Je viens, mon beau, je viens, mon ange chéri ! Moi non plus je ne peux plus vivre sans toi. » Elle avait embrassé le père et les sœurs comme chaque soir. Sur la joue de sa mère seulement, elle avait appuyé plus fort sa bouche, mais la mère ne pouvait rien deviner et avait rendu un baiser banal.

Et le lendemain matin, Marguerite entendait chanter la huppe.

— Je referai la huppe, avait dit Richard.

Et il l'avait si bien refaite, qu'écoutant l'appel Marguerite s'était demandé : « C'est bien lui, cette fois, ou c'est l'oiseau ? »

Elle avait ramassé le soulier tombé et glissé le mouchoir bombu de l'argent entre ses seins, puis, évitant la lourde porte à vantaux sculptés dont les verrous faisaient un bruit d'enfer, elle était passée par la cuisine et de là dans la remise par où elle était sortie.

Elle se souvient encore comme la nuit était extraordinairement silencieuse, avec un air attentif de se pencher sur sa propre paix et de vouloir la protéger. A nouveau, Marguerite avait eu peur. Il lui semblait que ses pas allaient fracasser du cristal et que les échos répercuteraient son moindre mouvement comme un tonnerre. Elle s'était plaquée dans l'orbe de pierre de la remise et elle avait regardé avec désespoir cet océan impitoyable de pleine lune qu'il allait falloir traverser pour atteindre la route. Elle était sûre qu'à son premier geste en avant, la voix redoutée tomberait de la fenêtre sur elle, s'enfoncerait dans son dos comme un poignard et la clouerait au sol :

— Marguerite, où vas-tu ?

— Père !

On ne dit pas : « Je vais rejoindre mon amant. » A celui qui, du haut de la maison où l'on est née, vous jette sa malédiction, on ne dit pas : « Que voulez-vous que je fasse ? Je l'aime et je suis enceinte de lui... » On ne dit pas : « je vous ai pris ma part d'argent dans le coffret de merisier qui vient des Venel... » On crie : « Père ! » Et puis on se tait, parce que le coup de couteau qu'on a reçu dans le dos vous fait trop mal.

Mais ce n'est pas vrai. Aucun volet n'a battu le mur aveugle de la façade. Tout est paisible au-dehors comme au-dedans. Il n'y a qu'à s'élancer avec courage et nager dans cette lumière comme dans une mer, dont la rive, là-bas, est ce chemin où l'attend l'amour, où l'attend Richard.

Où l'attendait Richard... Car il y a déjà des années

qu'elle s'est sauvée de la Guirande. Mais cette nuit d'à présent, elle ne peut s'arrêter d'y penser.

« Mon père, ma mère, ma maison... » Quand on est petit, on est dans cet élément comme un poisson dans l'eau. On croit que si on en sort, on mourra. Et puis, pas du tout, au contraire, c'est drôle, on respire mieux. Ce père Desmichels, toujours commandant, grondant, levant la main pour les calottes, quel plaisir de ne plus l'avoir sur le dos ! Cette mère trop docile, obéissant aux ordres de son mari avec une soumission dégoûtante, comme sa fille l'avait méprisée ! Et ces frères et ces sœurs aînés, Pierre, méchant, vicieux, rapporteur, la faisant gronder à tous les coups ; Sébastien trop bête ; Antoine qui avait abandonné la famille pour cette rémouleuse noire et maigre — mon Richard, au moins, il est beau ! Louise, la dévote, la ronflon, toujours à vous faire de la morale ; Rosine et Florestan sans cesse à devoir surveiller, merci. C'est la peine d'être jeune, d'être belle ? Par ce visage clair où le sang transparaît en onde rose ; ce corps où on trouve une peau si douce quand on y passe la main ; ces seins pleins d'une chair dure qui résiste ; ces yeux dont il faut savoir cacher le feu sous les paupières ; cette bouche qu'on veut obliger à dissimuler son rire, à refuser ses baisers ; ces cheveux fous, drus, pleins d'odeur et de chaleur que le papa prétend toujours faire serrer dans les chignons, tout ça alors, tout ça et tout le reste encore plus chaud, encore plus odorant, encore plus brûlant de flamme, à quoi ça sert dans cette maison où on vous traite éternellement en petite fille ?

Et puis, c'est juste ça ? Vous l'avez eue, vous autres, votre belle saison ! Pourquoi voulez-vous empêcher vos enfants de profiter de la leur ? Vous vous êtes pas cherchés, dans les recoins des bals, derrière les fusains, pour vous embrasser à la sauvette ? Et vos petits, dites, vous les avez pas faits en allant à la messe, non ? Voilà ce qu'on se dit quand le sang de la jeunesse vous coule dans les veines en fleuve impétueux et chaque mois, à certaine époque, vous fait souffrir parce qu'il se perd inutilement hors de votre corps de femme. Alors, comment voulez-vous qu'on réfléchisse, quand on est en plein dans le feu, quand, à chaque moment où on peut se tirer de la surveillance paternelle, un garçon qui est si beau, un garçon qu'on aime à la folie, qui a des yeux, une bouche et des doigts de caresse, des dents aiguës qui vous mordillent le cou, une voix qui ne murmure que de doux mots, un corps brûlant comme le vôtre, assorti au vôtre dans le gonflement et le craquement du désir ; quand tout ça vous guette, vous surveille, vous attend, vous saisit, vous prend, vous serre, vous fait flamber de joie, vous quitte morte de son absence, ne songeant plus qu'à la minute où on le retrouvera ; comment voulez-vous qu'on réfléchisse avec sa raison et qu'on se dise : « Mère, elle est trop brave, je veux pas lui faire de la peine ; mon père sera malade de colère, il me cherchera partout avec le fusil, s'il m'attrape, il me tue ; Rosine pleurera parce que c'est moi qui la coiffe le matin et que les autres lui tirent les cheveux ; Louise ne me pardonnera jamais mon péché, elle ira vite à l'église prier pour que le démon me quitte ; Pierre rira comme un méchant qu'il est. » Non, on ne réfléchit pas, on se dit seulement : « Ça m'est égal ! Moi, y faut que je vive ! Je m'étouffe ! Y faut que je sois rien qu'avec toi, mon Richard, ma beauté vermeille... »

« Combien ça fait que je suis partie ? Mon Dieu que le temps passe vite ! Trois mois après ma Vincente naissait. C'est ensuite que tout a commencé à devenir difficile. Pauvre Marguerite, tu le vois bien maintenant, ton pain blanc, tu l'as mangé le premier. Mais pourtant, je regrette rien, non, je regrette rien. »

Cette semaine, après le départ, avait commencé dans la folie : couchés, tout le temps couchés, dans cette chambre étroite de la rue de la Glacière, couchés l'un contre l'autre, du soir au matin, parfois du matin au soir. Quand elle était arrivée, elle avait tiré de son corsage où il s'était chauffé dans l'odeur moite de ses seins, le mouchoir noué serré où était l'argent, cette septième part de l'héritage du père Desmichels. Volé ? Pourquoi volé ? Il devait être à elle un jour. Fallait-il attendre d'être une vieille de quarante ans pour y avoir droit ? Elle avait posé le paquet sur le lit où tout de suite elle était tombée avec Richard. Elle avait dit :

— Tiens !

Et Richard avait semblé ne pas faire attention, mais quelques minutes après, sans lâcher l'épaule par laquelle il serrait Marguerite contre lui, il avait éparpillé d'une main négligente, détaillé du regard les louis et les écus, les comptant mentalement, puis il avait jeté d'un ton de mépris :

— C'est pas mal ! Ils en ont de la veine, les salauds, d'être assez riches pour donner ça à leurs enfants.

Il avait repris un peu plus tard :

— Je vais te les mettre de côté. Y faut pas que ça se gaspille.

Le soir, Marguerite avait trouvé le mouchoir vide, tombé du lit à terre, encore gonflé de ce qu'il avait contenu, fripé des quatre coins qui avaient servi à le nouer. Elle l'avait jeté dans le bas de l'armoire où se trouvait déjà le linge sale de Richard. Il s'était taché d'un peu de terre de la Guirande, quand elle l'avait posé sur le sol pour se chausser, avant de le placer dans son corsage.

Elle se revoyait encore, assise dans l'ombre du poste à feu, là où elle avait mis ses souliers pour courir vers la route. Ce poste à feu, Marguerite ne pouvait pas savoir qu'une fille jeune et belle comme elle, une fille qui fuyait l'ardeur d'un homme au lieu de la chercher, une fille de Savoie qui s'appelait Pascaline, y avait été emmenée et cachée par son grand-père Laurent Desmichels. Laurent était mort, personne ne s'en souvenait et n'aurait pu lui en parler, sauf peut-être les vieilles pierres, mais elles n'ont pas de bouche... Elles sont mortes comme les morts.

Ensuite, Marguerite avait vécu sans souci, sans plus

penser à cet argent, sans se demander ce qu'il devenait. Elle trouvait toujours quelques pièces blanches dans le petit tiroir de la psyché et d'ailleurs quel besoin en avait-elle ? Elle n'avait besoin que de passion. Et de cela, elle était toujours comblée, dans ce lit où elle se serrait contre Richard depuis le soir jusqu'au lendemain midi où ils s'éveillaient, pris de fringale et vannés de la fatigue d'amour. Pas de souci de cuisine, de vaisselle, pas de balayage ni de travaux ennuyeux, comme à la maison. Richard passait un pantalon et un tricot, en espadrilles traînantes il descendait au bar-restaurant *Palmyra,* juste au-dessous, il remontait avec du jambon de Parme, du salami en larges tranches tachetées de gras, de la salade russe coulante de mayonnaise, un demi-poulet rôti et on mangeait tous les deux comme ça, en débraillé, elle demi-nue dans ses draps, lui vautré au pied du lit de fer. C'était bien bon. Après, on buvait le chianti à la bouteille et le repas finissait par des rires et des caresses, avec les roucoulements de Marguerite dans le plaisir.

C'est là que, huit jours plus tard, était venue les trouver la mauvaise nouvelle. Un matin où ils étaient enfoncés dans leur ardeur, Palmyra était entrée presque sans frapper parce qu'elle connaissait bien Richard. Et elle avait démasqué un homme derrière elle, un petit vieux déjeté qui disparaissait dans le tour de jupes de la patronne de restaurant. En mauvais français mélangé d'italien, elle avait expliqué :

— Aquesta le païre de la petita.

— Mon père...

Marguerite s'était levée d'un coup, toute droite :

— Mon père ? Mon Dieu, il est là ?

Elle était devenue verte et sa main avait écrasé, sur sa bouche, un cri de frayeur.

— Non, avait repris la femme en hochant la tête. Il est pas là, poverino...

— Il est mort, avait dit l'homme maigre en s'avançant.

— Mort !

Le mot était sorti muet de sa bouche tremblante. « Mort ? Mon père ? Quoi ? Qu'est-ce qu'il venait raconter celui-là, qu'elle ne connaissait même pas ? Mon père ? Mort ? »

— Oui, il s'était éveillé au petit matin. Il avait dit à ta mère qui dormait tranquille : « J'ai une idée qui me tourne dans la tête, il faut que j'aille voir quelque chose. Tout à l'heure y a eu un bruit... » Y s'est levé, ta mère dit, il est allé voir à ta chambre, on sait pas pourquoi, mais à ta chambre y t'a pas trouvée. Ta mère l'a entendu descendre l'escalier, regarder partout puis il est remonté et il a dit que tu étais partie, que quelque chose dans son sommeil l'en avait averti, mais malheureusement trop tard, que sinon y t'aurait cassé la figure. Et puis il a plus parlé de toi...

— Vous me dites « tu », avait interrompu Marguerite, et je vous connais pas ?

— Je suis un qui fait le charbonnier au Grand-Cap avec ton frère Antoine. C'est le berger Nans qui m'a envoyé à ta recherche pour te faire la commission. Ton père, tu y avais pas laissé une lettre ?

— Oui, avait répondu Marguerite, pour lui demander autorisation de me marier.

— Eh bien, c'est ça qui l'a tué, tu vas voir : le soir venu, il a déchiré ton papier en quatre morceaux, il a dit : « Ça en fait encore un de moins dans la maison. » Puis y s'est mis à table et il a mangé gros comme à son habitude, même y s'est fait apporter, c'est ton frère Pierre qui a remarqué, une bouteille de son bon vin de Plan-Bernard pour faire chabrot, puis il a encore dit à ta mère : « Allons nous coucher, que quand on dort, au moins, on pense à rien. » En passant, il a ouvert la porte pour pisser et c'est là qu'il est tombé tout en avant. On l'a relevé mort.

— Povero ! avait gémi Palmyra.

Marguerite n'avait pas pleuré tout de suite. A vrai dire, elle ne se sentait presque pas envie de pleurer. Si elle avait pu voir son père, allongé raide, si grand, si fort, sur son lit de cadavre, sa mère et ses sœurs en larmes, ses frères sans paroles, elle aurait sûrement éclaté en sanglots, mais là, dans cette chambre où rien ne parlait de lui, où cette nouvelle lui tombait dessus comme une chose de cauchemar, comment croire que c'était vrai et comment avoir besoin de larmes ?

— Il faut que j'y aille, avait-elle décidé.

— Non, avait refusé le vieux, tes frères ne veulent pas. Y disent que ton père se relèverait pour te foutre à la porte.

— Moi ? Qui a dit ça ?

« Mon père ? Moi ? Sa Guitte ? Sa plus chérie de toutes ses filles ? Jamais mon père vivant m'aurait chassée ! Alors comment, mort, y m'empêcherait de m'approcher de lui, de l'embrasser sur son front glacé ? Ah, pour dire ça, les autres, c'est qu'ils ne savent pas combien ce père dur avait su aussi être juste en paroles et en actes, donner à chacun la part exacte de reproches ou de récompenses qui lui revenait. Rares les récompenses. D'autant plus appréciées. « Regarde ta sœur, disait-il à Rosine. Elle sait mener son travail, prends exemple. » Et il faisait des rêves à voix haute : « Quand nous marierons Marguerite... Dis, mère, ce Clément Laurade, le fils de ton amie Hélène, il irait pas bien pour cette petite ? C'est un garçon qui a de bons bras, je l'ai vu à l'ouvrage, y te mène le lichet comme pas un. — Il est pas joli, disait Marguerite, il a la lèvre d'en haut qui relève et une dent devant, toute grosse. — Ah, y te faut leur regarder la lèvre d'en haut et la dent de devant, aux garçons, pour les épouser ? Rien d'autre, non ? Y faut pas qu'y portent le canotier tous les jours, comme les feignantass de Toulon ? »

Ses frères se moquaient, elle laissait passer l'orage, mais justement c'était ça qu'elle voulait, celui qui savait si bien placer son canotier en biais sur la vague des cheveux ondulés, celui qui avait deux belles lèvres rondes bien pareilles et les blanches dents aiguës d'un jeune chien. Son père ne pouvait pas comprendre, mais elle, déjà, elle avait élu en sa chair et son cœur, celui-là même auquel elle voulait donner sa vie.

Mais à ce moment, il fallait encore se taire et elle se taisait. Cependant, peut-être un jour elle aurait pris le courage de parler, si le père, après la désobéissance d'Antoine, n'était devenu si sombre que jamais, jamais, les paroles n'oseraient sortir... Et maintenant il était mort. Cette autorité, cette force, cette volonté terribles, elles étaient abattues maintenant, elles allaient pourrir dans un cercueil. Mais pour Marguerite, elles demeureraient éternellement vivantes et toujours un peu à craindre.

— Qui a dit ça ? avait-elle redemandé d'une voix moins sûre.

— Ton frère Pierre. Et personne t'a défendue.

— Reste ici, avait commandé durement Richard. Tu n'as pas besoin d'eux.

Et cette fois Marguerite avait pleuré, pendant que l'homme était sorti de la chambre, derrière Palmyra.

C'était vieux déjà... Mon Dieu que c'était vieux ! Après l'enterrement où elle n'avait, pas plus qu'Antoine, osé paraître, elle était revenue un jour à la Guirande quand Sébastien et sa femme Madeleine en étaient devenus les maîtres. Elle avait revu Rosine et Florestan et Louise toujours dans ses leçons de morale et Pierre qui se faisait de plus en plus méchant. Elle avait posé sa petite Vincente sur le lit où la mère était malade et, l'enfant endormie, elles avaient eu ensemble une de ces conversations, oui, une de ces conversations comme on n'en a guère entre mère et fille...

Il faisait froid, il faisait du vent, tous les autres étaient dans le bien à ramasser les pommes de terre, elle avait proposé :

— Je garderai maman.

Et par force, à cause du travail, ils avaient accepté. Sa mère, l'ayant regardée en silence, alors lui avait dit :

— Tu as mal fait, ma fille, tu as mal fait !

Elle s'était caché le front dans les couvertures, contre la main amaigrie où ressortaient sur la peau trop blanche des taches de terre, et elle avait gémi :

— Je l'aimais, maman, je l'aime...

— Je sais, avait continué sa mère, ce n'est pas une raison.

— Maman, vous ne pouvez pas comprendre !

— Si, je comprends autant que toi. Mais on se dompte.

Elle avait relevé la tête :

— Comment pourriez-vous savoir ? Vous, vous avez voulu papa et on vous l'a donné. Vous n'avez pas eu à vous cacher de tous, à souffrir, à attendre, à être privée...

— Tu crois ?

— Je suis sûre. L'oncle Venel nous a assez raconté de fois la bonne marche de votre mariage avec mon père et que tout le monde était si content, lui, les parents, vous... Et qu'on avait fait une belle noce comme moi je n'en ai pas eu.

— Les belles noces...

— Eh bien ?

— Ce n'est pas tout.

— Vous ne direz pas que vous n'avez pas eu de chance ? Ils n'étaient pas tous contents ?

— Si. Tous.

— Moi, mère, c'est ça que j'aurais voulu autour de moi, tout le monde content et mon Richard au milieu de vous tous comme un prince.

Oui, elle l'avait tant rêvé, cet accord entre sa famille et son amour. Elle n'était pas une mauvaise fille. Avant de se sentir emportée par un irrésistible élan vers celui auquel son sort, mauvais ou bon, l'avait destinée, elle s'était vue tant de fois, dans ses rêves d'adolescence, mariée selon les goûts de ses parents, venir au domaine les dimanches, en boghei comme ses amies des fermes voisines, avec les petits habillés de bleu marine, en cols volants de toile blanche, en bérets à pompons. Deux garçons, c'est ce qu'elle voulait avoir. Deux garçons distants d'un an l'un de l'autre, pour les habiller pareils et qu'on dise : « Mais c'est deux jumeaux ! » Et puis une fille, une toute petite fille en paquet de chair rose, toute tendre, toute bellette, qui baverait sur la manche de son grand-père en fils d'argent... Oui, c'est bien ça qu'elle avait rêvé ! Est-ce que c'était sa faute si, au bal de Solliès, ce Richard Falconnet l'avait serrée si fort qu'elle en avait senti tout le corps dur contre son corps ? Et si, derrière la haie de fusains, il lui avait appris ce que sont les baisers d'un homme ? Un dimanche ! Un dimanche avait suffi. Tout le passé, toutes les joies familiales de la veille, toute la tendresse de sa mère, tout avait été happé et dévoré. Plus rien... plus rien que ce garçon devant elle, avec le désir qu'elle avait de le revoir, de le sentir encore contre sa chair. Est-ce que c'était sa faute ? Ah, c'est cela qu'elle voudrait demander à sa mère qui connaît la vie : « C'est ma faute, maman ? Dites, vous qui savez les choses, vous qui avez de l'expérience ? Est-ce que je pouvais faire autrement ? »

Mais cette question, le temps était passé de la poser. Elle avait préféré se faire plaindre et, en soupirant, elle avait repris :

— Oui, moi, c'est comme ça, au milieu de vous tous, que j'aurais voulu installer mon bonheur ! Et il a fallu que je m'en aille de la maison, toute seule la nuit, comme...

— Comme une voleuse.

— Une voleuse ? Je sais ! Je sais ! J'ai pris l'argent. Après tout, est-ce qu'il n'était pas à moi, cet argent ? Dites, mère ? Chacun en a eu sa part de votre bien, j'avais droit à la mienne, non ?

— Tu aurais pu attendre qu'on te la donne. Mais ce n'est pas ça, tu le sais bien, ce n'est pas l'argent qu'on te reproche. C'est la mauvaise action de t'être sauvée comme ça et d'avoir tué ton père par la désobéissance.

— Si vous aviez aimé, vous aussi, vous auriez quitté votre père !

— Non.

— Je le vois bien que vous avez jamais aimé comme moi. Quand on aime, on quitte son père, sa mère, son mari, ses enfants, s'y le faut !

— Non.

— Vous avez jamais aimé ! Ou alors vous l'avez oublié...

— Tu crois ?

— Oui je crois ! Et je crois que si vous aviez été obligée d'aimer quelqu'un en dehors de tout le monde, contre vos parents, vous seriez partie !

— Non.

— Oui, avait-elle répliqué avec entêtement.

Silence. La voix sourde de la mère avait repris plus bas :

— Tais-toi, j'ai aimé et je suis restée.

— Avec mon père, parbleu !

— Je n'ai pas aimé que ton père...

— Maman !

— Je suis folle... Qu'est-ce que tu me fais dire ?

— Vous n'avez pas aimé que mon père ?

— Tais-toi, ne parlons plus de rien.

Il y avait eu encore un silence.

— Parlons ! Parlons ! avait repris Marguerite avec fièvre. Oh, il était méchant, n'est-ce pas ? Il était dur ? Y vous a fait du mal ? Des fois, je croyais le deviner, puis j'avais peur de me tromper.

— Non ! non ! Seulement c'est moi qui ne savais rien. J'étais jamais sortie, tu comprends ? Alors, j'ai cru que je pourrais l'accepter sans trop souffrir. Seulement j'en aimais un autre avant lui, alors...

— Vous en aimiez un autre ? Et vous avez épousé mon père ?

— Oui.

— Pourquoi ?

— Parce que mes parents le voulaient. Tous le voulaient autour de moi. Et moi j'étais trop petite, trop faible.

— Mais on se défend ! Mais on crie ! Mais on se laisse pas faire ! Vous avez pas vu, moi ?

— Oui, mais moi il y a plus de quarante ans. A mon époque, les filles avaient moins d'audace.

— Et après, vous avez vécu avec papa ? Et vous nous avez eus tous avec lui, nous tous : Antoine, Sébastien, Pierre, Louise et moi. Et encore plus tard, Florestan et Rosine ?

— Oui.

— Vous l'aviez oublié alors, votre premier amour ?

— Jamais !

— Et jamais vous n'avez ? Oh, maman, je n'ose pas vous dire...

— Tais-toi. Comment une pensée pareille...

— Je suis mariée, maman, je comprends les choses. Même si Richard n'était pas mon mari, je l'aimerais. Même si j'étais la femme d'un autre, que vous m'ayez forcée, eh bien, moi, je serais allée le trouver un soir et je serais partie avec lui.

— Guitte !

— C'est comme ça quand on aime, maman.

— Ma pauvre petite !

— Vous me direz pas son nom ?

— Son nom ?

— Oui. De celui que vous avez aimé en dehors de papa ? Je le connais ? C'est un de la vallée ?

— Non va, c'est personne ! J'ai voulu seulement te faire voir que je te comprenais.

— Mais si c'est personne alors, vous ne pouvez pas me comprendre.

Elle avait ressaisi la vieille main de sa mère et la pressait.

— Mais c'est quelqu'un, c'est quelqu'un, j'en suis sûre !

O maman, dites-moi qui ? Vous n'avez pas toujours été heureuse avec papa, allez ! Il était si dur !

— J'ai eu comme toutes les femmes, mon bon et mon mauvais.

A cette minute, elles avaient entendu retentir, dans la salle d'en bas, les pas des autres qui revenaient des champs.

— Tiens, avait vite dit la mère, je veux te donner ça pour ta petite, en souvenir de moi.

Et elle avait ôté de son cou une grosse chaîne, cachée sous la broderie de sa chemise de toile. Et Marguerite avait reçu dans la main le pesant câble d'or et la médaille ronde, où d'un côté une Vierge tendait les bras, où de l'autre étaient gravés sous la date de naissance le nom et le prénom de Félicie Venel.

Marguerite l'avait embrassée pour la remercier et à son oreille, tandis qu'elle écoutait quelqu'un monter l'escalier, elle avait demandé encore dans un souffle, en la serrant contre elle :

— Mais c'était qui, maman ? C'était qui ? Je voudrais tant le savoir...

Félicie avait souri tristement :

— Tu le sauras quand je serai morte.

— Morte ?

— Oui, je laisserai un papier. Exprès pour toi. Et le nom sera dessus... Maintenant, tais-toi. Voilà Sébastien.

— Alors, mère, disait Sébastien entrant dans la chambre, vous vous sentez mieux ?

« Je suis partie tout de suite après, pense Marguerite et je n'ai plus revu ma mère vivante. Quand ils m'ont fait rappeler à la Guirande, le corps était déjà mis au cercueil. Et la lettre qu'on m'a donnée de sa part, cette lettre ne contenait rien d'intéressant ni de secret. Non, vraiment, rien de secret. Il n'y avait que ces six lignes :

« Ma Marguerite, voilà l'adieu de ta mère qui t'a bien aimée comme tous ses enfants. J'ai à vous dire de rester d'accord entre vous, de conserver le domaine dans la famille et d'être braves pour tous et surtout pour ceux qui nous ont bien servis comme notre berger Nans. Je t'embrasse bien fort avec ta petite. Ta mère, Félicie. »

C'était tout, ce n'était rien. Sa mère n'avait pas tenu sa promesse, il n'y avait pas de nom. Cette confidence n'avait peut-être été qu'un radotage de vieille. Marguerite avait replié le papier en quatre et l'avait mis dans le tiroir de sa commode, avec son livret de famille et le premier billet d'amour de Richard, sous les mouchoirs blancs pour le dimanche.

*

Tout cela, c'est du passé. Et elle sent bien à présent, Marguerite Falconnet, que tout ce qui a touché aux Desmichels, que cette Guirande dont il lui semblait qu'elle ne demandait qu'à fuir, parce que, jeune fille, le fardeau du labeur quotidien lui était lourd aux épaules ; que cette grosse pesante Guirande, c'était quelque chose de beau et de riche. Et elle pense que lorsqu'elle était Marguerite Desmichels, elle se savait quelqu'un et qu'aujourd'hui, elle n'est plus que la femme d'un ouvrier de l'Arsenal, avec trois pièces sur une cour, rue de l'Estrapade. Alors, elle fait par la pensée le tour des membres de la famille, pour se rendre un peu compte de ce qu'ils sont devenus :

« Antoine est dans sa forêt de Grand-Cap avec son ancienne rémouleuse de route et ses enfants qu'on ne connaît même pas. Celui-là, il a jugé bon de s'en aller du Domaine pour avoir la fille qui lui plaisait, mais quand j'ai fait pareil, il n'est pas, pour ça, venu me tendre la main. C'est un sauvage. Sébastien est brave, mais trop bête. Sa femme, Madeleine, la divorcée de Rousset, elle est trop brave aussi. Ils se laissent mener par Pierre qui est un démon ! Solange Bannelier qui a épousé Pierre, de rage de n'avoir pu épouser Antoine, y a pas plus garce ! Elle a essayé de me fréquenter et si je l'avais écoutée, elle m'aurait fait mener la mauvaise vie. Un jour, elle m'a conduite au bord de mer avec un type qu'elle avait rendez-vous. Elle trompe Pierre, de sûr, mais j'irai pas le lui dire, il est trop méchant. Louise ? N'en parlons pas. Chez elle, le prie-Dieu est toujours occupé. Elle aime mieux la prêtraille que sa famille. Y a qu'une chose qui compte pour elle, elle le cache pas : son salut éternel. Rosine, Florestan, c'est encore des enfants, mais quand même Florestan, c'était mon gâté, y a que pour lui que ça m'a coûté de quitter la maison.

Mais non, non ! Je peux pas dire que ça m'a coûté ! Je me souviens bien comment, après la première peur, quand j'ai eu le courage de plonger dans la grande mer éclairante que faisait la lune, je suis arrivée sous le couvert de l'allée d'arbres, j'ai marché tranquillement jusqu'au poste à feu. Là, je me suis arrêtée, j'ai remis mes souliers et je me suis vite trouvée sur la route où il y avait Richard. Presque tout de suite, la voiture, qui emporte les primeurs de Belgentier, est passée et quand elle nous a débarqués sur la place La Fayette, à Toulon, Richard m'a menée dans la chambre de la rue de la Glacière et ma vie avec un homme a commencé... Voilà. Tout ça, y semble que c'était hier et pourtant c'est déjà vieux, mais toi, mon Richard, mon trésor vermeil, toi que je regarde dormir, là, devant moi, tu es toujours aussi beau, je t'aime pareil que le premier moment où je me suis donnée à toi, tu te rappelles ? Ce soir du bal de Solliès, où nous avions pu nous échapper jusqu'à ce cabanon de vignes abandonné, dans les canniers, au bord du Gapeau... »

m'aurait fait mener la mauvaise vie. Un jour, elle m'a conduite au bord de mer avec un type qu'elle avait rendez-vous. Elle trompe Pierre, de sûr, mais j'irai pas le lui dire, il est trop méchant. Louise ? N'en parlons pas. Chez elle, le prie-Dieu est toujours occupé. Elle aime mieux la prêtraille que sa famille. Y a qu'une chose qui compte pour elle, elle le cache pas : son salut éternel. Rosine, Florestan, c'est encore des enfants, mais quand même Florestan, c'était mon gâté, y a que pour lui que ça m'a coûté de quitter la maison.

Mais non, non ! Je peux pas dire que ça m'a coûté ! Je me souviens bien comment, après la première peur, quand j'ai eu le courage de plonger dans la grande mer éclairante que faisait la lune, je suis arrivée sous le couvert de l'allée d'arbres, j'ai marché tranquillement jusqu'au poste à feu. Là, je me suis arrêtée, j'ai remis mes souliers et je me suis vite trouvée sur la route où il y avait Richard. Presque tout de suite, la voiture, qui emporte les primeurs de Belgentier, est passée et quand elle nous a débarqués sur la place La Fayette, à Toulon, Richard m'a menée dans la chambre de la rue de la Glacière et ma vie avec un homme a commencé... Voilà. Tout ça, y semble que c'était hier et pourtant c'est déjà vieux, mais toi, mon Richard, mon trésor vermeil, toi que je regarde dormir, là, devant moi, tu es toujours aussi beau, je t'aime pareil que le premier moment où je me suis donnée à toi, tu te rappelles ? Ce soir du bal de Solliès, où nous avions pu nous échapper jusqu'à ce cabanon de vignes abandonné, dans les canniers, au bord du Gapeau... »

— Oui, je sais. Enfin, heureusement, c'est pas tous les jours.

Le lendemain de cette conversation, Marguerite a nettoyé à fond ses trois pièces. Le dîner est pour le soir. A midi, Richard lui a demandé :

— Tu mettras ta robe bleue, qué ? Celle qui est ouverte en pointe devant.

— Ma jolie ? Avec le col de dentelle aux fuseaux ? Et si je la tache ?

— Tu la tacheras pas, tu feras attention, voilà tout.

Et le soir tout a été prêt. Richard est arrivé avec le contremaître, juste comme le couvert était arrangé sur la nappe blanche, donnée, avec six serviettes, par la mère Desmichels. Le contremaître est poli, il a offert un bouquet de violettes et il se fait reprocher d'avoir voulu à toute force payer les gâteaux. C'est un garçon plus grand que Richard, mais moins bien fait, taillé à coups de hache, avec un dos voûté, un long visage aux yeux pâles, au nez important, à la bouche un peu violette, grosse de lèvres et toujours entrouverte sur des dents cariées. « Richard qui a de si belles dents... », pense Marguerite, et elle compare une fois de plus son mari aux autres hommes, pour le trouver mieux que tous. Puis elle s'empresse autour de l'invité et d'autant plus qu'il n'est pas dangereux. Il a de bons yeux ronds avec à peine, au fond, un éclat vague de lumière bleuâtre. Et il lève ces yeux sur toutes choses avec un air timide de mendiant. Richard a raconté à Marguerite que cet homme avait fait une bêtise qui lui était retombée dessus : « A dix-neuf ans, il avait eu, pour sa première, une espèce de groule de la Valette qui lui avait juré qu'elle était grosse de lui. Ayant cru avoir monarque, celui-là l'avait épousée devant le maire et le curé. Six semaines plus tard, elle accouchait d'un petit, jaune comme un coing, et elle était obligée d'avouer qu'elle avait fricoté avec un Annamite du camp de Fréjus. Mon Nestor, grand couillon, l'avait pardonnée ! Elle pleurait, elle assurait qu'elle aimait que lui... Même y s'était attaché au petit, malgré qu'il ait le nez aplati et les yeux en fente de tirelire. « Il était content de le voir profiter », y dit. Le gosse avait six mois. Un soir qu'il arrivait de l'Arsenal, ce pauvre contremaître, y trouve le logement vide : femme, môme, meubles, linge, même ses habits du dimanche à lui, tout avait été raclé ! Aussi nu que le dessus de ma main, qu'encore moi, y me reste les poils ! Pauvre type, y faisait peine. »

— Mon Dieu, a déploré Marguerite, c'est terrible quand même, y a des femmes...

— C'est pas des femmes, a dit Richard, c'est des fumiers ! C'est pour ça qu'y me fait pitié et que j'ai pensé de l'inviter. Ça lui rend un semblant de maison, à ce mesquin.

— Tu as raison, a dit Marguerite, ça me plaît que tu aies bon cœur.

Mais depuis elle avait oublié cette histoire et elle n'a plus pensé qu'à l'ennui de devoir se mettre en cuisine pour un autre que son mari. Parce que son mari, n'est-ce pas, c'est son Dieu ! Elle se demande comment ce garçon, si extraordinaire dans sa splendeur que tout le monde le remarque, a pu laisser tomber sur elle son regard ?

Richard Falconnet a cet air dédaigneux, à la fois doux et brutal, qui plaît aux femmes. Depuis la guerre de mil neuf cent quatorze, elles ont pu apprendre à apprécier un visage rasé, mais avant cette date, elles aimaient bien ces moustaches effilées aux pointes, fournies de poil brun ou blond, soyeuses dans le caressement des lèvres. La fatigue d'une vie aventureuse, nuits prolongées par le jeu et multiples amours, a mis sous les yeux de flamme du garçon un cerne sombre qui les rend pathétiques. Son nez de Grec, droit, est sans défaut ; la pulpe encore fraîche et lisse de sa lèvre, l'éclat soudain éblouissant d'une denture de jeune chien, éclatant comme une lumière dans une sombre peau maghrébine, donnent au visage de Richard une beauté troublante. Marguerite en avait été bouleversée dès la première rencontre et elle n'ignorait pas que d'autres, avant elle, avaient payé cher leur admiration. Il y avait même quelque part une petite fille, née de Richard et d'une marchande de citrons de la place à l'Huile. Mais qu'est-ce que ça faisait, tout ça ? Maintenant Richard était à elle, rien qu'à elle. C'était son mari. Les autres, comme il le lui expliquait, ça ne comptait plus.

Ce soir, réflexion faite, elle est bien contente. Sa bouillabaisse est parfaitement réussie, l'huile et l'eau sont bien mélangées, le safran et les pommes d'amour ont donné la couleur ; le fenouil et l'ail le parfum ; les sardines ont bonne mine, servies à part, luisantes de reflets, au centre d'une garniture de pommes de terre jaune d'or.

— Vous êtes la reine, madame Richard ! dit le contremaître. J'en ai mangé peut-être mille, des bouillabaisses de sardines dans ma vie, mais jamais une aussi bonne.

— Vous êtes trop gentil, dit Marguerite.

— Et puis c'est présenté à la riche. Comment vous faites pour que le poisson soit pas brisé et tout empégué d'oignons et de tomates ?

— Ah ça, voilà ! Je le fais cuire séparé, dans une passoire que je pose sur ma casserole. Ça donne son goût, mais ça reste bien entier.

— Ta femme, c'est un as ! s'exclame Nestor.

— La flatte pas trop, dit Richard. Les gonzesses ça leur vaut rien, les compliments.

Marguerite rit à gros éclats, elle est bien heureuse. Ses lèvres, gonflées de sang vif, brillent d'un rouge naturel entre ses joues, fraîches encore d'un velours enfantin. Ses yeux confiants éclatent d'une flamme de joie en regardant son Richard : elle a eu assez de mal pour l'avoir, mais Dieu merci, maintenant il est à elle.

— Et votre petite ? demande Nestor. Vous avez bien une petite ?

— Oui, elle est à Salernes, chez ma belle-mère. Elle va avoir trois ans.

— Pourquoi vous la gardez pas ici ?

— Ça me rase d'entendre pleurnicher, dit Richard.

— Ça pleurniche pas toujours. Moi, j'aimais bien celui qu'y avait chez nous, même qu'il était pas mien.

Le contremaître baisse la tête, repris par ses souvenirs.

« C'est un brave homme, pense Marguerite, c'est dommage qu'y soit si laid. Y pourrait plaire. Oh, pas à moi bien sûr ! se corrige-t-elle tout de suite. Moi, y en a qu'un au monde. Mais par exemple, la fille Maglioni qui boite, la pauvre, et qui fait des ménages en traînant sa jambe goye, ou la veuve Roussin, que juste elle a un petit tout fabriqué, son Charlot qui profite guère parce qu'elle a pas assez d'argent... Elle est pas mal, cette veuve ? Elle a que trente ans après tout, elle pourrait y faire son affaire à ce brave homme qui aime les enfants ? Et ensuite ils en auraient d'autres qui seraient bien à lui. Parce que je crois pas qu'elle ait jamais trompé son mari. »

— Si des fois vous vouliez vous remarier... dit-elle.

— Moi ? Oh non, dit Nestor, j'ai trop mal encapé ! Ou il me faudrait quelqu'un que je puisse l'aimer.

— Ça se trouve, assure Marguerite.

— Pas sous le pied d'un cheval. J'ai été échaudé, j'ai plus confiance. Ou alors si j'en dénichais une comme vous, tenez !

— Mais y en a, des comme moi ! Y en a des milliers sur la terre. Je vous en chercherai une, allez ! Et je vous la trouverai.

Le chianti a mis sa chaleur dans la voix de Marguerite. Dans sa bouche ouverte par l'enthousiasme, sa petite langue s'agite, brillante de salive ; sous le col de dentelle dégrafé, sa peau chaude palpite de vie et ses seins ronds et fermes de jeune paysanne gonflent le corsage de la robe bleue.

— Jolie comme vous ? dit le contremaître.

— Y en a de plus jolies, proteste Marguerite. Braves en tout cas. Tenez, je connais une veuve...

— Moi, dit Richard, y faut que je vous laisse, vous

m'excuserez. J'ai promis à Ramboisier d'aller y porter son renseignement à neuf heures, au bar de la Rade...

— Quel renseignement ? interroge Marguerite coupée net dans son élan d'altruisme et regardant son mari debout, qui arrange son foulard à l'intérieur de son col.

— Un renseignement du travail que tu y comprendrais rien.

— A Ramboisier ? dit le contremaître.

— Oui, pour le rivetage, je t'expliquerai à l'atelier. Allez, au revoir ! J'en ai pour un quart d'heure et je reviens. Offres-y un verre de blanche, Margot.

Il est parti. Sa femme en reste bouche bée. Elle va lentement vers le placard, d'où elle sort deux petits verres et la bouteille de marc. Son regard est absent et ses mains distraites. « Celle-là par exemple... Qu'est-ce qui lui a pris, à Richard, de partir comme ça si vite, sans avoir prévenu ? Elle l'a pas fâché au moins ? Quand il sort seul, des fois le soir, c'est pour aller à la Rade, faire la belote avec les copains. Et il arrive qu'elle y aille aussi, mais elle s'ennuie, elle bâille, seule de femme, sur cette banquette de toile cirée noire, à regarder jouer ces hommes à l'infini. Oui, les autres soirs c'est normal, mais aujourd'hui avec cet invité, là, c'est drôle. Enfin, de sûr, y lui expliquera pourquoi de la chose. »

— Y sont beaux, vos verres, dit Nestor.

— C'est un cadeau de notre mariage : un oncle Falconnet. Moi j'ai guère eu parce que toute ma famille est fâchée contre moi.

— Vous êtes d'une grosse maison, je crois ?

— Oui. Mes parents menaient le domaine de la Guirande, dans la vallée du Gapeau. Vous connaissez pas cet endroit ?

— Je suis allé un jour en bande, manger à la Chartreuse de Montrieux. C'est par là ?

— Un peu plus bas, du même côté, entre Belgentier et Solliès-Toucas. On y arrive par une passerelle.

— Ah oui ! Une grande ferme avec le toit à quatre pentes, un peu en dehors de la route ?

— Oui. Avec une belle allée d'arbres qui y conduit : une grande allée d'arbres... Oh, vous avez dû remarquer en passant !

— Oui, y me semble.

— Ça peut pas ne pas se voir. Nous sommes seuls de ce côté.

— Et c'était chez vous ? Mais dites, c'est du riche, ça ?

— Oui, toutes les terres d'autour nous appartiennent.

— J'aurais aimé être fermier. Qu'est-ce qu'y fait là-dedans, votre père ?

— Il est mort.

— Ah, il est mort ! Non, je veux dire : comme cultures, qu'est-ce qu'y faisait ?

— Un peu de tout. C'est mes frères qui continuent : du blé, de la vigne, de la luzerne aux endroits humides, au bord du Gapeau.

— Ah oui, c'est le Gapeau, la rivière ?

— Oui.

— Vous vous plaisiez ?

— Quand j'étais petite, oui. Après, un peu moins.

— Vous êtes trop fine pour faire la paysanne. C'est pénible.

— Surtout avec mon père, il fallait marcher droit et être toujours au travail.

— Vous êtes nombreux de famille ?

— Quatre frères et deux sœurs. Avec moi ça faisait sept.

— C'est pas mal. Vous les voyez plus ?

— Pas beaucoup.

— Ça vous fait pas peine ?

— Oh, j'y pense pas souvent !

— Et à votre mère ?

— Elle est morte elle aussi.

— Elle était mauvaise pour vous ?

— Non.

— Votre père oui ?
— Un peu sauvage, mais enfin...
— Vous étiez pas heureuse ?
— Des fois oui, puis d'autres fois...
— Pourtant vous deviez avoir une bonne vie dans ce genre de grande ferme ? Même que vous travailliez aux champs, vous étiez une demoiselle ! Et pourquoi vous avez épousé un ouvrier ?
— Pour avoir Richard, j'aurais bien quitté un palais de rois !
— Vous l'aimiez beaucoup ?
— Oui, je l'aime beaucoup. J'en suis folle.
— Y vous rend heureuse ?
— Beaucoup heureuse. Je vois pas d'autre homme que lui !
— Il a bien de la chance...
Le contremaître laisse encore tomber sa tête comme tout à l'heure. Marguerite remarque qu'il a un rond de peau grise au milieu des cheveux. Dans la position accablée qu'il prend, son long nez mou, couleur d'aubergine, pend vers son menton luisant qui est coupé en deux, tel le museau d'un chien de chasse : « Non, vraiment il est pas beau, pense à nouveau Marguerite, mais brave, ça oui, ça se voit. »
Et sa pitié de ce malheureux lui remonte au cœur.
— Bien de la chance... répète Nestor. Y en a des bons qui en ont pas tant.
— Mais dites ? proteste Marguerite, il est pas des meilleurs, lui ? Il se le mérite pas, d'être heureux ?
— Je sais... Je sais... Mais une comme vous, quand même, c'est la perle fine ! Si travaillante, soigneuse, bonne cuisinière. Et en plus de ça, si jolie, si bien faite !
Marguerite baisse les yeux devant un pâle regard où, dans le bleu délavé, vient de s'allumer un éclair de convoitise. « Quoi, ce serait possible ? Cet homme, ce contremaître... Il aurait une idée sur moi ? Moun Di, qué

malheur ! Et Richard qui est parti, qui m'a laissée seule… Comment je vais me débrouiller pour m'en débarrasser ? Quelle affaire ! »

— Oui, j'aime beaucoup mon mari, jette-t-elle d'un ton énergique. Je vous le répète, pour moi, il en existe pas d'autres.

— S'il se le mérite… murmure-t-il mollement.

— Sûr qu'y se le mérite, je vous le dis bien. Lui non plus y regarde personne d'autre que moi.

— C'est parfait comme ça… dit le contremaître du même ton réticent, c'est parfait ! Il en a besoin, parce qu'une charmante comme vous, on pourrait la lui faire sauter…

— Y faudrait que je veuille ! Dites, toutes les femmes veulent pas, vous savez ? Elles sont pas pareilles, toutes les femmes ? Y faudrait pas vous le croire ! Moi, je suis fidèle à mon mari.

— Je sais… je sais… Mais si des fois… On sait pas… S'y vous trompait ? S'y venait à vous rendre malheureuse, vous feriez comme les autres, allez ! La consolation, vous la chercheriez ailleurs, vous croyez pas ?

— Je sais pas, dit Marguerite, j'y ai jamais pensé.

— Bien sûr ! Bien sûr ! J'espère pour vous que ça arrivera jamais…

Ils se taisent tous les deux, chacun perdu dans le gouffre de ses pensées.

— Mais si jamais… continue d'une voix plus basse le contremaître, vous savez, une femme comme vous, ce serait mon rêve. Je travaillerais nuit et jour pour elle, je viderais tous les magasins de la rue d'Alger sur vos genoux, vous seriez une dame… D'abord, c'est ça que vous êtes naturellement : une dame ! Une reine ! Une qui devrait être logée sur le boulevard de Strasbourg, à un premier étage, dans la soie et la dentelle !

— Comment vous osez ? suffoque Marguerite. Vous me dites tout ça, vous me dites tout ça…

Elle s'est levée, elle recule, elle voit un homme debout devant elle, avec des mains tendues, qui s'approchent, qui tremblent...

— Dans la soie, redit-il, dans la dentelle ! Et les plus beaux meubles de Toulon ! Je peux pas vous dire... Je sais pas parler moi, je suis un gros maladroit. J'ai jamais aimé qu'une femme et elle s'est foutue de moi... Et même maintenant, je me demande si je l'aimais, quand je vous vois... Et il y a longtemps que je vous regarde. Une fois vous êtes venue chercher Falconnet à l'Arsenal, vous aviez une robe blanche avec des petites fleurs et au cou vous aviez une écharpe rose que le vent vous l'emportait... Oh, je me souviens comme si c'était aujourd'hui ! Vous étiez contre le mur et la brise de mer, elle vous plaquait votre robe dessus. On vous voyait toute... Moi je vous regardais, mais vous, vous étiez sérieuse, vous regardiez rien d'autre que la porte, pour voir sortir votre mari. Les autres riaient, ils disaient : « Quand une femme est mordue, mon vieux ! » Moi je pensais pas à rire, je pensais : « Une comme ça, une comme ça, qui vous aime rien que vous, une jolie comme ça, une brave comme ça, ça me tombera jamais à moi ? » Ah, laissez-moi vous dire ! Après si vous me voulez pas, tant pis, je vous embêterai plus ! Mais laisse-moi te dire... Si tu voulais, mon Dieu, comme je te rendrais heureuse ! Tu l'aimes, oui, tu l'aimes ton Richard, mais tu crois que tu sais ce que c'est d'être aimée ? T'aimer comme moi, c'est pas possible ! J'ai plus dormi une nuit tranquille, sans penser à toi, depuis que je t'ai vue. Alors, tu comprends, si je suis venu ce soir, c'est pour te dire...

Marguerite entend, elle regarde, elle voit la passion embrumer les yeux de cet homme, elle se sent perdue. Il va la saisir dans ses bras, l'embrasser ; par force !... « Quelle horreur ! Quelle horreur ! Mon Richard ! » Elle recule, elle est arrivée contre le mur, elle est adossée sur la cloison de la chambre. A côté d'elle s'ouvre la porte, on voit le lit où tous les soirs elle se couche avec Richard, on voit le revers du drap blanc sur la couverture jaune piquée. Les mains s'avancent vers elle, frôlent ses seins, elle se serre contre le mur, elle voudrait pouvoir rentrer dedans... « Mon Dieu, mon Dieu quelle horreur ! » Elle éclate en sanglots.

— Pauvre petite, dit Nestor, tu es encore qu'une enfant.

Le silence tombe autour d'eux. Le contremaître s'est reculé vers la table, il s'est versé un second verre de marc et il se l'est envoyé d'un seul coup dans le gosier. Il essuie sa maigre moustache rousse d'un geste résigné et il se retourne vers celle qui achève doucement de pleurer, collée contre la cloison.

— Finissez, va ! dit-il. Je vous chercherai plus. Je comprends bien des choses. Falconnet, y vous avait pas prévenue ?

La voix calmée redonne confiance à Marguerite. Elle dégage ses yeux de derrière ses mains humides.

— De quoi ? demande-t-elle.

Il la regarde à nouveau, plus profondément, avec tristesse.

— De rien, dit-il. C'est pire que ce que je croyais. Allez, essuyez vos larmes, que ça vous abîmera vos belles mirettes ! Et n'ayez plus peur de moi.

Il enfile son veston, quitté dans les aises du repas, il remet sa casquette, il regarde encore une fois Marguerite, bien posément :

— Quand il rentrera votre mari, vous lui direz de ma part que la chance qu'il a... Oui, elle est bien rare la chance qu'il a ! Et qu'il fera bien de se la garder. Allez, au revoir !

Il ferme la porte derrière lui. Son pas lourd d'homme grand et gros descend l'escalier. Marguerite reste hébétée, toujours debout contre son mur. Elle est abrutie de n'avoir rien compris à toute cette histoire. Elle réfléchit encore péniblement quand la porte se rouvre :

— Bonsoir ! jette Richard. Tu es seule ?

Elle fait signe de la tête que oui. Mon Dieu, comment lui expliquer ? Et s'il allait croire qu'elle est consentante ?

— Il est parti ? demande-t-il.

— Oui.

Elle baisse la tête. Ses larmes jaillissent à nouveau.

— Qu'est-ce qu'il y a eu ? interroge plus sèchement Richard. Y a longtemps qu'il est parti ?

— Oui.

— Tu as pas su le retenir alors ? Voilà comme tu es... Je te dis que j'ai besoin de lui à l'Arsenal et tu es pas capable de me rendre service en le retenant ?

— Mais Richard...

— Quoi « Richard » ?

— Y voulait... Tu comprends pas ?

— Y voulait quoi ?

— Y s'approchait de moi avec ses mains... Il avait des yeux...

— Et après ? Tu as pas quatorze ans peut-être pour avoir peur qu'un homme te viole ? Les femmes, vous faites toujours des histoires de tout ! En attendant, moi je peux plus compter sur lui, maintenant !

— Mais Richard je t'assure... Écoute... Je pouvais pas...

Les sanglots l'empêchent de parler. Elle se jette contre son mari, elle veut se mettre bien contre lui, dans ses bras, sous sa belle bouche, tout lui dire, se faire consoler. Il la repousse d'un geste méprisant en levant les épaules :

— Tu es qu'une imbécile, dit-il.

Et il allume une cigarette, tandis qu'elle se demande pourquoi elle ne comprend pas.

III

La place à l'Huile bout dans son odeur de poisson. Les tripes des poulpes, la peau des baudroies écorchées, les têtes de sardines qui s'entassent font remugler le ruisseau dans son écume épaisse, contre la grille de l'égout. Sur les étaux, les poissons frais ont du sang aux ouïes, qui luit comme une rouge peinture. Les yeux des rascasses sont exorbités dans le hérissement d'un museau épineux ; les muges ouvrent une gueule ronde sur la torture de l'hameçon qui a déchiré leurs entrailles, les anguilles tordent leurs anneaux souples dans une gluante agonie, les crabes vivants grouillent avec un bruit de friture au fond des paniers. Parfois, l'un d'eux réussit à s'échapper et on le voit fuir, dans sa maladroite marche horizontale, vers un trou de trottoir où il se croit à l'abri. Le bleu de cobalt, le rouge de Sienne des girelles royales, la nacre moirée des sardines, le violet-noir des moules, l'émail éclatant des oursins éclairent les tables de bois lavées et relavées par l'eau de mer, derrière la pente desquelles trônent les marchands, dressant comme des sceptres leurs grands couteaux à trancher le thon.

Les cris soutiennent les couleurs :

— Que je suis belle, que je suis belle ! chante une voix pathétique, tandis qu'une grasse main, baguée de trop de brillants, malaxe la marchandise.

— Venez me voir, ma chérie, murmure secrètement une engageante voisine. Je suis extra ce matin.

— La boulègue, la boulègue ! hurle une troisième à qui une autre répond en lançant d'un ton suraigu :

— Au peï au peï !

Un pêcheur arrive et jette au sol une masse noire, gluante de vase. Les clients font le cercle, une étrangère demande :

— Qu'est-ce que c'est ?

— C'est une baudroie, dit le pêcheur.

— Qu'elle est grosse ! dit la femme.

— Ça se mange ? dit l'étrangère.

— Pardi ! Fariné, revenu dans l'huile avec des oignons, dit une poissonnière, c'est une régalade.

— Ou au court-bouillon et froid avec une mayonnaise, tu jurerais la langouste, dit le pêcheur.

L'étrangère regarde avec une sympathie ce grand garçon mince, bien découplé, qui porte avec aisance le maillot rayé sans manches, dégageant son cou bruni, et le pantalon collant, serré dans des bottes de caoutchouc.

— Oh, elle est encore vivante, votre baudroie ! dit-elle.

Du bout de son pied, le pêcheur retourne sur le ventre qui est plus clair et lisse, puis sur le dos bosselé d'écailles sombres, la bête tirée de la Méditerranée. Et tout le monde la regarde et elle halète spasmodiquement, ouvrant et refermant, dans un respir torturé, son énorme bouche blanche bordée de dents redoutables et ses paupières globuleuses laissant filtrer un regard vitreux.

— Qué monstre ! dit une poissonnière. Ça te mangerait la mer et ses poissons. Quand tu les vides, tu y trouves de tout dedans : des crabes, des sardines, des verdets, de quoi faire une soupe !

— Oui, c'est des animaux voraces, y se mangent entre eux, dit le pêcheur.

— Pareil que nous autres, approuve la poissonnière.

Marguerite est passée. Ces habitants marins, ces épaisses

baudroies, ces thons saignants, ces langoustes remuantes lui font toujours un peu peur. Et dans son cœur sensible, elle souffre de les voir agoniser lentement sur les étaux. Elle coupe la place et par une courte rue elle arrive au cours La Fayette où c'est un autre marché : fruits, légumes, fleurs, qui mettent un frais parfum de campagne parmi les fortes odeurs de la marée.

Les villages environnants apportent là leurs chargements d'anémones, de violettes, de grasses giroflées doubles, d'arums pudiques, de roses en boutons, de mimosas éclatants, d'œillets poivrés, d'asparagus échevelés. Toutes les fleurs, toutes les couleurs, toutes les formes : les thlaspis mauves en petits bouquets serrés, les tulipes rouges en gerbes rondes, les anthémis en boules blanches, se dressent par bouquets rayonnants, s'écrasent contre le bois des tables, croulent jusqu'au sol et parfois se laissent écraser par les pieds des passants. Marguerite aime bien les fleurs. A la Guirande, c'était toujours elle qui défendait, contre l'avarice du père, le bout de terrain où elle obtenait de semer des pensées. Elle s'achète des anémones écarlates à cœur blanc, qu'elle emporte, précieusement serrées contre elle, en fredonnant une chansonnette de joie.

Puis elle pense au repas. Alors elle devient sérieuse. C'est qu'elle a un mari à nourrir. « Et les hommes, comme dit le proverbe, tu les prends par les yeux, mais tu les tiens par le ventre. » « Moi, je suis de bonne gueule », avoue Richard. Ce qui signifie que la nourriture l'intéresse. Marguerite parcourt les bancs du regard, parfois même elle avance la main, elle tâte un chou-fleur, évalue la blancheur d'un céleri, la fraîcheur d'une salade...

— Quelque chose, ma jolie ? demande la marchande. Qu'est-ce que je te vends ? Des pois primeurs, d'artichauts ?

Oh ! non, tout ça c'est encore trop nouveau, trop cher pour un petit ménage comme le leur ! Mais ce beau chou-fleur peut-être, au jus d'un morceau de veau et bien gratiné au four avec du fromage, ça, Richard le mangerait volontiers. Et le soir, avec l'eau où elle cuirait des vermicelles, elle aurait la soupe. C'est avantageux.

Marguerite se sent très gaie. Ça lui plaît de faire les commissions. La rue de l'Estrapade est étroite et sombre, le soleil n'y pénètre que par le couchant, vers cinq heures du soir, tandis qu'ici, en ce moment, c'est un éclairage de matin de fête. Un grand large de ciel dur brille au-dessus des maisons et des vols d'hirondelles le strient avec des cris de joie. Une chanson monte toujours de quelque coin, c'est le laveur de vitres du bar des Amis qui lance la Tosca : « De deux beautés égales, dissemblance féconde... » en remontant d'un air vainqueur sa taillole rouge. Il couche à la fois avec la marchande de panisses et la petite bonne du bar, alors il se sent un Don Juan et ça lui donne du ton pour chanter. Après quoi il se frotte les mains, crache un jet de salive et recommence à passer son éponge sur les vitres. C'est la marchande de panisses, qui de sa baraque regarde le laveur aux cheveux frisés et fredonne dans ses dents serrées : « Si tu ne m'aimes pas... Si tu ne m'aimes pas... Si tu ne m'aimes pas... je t'ai-aime ! » C'est la petite bonne du bar qui secoue les descentes de lit sur le côté du premier étage et elle penche la tête sur l'épaule, pour voir le laveur frisé qui vient la caresser tous les soirs et elle n'est pas jalouse de la grosse marchande de panisses qui a voulu la gifler avant-hier. Elle s'en fiche, elle a dix-huit ans ! Si ce n'est pas le laveur, ce sera un autre. Et elle jette allégrement une romance à musiquette de bal, dont les paroles ne veulent rien dire, mais qui danse toute seule dans l'air.

Marguerite aussi se met à chanter tout bas. Elle pense comme elle est heureuse d'avoir son mari et que ce mari soit Richard. Il y en a qui se sont mariées par force ou par intérêt, avec des vieux, avec des laids, avec des hommes qu'elles détestent, tandis qu'elle, ah mon Dieu, qu'elle est heureuse d'aimer son Richard et qu'il l'aime tant ! Et elle est fière de balancer son beau buste plein de la chair ferme de ses seins, moulés dans un corsage rouge, au-dessus de la taille fine et du rebondissement des hanches, dans la jupe qui flotte au vent. Elle voit que des hommes la regardent et c'est un doux plaisir de penser qu'ils ont envie d'elle, ce qui prouve bien que Richard peut en avoir envie et qu'il peut l'aimer, qu'il l'aimera longtemps, peut-être toujours, qui sait ?

Elle glisse à travers la foule avec son sac qui commence à s'emplir et son minuscule bouquet d'anémones qu'elle protège de la main. Il y a un monde fou sur ce cours La Fayette, tu y vois de tout ! Des marins en bande qui rigolent, le béret à pompon rouge en biais au-dessus du visage marqué par la mer, des officiers à galons avec leurs dames prétentieuses et bien habillées, des soutiers nègres qui promènent leur nonchalance, des filles de maison qui tentent une chance matinale en se frottant contre les hommes, de braves ménagères qui cherchent les moulons de salades vendues au rabais, des vieux qui profitent du soleil et se font bousculer, des enfants qui jouent à cachette d'un groupe à l'autre. Et les étalages, et les charretons, et les paniers, et les tas d'épluchures, tout ça tient beaucoup de place. Il faut se glisser partout où il y a une petite raie de passage et encore tu es continuellement arrêtée par les marchands de citrons : « Les trois deux sous, belle ! », de vanille, de lacets, de papier d'Arménie, d'anneaux pour les clés, d'épingles anglaises, de dentelle, de noisettes grillées, enfin de tout. Marguerite est leste, elle se glisse. Ah, voilà un vendeur de chichis-frégis ! Ça, c'est bon. Elle s'en paye un pour ses deux sous et elle le mange avec délectation, tout chaud et craquant, dans le papier jaune qui lui graisse les doigts.

C'est à ce moment qu'elle voit Richard. Elle reste la mâchoire ouverte sur sa bouchée. Richard ? Mais c'est pas possible... Il est dix heures. Richard, il est à l'Arsenal ? Non, il est là. Elle vient de le voir de face. Maintenant elle le voit de dos. Il a son foulard à lunes vertes qui déborde du col de son bleu de travail. C'est lui, y a pas de doute. Ce foulard elle le connaît bien, c'est elle qui lui en a fait cadeau. Mais qu'est-ce qu'il fait là, puisqu'il est à l'Arsenal ? Il entre dans la rue de la Fraternité, il est avec un type, un petit maigre et de son côté, il a une femme : une grande, avec les cheveux ondulés haut, dans un peigne rouge et Richard a la main sur l'épaule de cette femme. Marguerite se jette en avant. Des cris suivent son geste impulsif. Elle a accroché un étalage d'oranges et, de la planche basculée, les fruits roulent à terre, tandis que retentissent des injures. Elle veut courir. Une main forte lui saisit le poignet :

— Aide-moi à les ramasser au moins, marida !

Le noir Espagnol lui grince son insulte à la face. Elle se débat :

— Laissez-moi ! crie-t-elle. Laissez-moi, je vous paierai !

Mais l'homme la tient dur. Elle relève la tête. Richard n'est plus là. Dans la rue de la Fraternité passent toujours des gens, mais Richard n'y est plus. Où est-il ? Ah, le suivre, le suivre ! Mais non, c'est impossible, elle s'est trompée, ce n'était pas lui…

« C'était lui. »

Deux heures plus tard, rentrée dans sa maison, assise devant sa table de cuisine, elle se le redit : « C'était lui. » Machinalement, elle est allée jusqu'à la boucherie acheter une tranche de veau, elle l'a mise à cuire dans le poêlon avec la noix de beurre et les trois gousses d'ail, elle a coupé le chou-fleur en tronçons, elle l'a lavé sous le robinet (des fois, ils ont des chenilles cachées sous les branches), elle l'a jeté dans l'eau bouillante salée, puis elle l'a égoutté, patiemment, disposé dans le plat avec le jus et le râpé et elle l'a mis au four. Maintenant, elle écoute le bruit de la viande qui se dore doucement, elle pense qu'il faut mettre le couvert, elle pense que c'était lui… Eh bien, voilà, c'était lui, c'est tout ! Qu'est-ce qu'elle a à se mettre martel en tête. C'est midi, il va rentrer, ils se diront :

— Je t'ai fait du chou-fleur au jus de veau.

— Oh, qué bonne idée ! Je l'aime bien, le chou-fleur au jus de veau.
— Je le sais. C'est pour ça que je te l'ai fait.
— Tu es brave. Et juste, j'ai beaucoup faim. Je suis pas resté à l'atelier, le contremaître m'a envoyé faire une course et figure-toi, j'ai rencontré un copain avec sa femme...
« Non non, pas sa femme. Il lui aurait pas mis la main sur l'épaule. Alors cette femme, c'était quoi ? Elle avait bien l'air d'une pute. Richard... Non c'est pas possible ! Mon Richard... Oh, qu'y rentre vite m'expliquer ! »
Et le voilà qui arrive. Elle s'élance vers lui avec un cri de délivrance :
— Ah !
— Qu'est-ce que tu as ?
— Rien.
Il a bien le foulard à lunes vertes dans le col de son bleu de travail. Il l'embrasse :
— J'ai faim. Tu as pas encore mis le couvert ?
— Oh, c'est vite fait. Tu as faim ?
— Oui, j'ai faim.
— Tu as beaucoup travaillé ?
— Tout le matin à marquer des tôles. C'est pas rigolo.
— Tout le matin ?
— Oui.
— Sans bouger ?
— Comment, sans bouger ?
— Je veux dire : tu es pas sorti ?
— L'amiral m'a bien envoyé sa vedette pour me mener faire un tour jusqu'à Tamaris...
— Te fiche pas de moi, qué ?
— Tu me demandes des choses !
— Tu es pas sorti ?
— Non.
— Je t'ai vu.
— Moi ?

— Oui, toi !
— Tu m'as vu ?
— Oui, je t'ai vu !
— Celle-là, elle est forte ! Et où, tu m'as vu ?
— Sur le cours La Fayette.
— Pas possible ! Et à quelle heure tu m'as vu sur le cours La Fayette ?
— Vers les dix heures et demie.
— Ce matin ?
— Oui, ce matin.
— Hé ben, je suis double alors ! Parce qu'à dix heures et demie j'étais dans l'atelier des tôles. Demande à Nestor.
— J'ai pas à demander à Nestor ni à personne. Je t'ai vu !
— Tu avais encore la poutine dans les yeux.
— J'ai bien connu ton foulard à lunes vertes à ton cou...
— Ah oui ? Y a que moi qui ai un foulard à lunes vertes ? Où tu l'as acheté, ce foulard à lunes vertes ?
— Pourquoi ? Sur le port. A « La maison rouge ».
— Et tu crois qu'on l'aurait fait exprès pour toi ?
— Pourquoi, exprès pour moi ?
— Parce que le marchand il en a vendu plus de cent de ces foulards à lunes vertes ! Et que, par conséquent, y a pas que moi qui en porte. Tu as compris ?
Marguerite baisse la tête. Elle redit d'une voix têtue :
— C'était toi. Tu étais avec un petit maigre et une grande femme aux cheveux ondulés.
— Et le Pape ?
— Quoi, le Pape ?
— Il y était pas, le Pape ? A se promener sur le cours La Fayette, à dix heures du matin ? Toi qui y vois si clair, tu l'as pas vu, le Pape ?
Marguerite reste immobile, sans un sourire. Elle continue :
— Et cette femme, tu avais la main sur son épaule...
Cette fois Richard éclate de rire :

— La main sur son épaule, pas plus ! J'y faisais pas l'amour à cette femme, que tu m'as vu avec, à dix heures du matin, en plein cours La Fayette ?

— Oh, tais-toi !

Marguerite n'en peut plus. Sa colère tourne au chagrin. Elle s'abat contre la table et laisse couler sur ses fraîches joues les larmes qu'elle ne sait plus retenir.

— Tu es une belle imbécile ! dit Richard. C'est possible de se mettre dans des états pareils, pour des bêtises ? Ça t'apprendra à mieux ouvrir les yeux un autre jour.

« C'était toi ! C'était toi ! crie une voix obstinée dans la gorge muette de Marguerite. Menteur ! Je t'ai bien reconnu ! Je suis sûre... O mon Dieu, comme tu peux savoir mentir ! »

Elle essuie son visage trempé. Richard s'approche d'elle et la prend dans ses bras :

— Allez, embrasse-moi, va ! C'est fini. Fais-moi une bonne bise. Je t'enverrai Nestor, y te le dira si je suis pas resté tout le matin à l'atelier des tôles. Même qu'y en a une, que pour la percer, ç'a été le tonnerre de Dieu. Tu me crois pas ?

Il a relevé par force le corps de sa femme et il en a mis les bras autour de son propre cou. Il l'embrasse et elle se laisse faire mollement, si heureuse d'être consolée. Oh, si elle pouvait le croire au moins... Elle murmure sourdement, en hochant la tête :

— Si je pouvais te croire...

— Mais sûr que tu peux me croire, bestiasse, puisque c'est vrai ! Celle-là, comme une mule noire ! Tu m'avais prévenu que tu étais si testarde ? Et pas jalouse, non ? Qué tigresse ! Après tout, j'aurais pas pu être avec des copains ? Alors, si tu me rencontres avec des copains, chaque fois tu me feras la scène ?

— Si tu me le dis, non. Si tu m'avais dit : « Je suis sorti... »

— Mais puisque je suis pas sorti ? Alors ?

— Pourquoi tu avais la main sur l'épaule de cette femme ?

— Oh, écoute ! dit Richard. Ça te reprend ? Mets le couvert, va, tu feras mieux, qu'il est midi et demi.

Il l'a lâchée d'un seul coup et s'éloigne d'elle :

— Si toi tu as rien à faire qu'à te bâtir des imaginations, moi, je travaille, tu comprends. A une heure et demie, faut que je sois au boulot.

Marguerite sent que son mari est excédé. Il lui parle d'une voix glaciale. Elle n'insiste plus. Elle place sur la toile cirée leurs deux couverts, elle tire du four le plat de chou-fleur. Le temps de la discussion lui a profité, il est gratiné à point, sa croûte dorée embaume. Richard s'installe et se sert largement, il boit un coup de rouge, il emplit le verre de sa femme.

Marguerite met le rôti de veau sur la table. Au fond du poêlon, le jus est caramélisé.

— Épatant ! dit Richard. Mais si toi tu mangeais un peu plus, ça me plairait mieux.

— J'ai guère faim...

— Allez ! Allez ! Ça tient pas debout ! Pourquoi, « guère faim » ? Pour cette histoire imbécile ? Allez, mène ta chaise près de moi, je vais te faire manger comme les petits enfants.

D'une poigne solide, il voiture Marguerite sur son siège, tout près de lui, et il lui fourre dans la bouche un morceau de rôti.

— Mangez, mon bébé ! dit-il. Pour faire plaisir au papa...

Marguerite éclate de rire. Sa jeunesse, sa gaieté naturelle réagissent spontanément contre la morsure du chagrin. Elle rit, puis elle mange.

— Ah, ça va mieux ! dit Richard. Alors, embrasse-moi et que ce soit fini.

Il passe son grand bras autour du cou de sa femme et il

tourne vers le sien ce visage, où la nacre d'un pleur mal essuyé brille encore sous la paupière.

— Ma chérie, dit-il, que tu es bête de te faire des idées comme ça. Allez ! bois ton vin, ça te remontera.

Maintenant, elle termine le repas sur ses genoux. Elle est tout alanguie, elle ne veut plus penser à ces mauvaises choses de tout à l'heure. Après tout, qui sait si elle a bien vu ? Si elle ne s'est pas trompée ? Richard ne lui a jamais menti, pourquoi il commencerait aujourd'hui ? Non, non, c'est elle qui a dû confondre ! Et pourtant ? Ah, il vaut mieux ne plus penser, ne plus penser...

Le sourire s'efface de son visage. Richard, qui l'observe, la reprend dans ses bras. Il regarde le réveil, sur l'étagère de la hotte, il marque une heure :

« J'ai juste le temps », pense-t-il.

Il embrasse Marguerite derrière l'oreille, là où la peau est si sensible, à l'orée de la chevelure. Sa bouche descend et cherche le cou, la naissance des seins, elle remonte et trouve sous la sienne une bouche consentante, sur laquelle il écrase des mots de soumission :

— Mon amour chéri...

Il se lève, retenant à deux mains et traînant contre lui son tendre fardeau. La porte de la cuisine touche la porte de la chambre, le lit s'étale, tout blanc de sa belle couverture au crochet, faite par la mère Falconnet. Sur les roues de mer en relief, Richard couche doucement le corps abandonné à son désir. Il dénude avec délicatesse une chair qui s'offre et reprend victorieusement possession de ce qu'il a craint un moment avoir perdu.

— Je t'aime..., gémit Marguerite.

Un quart d'heure après, filant vers l'Arsenal, Richard expulse un sifflet conquérant et se dit à lui seul :

— Nom de Dieu, j'ai eu chaud !

IV

« Larmes de femmes,
larmes d'amour,
larmes de femmes,
coulent toujours... »

Le joueur d'ariston passe dans la rue de l'Estrapade, poussant sur un véhicule branlant son instrument dont la grêle musique a conduit Marguerite à la fenêtre. Elle écoute la fin de la chanson, elle jette deux sous au pauvre homme qui se baisse péniblement pour les ramasser sur le pavé. D'autres sous tombent autour de lui. Sur l'un des brancards, un singe, vêtu de satin rouge, joue à faire sonner sa ceinture de grelots. Marguerite rentre dans sa cuisine, elle continue à fredonner sur un ton mélancolique :

« Larmes de femmes,
larmes d'amour... »

et elle pense que les femmes ont la manie de pleurer. Pourtant, pour Marguerite, c'était une chose peu connue, les larmes, sauf celles dont elle mouillait son traversin, aux nuits de la Guirande, quand son père lui défendait d'aller danser. Mais alors c'était plutôt de la rage que de la vraie douleur. Tandis qu'à présent qu'est-ce qui lui arrive ? Elle a pleuré quand le contremaître Nestor a voulu l'embrasser ; plus tard elle a pleuré quand elle a cru voir Richard avec une femme ; et un après-midi, toute seule dans sa cuisine, elle a encore bien pleuré pour avoir lu cette espèce de lettre anonyme qu'elle a trouvée en rentrant du marché.

Qui a pu avoir assez d'intérêt pour la guetter, attendre qu'elle soit partie aux commissions et glisser ce papier plié en quatre sous le battant de la porte ? Elle a fait sa petite enquête, personne n'a vu personne. Palmyra devait être comme toujours au fond de sa boutique obscure, en train de ranger ses fiasques de chianti bouchées à l'huile et ses réserves de lonzo. La voisine du premier, la veuve Ristorio, est vieille et sourde ; la Ninette Marle, du même palier, celle-là pourrait savoir, elle a tant d'amants qu'elle est toujours à reconduire l'un d'eux jusque sur les marches où ils lui passent encore les mains dans les jupes. Mais non, elle n'a rien vu, elle l'a juré à Marguerite avec un grand rire gai qui faisait sauter toutes ses frisettes sur son front ; il ne restait plus que les voisins du même étage qu'eux, les Bartholdi, des Corses. Le mari est maçon, la femme est enceinte. Oui, on dirait qu'être enceinte, c'est son métier, elle l'est toujours. Petite et maigre, elle pousse devant elle, comme à perpétuité, un ventre pointu et insolent. Marguerite a frappé à sa porte et c'est ce ventre qui, comme d'habitude, est apparu d'abord. Sur ses bras serrés, contre sa poitrine creuse, elle tenait Gène, son petit dernier, et à ses jupes se cramponnaient les deux autres. Les trois aînés étaient à l'école. « Non, a-t-elle dit, non, j'ai rien vu ! Vous savez, moi, je lave, je bassèle mon linge, je fais du bruit… puis les enfants gueulent, alors qu'est-ce que vous voulez entendre ? » Marguerite était rentrée chez elle, elle avait relu le billet. Et ce matin, elle va le reprendre dans le trou du potager où elle l'a caché sous des chiffons et elle le regarde à nouveau. C'est une feuille de papier quadrillé, arrachée à un cahier de classe, et voilà exactement ce qui est écrit dessus :

« Ocupé vous zan un peu plus de ce qu'y fais votre mari, vous ferrai pas male. Cé tout ça que j'ai a vous dire ! ! !

Une amie. »

Voilà. C'est ce qu'elle est obligée de lire et relire et ce qui fait qu'à deux reprises, en se couchant et un matin au réveil, elle était si triste que Richard lui avait demandé :

— Qu'est-ce que tu as, mon beau ?

— Rien, elle avait dit.

— Tu as l'air de faire les brigues ?

— Non. J'ai rien.

Il était parti à son travail. Elle était restée seule avec ses pensées noires : « Ocupé vous zan un peu plus de ce qu'y fais votre mari... » Occupez-vous-en un peu plus... Et de quoi y faut que je m'en occupe ? Et comment je 'ois faire pour m'en occuper ? Y faut que je le surveille, peut-être ? Quand il est à l'Arsenal ? Ou au café, avec les copains ? Comme c'est facile ! Elle est rigolote, celle-là ! Qui ça peut bien être ? « Une amie. » Des amies comme ça, on en a de reste ! Elle pouvait pas se tenir tranquille ? Ou alors m'en apprendre plus long ? « C'est tout ce que j'ai à vous dire. » Je suis belle, moi, maintenant ! Enfermée avec cette histoire, à me ronger le cœur comme les lapins le bois de la lapinière. Je suis jolie, oui ! Quand j'avais un souci jusqu'à présent, le loyer à payer, mes règles qui me manquaient, n'importe, c'était à Richard que je le disais, j'ai point d'amies. Elle signe : « Une amie. » C'est pas vrai, j'ai point d'amies. Richard, ça lui plaisait pas, y disait : « On est pas bien, rien que tous les deux ? Je préfère que tu fréquentes personne. » Alors voilà, je suis seule. Maman est morte, mes frères, mes sœurs, je les vois plus. Y aurait que la mère Falconnet qui me garde Vincente. Celle-là, elle est brave et de bon conseil, mais elle est à Salernes. Si j'allais la voir ? Oui, ça serait une bonne chose. Je dis que je languis de ma fille et j'y vais. Mais alors y faudra laisser

Richard seul quelques jours et qui sait si ce sera pas encore plus mauvais ? Hou, que c'est fatigant de tant réfléchir ! »

Midi de ce jour, Richard était arrivé, le repas était prêt. N'importe quel chagrin que porte une femme dans le secret d'elle-même, il faut bien que toujours le repas soit prêt à l'heure, pour l'homme qui a faim. Il avait demandé, scrutant le visage de Marguerite :

— Tu fais toujours la tête ?

— Je fais pas la tête.

— Qu'est-ce que tu as ?

Les mots hésitaient à sortir. A la fin :

— Je me languis de Vincente...

— De la petite ?

— Oui, de la petite. Y a trois mois que je l'ai plus vue.

— Va la voir ! Qui t'empêche ?

Le cœur de Marguerite s'était serré. Comme son mari se prive facilement de sa présence. « Mon Dieu, il ne m'aimerait plus ? C'est pas possible ! Il aimerait cette autre, cette grande fille, frisée comme une salade ? Et moi alors, je le laisserais bien libre avec elle ? »

— Si tu veux, avait continué Richard, nous partons samedi soir par la patache de six heures, moi je reviens le lundi matin pour mon travail et toi tu restes un peu avec ta fille ?

— Oh, tu sais, une fois que je l'ai vue...

— Hé ben alors, nous revenons ensemble. Moi, ça me dit rien d'être sans toi, tu sais ?

Ah, quel baume ! Ah, quel lait adoucissant, laissant couler sa fraîcheur cicatrisante sur la plaie à vif ! Mon Richard, mon bel amour ! Ah, je le savais bien, moi, que tu m'aimais encore ! Tout ça, c'est des bêtises, des jalousies, des méchancetés...

— Entendu ? avait dit Richard. Ça te va ?

— Oui, comme ça, ça me va.

Et maintenant, elle y est allée à Salernes et elle en est revenue. Elle a trouvé sa Vincente bien portante, rouge comme une arbouse, grasse comme une jeune perdrix. La grand-mère la soigne bien.

— Je t'emmène ? dit Marguerite en l'écrasant de baisers.

Mais la petite regarde du côté de ses habitudes.

— Bientôt, dit Richard, nous la prendrons, quand nous changerons de logement et que nous serons au soleil.

— C'est vrai que dans cette rue de l'Estrapade... dit la mère Falconnet.

— Je sais quatre pièces à louer à Saint-Roch, dit Marguerite, bien exposées, et du grenier, tu vois la mer.

— Pas encore, dit Richard, quand on sera plus riches.

— Vaï, vaï, laissez-moi la petite. Elle est mieux avec moi qu'avec vous autres, bande de fous !

Mme Falconnet rit de les voir si amoureux, si bien d'accord.

Marguerite lui a rendu sa fille pour revenir sur les genoux de son mari. Il lui mordille l'oreille et elle se renverse en criant de plaisir. La boutique de l'herboriste sent bon de toutes les odeurs des plantes de colline. Au plafond, pendent les bouquets de thym, de romarin, de pèbre d'aï, de sarriette, de fenouil, de rue, de sauge, de tant d'autres plantes dont elle est seule, parmi ces ignorants, à connaître le nom en latin et en français. Il y a toutes les sortes d'herbes, de celles qui font passer l'inflammation rouge aux cuisses fragiles des bébés et les pertes blanches aux filles, régularisent les règles des femmes inquiètes, purgent le sang des jeunes gens dont l'acné souille les joues, redonnent de la vigueur aux vieux, assouplissent les jointures rhumatisantes des vieilles, enlèvent les coups de soleil.

— Mère Falconnet, je vais au bal samedi et j'ai un gros bouton qui me pousse à la lèvre. J'ai souci d'être laide...

— Tiens, prends trois infusions de pimprenelle, un jour non l'autre, tu auras une figure comme un lys.

— Mère Falconnet, j'attendais pour le douze et nous sommes déjà le vingt. Je suis veuve, vous savez... J'ai peur d'avoir fait une grosse bêtise. Oh, je me tuerais !

— Te tue pas. Voilà de la rue. Mais ne le dis à personne.

— Mère Falconnet, je vais me marier et j'ai point de couleur, mon sang du mois est tout trouble.

— Tu boiras tous les matins une bonne tasse de petit-chêne. Dans un mois, tu pourras te prendre un homme si ça te plaît toujours.

Contre les murs, il y a des étagères et encore là-dessus, des paquets de plantes entassées et bien rangées en ordre. Quand l'herboriste n'est pas au magasin, elle est dans les drailles de la colline, elle cherche, elle ramasse. Tout lui est bon, de tout elle tire du bien pour l'être humain : les feuilles de l'oranger calmeront les nerveux qui ne peuvent dormir ; les pétales de roses rouges ou les ombelles du sureau apaiseront l'irritation des paupières enflammées ; les feuilles de ronce adouciront les maux de gorge ; le pariétaire rampant aux murailles et la traînante salsepareille à fleurettes pourpres et la tête de pavot où dansent les fines graines noires et la baie ramollie de l'églantier sauvage et le plantain et l'ellébore et la belladone et la jusquiame qui vont toucher au dangereux chapitre des poisons, elle les connaît tous, elle les trouve où personne ne les voit, agrippés par leurs racines têtues dans si peu de terre, au creux d'un rocher, au penchant nord d'un ubac, au bord d'un ruisseau solitaire, dans les ruines des vieilles maisons, dans le terreau providentiel des ordures communales.

L'herboriste va à leur recherche par les matins de beau temps, Vincente à sa main, qui gagne dans ces marches la fraîcheur robuste qu'elle gardera toute sa vie. Elle rapporte aussi sa petite charge et l'étale soigneusement, à l'exemple de sa grand-mère, sur les planches du séchoir. C'est le grenier au plus haut de l'immeuble d'où on voit les toits de Draguignan briller au soleil. La vieille femme dit souvent : « Plus tard, j'habiterai ma maison de Sainte-Trinide, c'est plus campagne, ça me plaît mieux ; mais j'ai trop besoin de place pour mes plantes. Quand je me retirerai… »

Elle le dit, mais elle sait qu'à vivre sans cette odeur d'herbes sèches autour d'elle, elle préférerait mourir. Alors elle réfléchit un moment et elle ajoute pour Vincente :

— Non va, moi j'irai jamais, mais toi je te la donnerai et ce sera ta maison quand tu te marieras, avec celle d'ici, après ma mort.

Vincente rit et frappe des mains, si fière d'avoir déjà deux maisons à elle !

Marguerite et Richard sont revenus à Toulon le lundi matin. La voiture grinçante, traînée par les gros chevaux qui fument, les dépose en haut du cours La Fayette, sur la petite place ombragée de platanes. Ils ont fait un joyeux voyage, serrés l'un contre l'autre et Marguerite est toute gonflée d'une confiance nouvelle et d'un nouvel amour sans tache. Voilà ce qu'elle fera : rentrée à la maison, elle tirera encore une fois le billet de sa cachette et elle le montrera à Richard et Richard lui expliquera le pourquoi de la chose. Ils en riront tous les deux, comme ils rient ici en débarquant, parce que, en la prenant dans ses bras pour la faire descendre, il lui relève si haut les robes qu'on voit, jusqu'aux hanches, son pantalon blanc.

Mais le sourire de Richard s'est figé. Devant lui, tandis qu'il pose sa femme à terre, deux hommes se sont dressés que Marguerite, avec lui, reconnaît tout de suite : l'un, c'est le contremaître Nestor, long nez, laide figure ; l'autre, ce petit maigre avec qui elle a vu son mari sur le cours La Fayette. Le couteau s'enfonce d'un seul coup. « Ah je ne m'étais pas trompée, c'était bien lui ! Et la femme alors ? Et la femme ? » Le sang lui bourdonne aux oreilles.

— Falconnet, dit Nestor vivement, y faut qu'on te parle.

— Oui, on est venu t'attendre, dit l'autre. Ça va mal !

— Qu'est-ce qui y a, Mandoline ? demanda Richard d'une voix qui veut être sûre, mais que Marguerite sent hésiter.

— Y a, dit l'homme maigre d'un ton plus bas, que le truc est découvert.

— Venez au bar, dit Richard. Ici, y a trop de monde.

Il se tourne vers Marguerite :

— Toi, rentre à la maison. J'ai à parler avec eux.

— Qu'est-ce qu'y t'arrive ?

Elle s'inquiète de voir son mari inquiet.

— Rien, dit-il. T'occupe pas ! Des ennuis du travail.

— Mais...

— Mais rien ! Ça regarde pas les femmes. File à la maison. C'est tout ce que tu as à savoir.

Il prend par l'épaule celui qu'il a appelé Mandoline et il le dirige vers le bar. Nestor est resté en arrière :

— Rentrez, madame Marguerite, dit-il, ça vaut mieux.

Les yeux pâles, d'un bleu délavé, sont pleins d'une pitié de bon chien en se posant sur la jeune femme.

— Mais qu'est-ce qu'il y a ? redemande-t-elle.

— Nestor ? appelle Richard. Alors, tu viens ?

— J'irai vous voir, dit Nestor précipitamment, d'une voix basse. Cet après-midi, peut-être, j'irai vous voir...

« Non, non ! elle a envie de dire. Non, non, ne venez pas me voir ! J'ai rien à faire, moi, avec vous. C'est mon mari qui doit m'expliquer. Je m'en fiche, de vous ! J'en ai peur, de vous ! Qu'un jour vous avez voulu m'embrasser par force et qu'y a que mon Richard qui a le droit de m'embrasser ! »

— Richard, demande-t-elle, tu viendras à midi ?

Mais il s'est déjà détourné d'elle et aussi le contremaître avec un grand geste vague de son long bras. Elle se voit seule, debout, au milieu du débarquement des cageots et elle s'en va, seule, vers sa maison.

*

Et maintenant, elle préparait le repas comme tous les jours que Dieu a faits et elle s'est dérangée pour entendre cet ariston qui serine :

« Larmes de femmes,
larmes d'amour,
larmes de femmes,
coulez toujours... »

Alors c'est vrai, ces larmes de femmes, elles doivent toujours couler ? Ça peut pas se tarir, cette espèce d'imbécile fontaine ? Y doit bien y en avoir, pourtant, des femmes qui n'ont pas de raison pour pleurer ?

En mettant dans une assiette le morceau de bœuf froid que la belle-mère lui a fait emporter pour midi, elle pense à leur conversation : c'était seulement le second jour, le dimanche, quand Richard était allé prendre un vin blanc avec un ami du village, que Marguerite avait osé faire ses confidences. La vieille herboriste avait tout écouté sans interrompre, depuis la rencontre du cours La Fayette jusqu'au billet anonyme, en passant par l'attitude de Nestor. Elle avait bien écouté, puis ses deux gros seins, pleins et durs comme des melons au-dessus de la taille épaisse, étaient remontés jusque sous son menton dans l'effort d'un vaste soupir :

— Ah, pauvre nistonne ! avait-elle dit. La putasserie de l'existence, tu la connais pas encore...

— Mais alors, mère, vous croyez ?

— Je crois rien, je sais rien que ce que tu me racontes. Richard, c'est pas un mauvais garçon, mais il est beaucoup faible. Tous les hommes sont comme ça, du premier jusqu'au dernier, tous les hommes sont faibles... Oui, beaucoup faibles ! On croit que c'est les femmes, c'est pas vrai. Elles ont bien plus de courage que les hommes, seulement elles ont pas l'air. Elles sont habituées de toutes petites, les garçons les battent, puis elles ont leurs affaires, puis elles font les enfants, puis à la fin de tout, elles ont la vieillesse à supporter, quand personne les regarde plus... Alors, tu comprends, si elles avaient pas le courage, y vaudrait mieux qu'elles se foutent par la fenêtre au premier jour de leur naissance ! Ah oui, elles ont du courage, les femmes, ma pauvre petite !

— Mais alors ? Alors on peut pas être heureuse, c'est défendu ? supplie Marguerite d'un ton désespéré.

— Les hommes peut-être, hésite la vieille voix. Quoique de temps en temps ils aillent à la guerre et qu'on les tue. Les hommes, oui. Mais pour les femmes, tu sais, c'est beaucoup difficile… beaucoup difficile !

Marguerite avait serré contre elle sa Vincente qui commence à peine la vie et qui sera une de ces femmes trop sensibles, puis Richard était revenu, très gai, et il ne s'était plus parlé de rien. Le lendemain, il avait fallu repartir pour Toulon.

*

Le repas est prêt, l'ariston a disparu au coin du boulevard. Et voilà ! Et maintenant il n'y a plus qu'à attendre ce qui va arriver. Midi sonne. Enfin, un quart d'heure après, c'est le pas de Richard dans l'escalier ! Comme il tape les marches ? On croirait qu'il est saoul et qu'il hésite. Elle ouvre sa porte et se penche :

— Vous ? dit-elle contrariée.

C'est le contremaître. Celle-là, par exemple !

Elle recule et Nestor s'avance vers la cuisine. Il la regarde avec pitié, comme ce matin, et parle à voix basse :

— Il ne peut pas venir manger. Je suis monté pour vous expliquer la chose. Laissez-moi entrer, vous voulez ? Ça peut pas se raconter dehors, c'est trop grave…

— Mais qu'est-ce qu'y a ? interroge-t-elle.

— On l'a appelé au commissariat, dit-il. Il est accusé de vol.

V

— Alors on le libérera quand ? demande Marguerite d'une voix étranglée.

Le contremaître ne répond pas.

— Enfin, s'énerve-t-elle ; y faudra bien qu'on le lâche, puisque c'est pas lui ?

— Y faut que ça se prouve...

— Ça se prouvera ! La vérité, vous savez, c'est comme l'huile, ça monte toujours au-dessus.

Après un nouveau silence, Marguerite ajoute :

— La vérité, y a bien quelqu'un qui la sait ? Et qui la dira ?

Après une hésitation, le contremaître avoue :

— Oui. Y a quelqu'un.

— Ah vous voyez ! Qui est-ce ?

— Moi, dit Nestor.

Il prend dans ses gros doigts la tasse encore demi-pleine :

— Vous le faites bien, le café. Vous faites tout bien ! soupire-t-il.

— Et qu'est-ce que vous attendez pour la dire ?

— C'est difficile, soupire encore Nestor.

Marguerite se tait à son tour. Son cœur, serré dans sa poitrine contractée par les nerfs, bat péniblement et ne lui permet qu'un souffle courtement exhalé. Elle lève les yeux, rencontre le regard d'un bleu délavé, fixé sur elle, et cache vite le sien sous ses paupières.

— Y a des risques pour moi, reprend le contremaître.

— Richard est votre ami. Pour un ami, on fait bien des choses.

Il se tait. Elle insiste d'un ton persuasif :

— Enfin puisqu'il a pas volé, vous dites ? Puisque c'est ce « Mandoline », comme vous l'appelez ?

— Richard a été complice. Il a revendu le cuivre. Lui et puis cette femme qu'il voyait : Gianella.

— Quelle femme ?

— Oh, vous la connaissez pas ! Une de la rue de la Glacière.

— Grande, brune, avec des cheveux frisés ?

— Vous la connaissez ?

— Ah ! dit Marguerite, c'est elle ? Gianella, vous dites ? Et qu'est-ce qu'elle a à faire avec mon mari ?

— Vous savez, moi... Richard me confiait pas toutes ses combines. Ce que je sais, c'est qu'ils ont revendu le cuivre volé, lui, Mandoline et cette femme.

Marguerite tord ses bras et croise ses doigts crispés sur ses genoux.

— Vous avez de jolies mains douces... Et si petites ! dit Nestor. C'est criminel.

— Quoi, criminel ?

— De faire du mal à des petites mains comme ça.

— Richard me fait pas de mal, rit Marguerite. Sûr qu'il a beaucoup eu tort de vendre ce cuivre volé, mais...

— Receleur, ça mène loin, vous savez ?

— Mais puisque vous pouvez témoigner pour lui ? Qu'est-ce qu'y faut que vous disiez ?

— Qu'au moment du vol nous étions ensemble, dehors, pour un travail en rade.

— Ça vous arrive ?

— Oui. Des fois on m'envoie surveiller le rivetage d'une tôle, aux radoubs. Je peux dire que je l'ai emmené ce jour-là. C'était à dix minutes de la sortie, personne aura fait attention... Mais quand même, c'est dangereux pour moi. Y faut que ce soit par amitié...

— Bien sûr, dit Marguerite.

— Par grosse amitié pour vous, reprend Nestor.

— Richard est votre ami.

— Oh, Richard, il n'est guère l'ami de qui que ce soit ! Non, si je le fais, ce sera rien que pour vous, madame Marguerite.

Il y a un silence nouveau, plus pesant.

— Quand je pense qu'il est en prison ! gémit Marguerite. Et qui sait seulement s'ils l'ont fait manger ?

— Il a dû avoir la soupe et l'eau comme les autres.

— Mon Dieu, quel malheur... Juste Richard qui aime pas la soupe.

— Alors, on lui donnera du blanc de volaille, dit doucement Nestor.

Marguerite lève des yeux hagards :

— Hé ?

— Vous l'aimez beaucoup ? soupire-t-il.

— Beaucoup. C'est mon mari.

— Des maris comme ça...

— Qu'est-ce que vous voulez dire ?

— Rien. Écoutez : je témoignerai pour lui. Mais alors moi, vous pouvez pas m'aimer un peu ?

— Vous aimer ?

— Oh, pas comme lui, bien sûr, mais quand même... Un peu... Vous laisser prendre un peu dans les bras, rester contre moi, me permettre de vous embrasser les yeux, comme si vous étiez mienne.

Marguerite se tait. Son cœur lui fait mal, à force de battre comme un affolé.

— Comme si vous étiez un peu mienne, répète le contremaître. Dites ? Ça vous est pas possible ? Rien que pour me faire plaisir ?

— Cette Gianella, demande-t-elle brusquement, dites-moi la vérité : c'est pas sa maîtresse ?

— Si c'était ça, vous m'aimeriez ?

— Oh, ne parlez pas toujours de ces choses ! s'énerve Marguerite. Vous pensez rien qu'à vous ! C'est pas sa maîtresse, n'est-ce pas ? Je me tuerais si c'était ça !

Elle baisse vers le sol une tête accablée.

— Non, hésite le contremaître, je crois pas.

— Alors, reprend Marguerite, vous témoignerez pour lui ?

— Si vous le voulez...

— Qu'est-ce que vous direz ?

— Je dirai que j'ai voulu aller voir un travail aux radoubs et que je l'ai emmené avec moi, puis que six heures ont sonné et qu'alors je l'ai laissé rentrer chez lui. Vous, vous aurez qu'à jurer qu'à six heures et quart il était ici.

— Je le jurerai ! dit Marguerite. Oh, merci bien !

— Ce sera un gros secret entre nous, dit le contremaître. Vous voyez comme on peut s'entendre tous les deux ?

Il s'enhardit jusqu'à saisir la petite main qui traîne sur la jupe et il la serre doucement dans la sienne.

— Vous ne me ferez pas seulement une caresse pour me remercier ? demande-t-il. C'est grave ce que vous me faites faire. Je risque ma situation.

— Une caresse ? répète-t-elle. Sur la joue alors ?

— Sur la joue, sur le front, pourvu que je vous sente un peu contre moi...

Nestor s'est levé, il se penche vers Marguerite, il la prend aux épaules et il avance ses grosses lèvres.

— Ah... gémit-elle en tentant de reculer.

Mais elle sent la bouche épaisse qui s'approche, la bouche aux dents cariées qui frôle la sienne, qui la touche, qui la touche, qui l'écrase... « Oh, mon Dieu, Richard ! »

Elle ne peut même pas crier, le grand corps se serre contre le sien qui instinctivement s'est mis debout, pour la défense. Elle entend des balbutiements égarés, chauffant sa peau :

— Y faut que je te baise...

Elle se dégage enfin par force, elle frappe d'un poing fermé la face brûlante :

— Vous êtes fou ! crie-t-elle. Vous êtes fou !

L'homme se ploie en deux comme un pantin cassé et retombe sur sa chaise ;

— Tu as raison, dit-il, je suis fou...

Un silence, peuplé de souffles haletants, règne dans la cuisine. Nestor a baissé la tête :

— Je vous demande pardon, mon envie m'a emporté. Je le ferai jamais plus. J'attendrai que vous vouliez de moi. Je témoignerai pour Richard.

Il se tait, puis il relève le front et regarde Marguerite bien en face ; il dit encore :

— Mais quand même y vaut mieux que vous le sachiez pour pouvoir vous défendre : oui, Gianella, c'était sa maîtresse.

*

Chaque jour de cette semaine a amené sa charge de mal, mais enfin le vendredi, tout s'est remis en ordre. Richard Falconnet, interrogé le lundi matin avec Mandoline, à son arrivée à l'Arsenal, a été convoqué par la police, puis gardé quatre jours en préventive ; interrogé à nouveau le cinquième jour et enfin, après le témoignage du contremaître libéré. Il n'a rien perdu de sa faconde habituelle ni de son arrogance de beau garçon. Il est rentré chez lui affamé, sa femme est allée lui chercher du jambon et du chianti, il a mangé, il a bu, ensuite il a résumé d'un ton glacial :

— Quelle bande de cons !

— Le contremaître, a fait remarquer Marguerite, il a été brave.

— C'est un imbécile ! a dit Richard. C'est sa faute si j'ai été pincé.

— Mais puisque tu as rien volé ?

— Bien sûr. Moi, j'ai voulu rendre service à Mandoline. C'est tout.

— Et cette femme ?

— Quelle femme ?

— Gianella ?

— Hé ben ?

— Hé ben, qu'est-ce qu'elle vient faire là-dedans ?

— Est-ce que je sais, moi ? crie Richard. C'est Mandoline qui la connaît.

— Toi, non ?

— Moi ? Je l'ai peut-être vue qu'une fois…

— Le jour du cours La Fayette pourtant, tu semblais bien familier. Tu avais la main sur son épaule ?

— Oh ça va ! a dit Richard. J'en ai ma claque, tu sais. Ferme-la avec tes couillonnades ! J'ai autre chose à penser. Tu me mettras chauffer un tian d'eau que je me lave les pieds.

Marguerite s'est tue. Elle qui ramageait tout le temps comme un pinson, il arrive à présent bien des fois qu'elle se taise et qu'elle essaye de réfléchir. C'est difficile. Quand on a été une fille de campagne qui a jamais eu à songer qu'aux travaux simples et à la permission d'aller au bal, c'est pénible d'essayer de classer toutes ces histoires compliquées dans son cerveau. Alors elle s'installe avec du raccommodage dans le recoin de la fenêtre et dans sa tête, elle fait comme lorsqu'elle rangeait, à la Guirande, le tiroir de sa commode. Richard est au milieu. Voilà. C'est lui. Autour, il y a déjà tant de souvenirs : Richard la faisant danser sur la place de Solliès — Richard la saoulant de baisers derrière les hauts cyprès sombres — Richard refaisant la huppe — Richard l'amenant dans la chambre de Toulon — Richard la rendant folle d'amour… Toutes ces images s'abattent l'une sur l'autre, comme des cartes dont chacune a une particulière valeur. Et voilà les dernières : Richard la laissant seule avec le contremaître — Richard tenant cette Gianella par l'épaule — Richard voleur ou au moins receleur — Richard criant de vilains mots contre elle avec colère... Richard, mon Richard... Oh, je ne vais pas pleurer encore ? Non, non, je ne veux pas !

Elle repousse d'un geste nerveux tout le fouillis au fond de sa pensée. Elle donne un tour de clé dessus. Rien n'est changé. Richard l'aime et ne recommencera plus ce qu'il a fait. Ce contremaître, oh oui, c'est un imbécile, Richard a bien raison ! Elle ne le recevra plus, ils resteront encore tous les deux bien heureux comme avant, puis bientôt ils prendront Vincente, elle se fait grande, elle se fait belle, et ils auront un logement au bon soleil, quatre pièces à Saint-Roch, là où il y a des arbres.

Elle s'est tue le jour du retour de Richard et depuis ils n'ont plus parlé de rien. Elle comprend que Nestor lui a raconté l'histoire de Gianella pour se venger et qu'il espérait que, sachant ça, elle se donnerait à lui. Mais elle se donne pas au premier venu, il peut bien attendre, celui-là !

*

Ainsi passent plusieurs mois. Richard redevient gentil, il va régulièrement à son travail, il n'y a pas de raison pour que ça ne continue pas. Ils ont repris Vincente à la maison. Marguerite est à nouveau enceinte. Elle a totalement retrouvé sa confiance dans la vie, quand un samedi, à sept heures, Richard ne rentre pas. Elle pense qu'il s'est attardé au café. A huit heures, s'il n'est pas là, elle lui fera joliment la tête à son retour. La soupe se réduit à n'être plus qu'une crème épaisse au fond de la marmite. Marguerite y ajoute de l'eau et elle couche sa petite. Neuf heures... Il serait encore avec cette Gianella ? Neuf heures et demie, elle s'inquiète, ça ne lui est jamais arrivé. Dix heures, c'est effrayant ! Il faut aller voir ? A l'Arsenal ? Il est fermé depuis longtemps. Où se renseigner ? Elle demeure à la fenêtre, tremblante et glacée par son souci. Elle réfléchit, puis tout à coup, elle descend chez Palmyra. La boutique est close mais en passant par le couloir et la courette, elle trouvera, au fond, la chambre où dort la vieille qui en vérité ne dort jamais. Elle se glisse dans le noir, dans l'odeur de pipi de chat qui ne quitte pas cette ruelle ; de son petit poing fermé, comme elle a frappé un jour Nestor, elle frappe à la porte. Un grognement lui répond, puis une grossière voix :

— Qué vient m'emmerder si tard ? crie Palmyra.

Elle croit que c'est un ivrogne, avide de mieux se saouler.

— C'est moi, Marguerite Falconnet. Ouvrez-moi, s'il vous plaît.

— Toi, pétita ? Et qué t'arrive ?

— Mon mari n'est pas rentré.

— Tio marito ?

— Oui, je l'attends depuis trois heures. A la fin, j'en pouvais plus, je suis venue...

— Tou as bien fait, dit la vieille. Tio marito pas rentré. Qué veut dire ? Qué a pou arriver ?

— Je ne sais, dit Marguerite toute tremblante.

Les larmes emplissent d'un coup ses yeux et elle s'abandonne à ses sanglots, ployée en deux sur elle-même comme un animal blessé.

— Ne ploure pas ! Ne ploure pas ! Nous allons savoir, oun va chercher, ou pétêtré oune accident...

— Un accident, mon Dieu ! crie Marguerite.

Elle voit son Richard inerte, plein de sang, avec le bras ou la jambe arraché.

— Qué pourrait renseigner ? se demande Palmyra. Tou connais pas quelqu'un ? Ses amis de l'atelier ? Un jour il est venou ici avec oune grand maigre, oune laid avec oune gros nez...

— Nestor ?
— Je sais pas…
— Oui, c'est son contremaître.
— Tou sais pas où il habite ?
— Oui.
— Hé ben, il faut y aller voir. C'est loin ?
— Non. Rue de la Rose.
— C'est à côté. Tou as peur ?
— Non, dit Marguerite.
— Si j'avais pas les douleurs, j'irais avec toi, mâ la nouit j'ai les douleurs…
— Tant pis, j'irai seule, dit Marguerite.
— Revienne ici avec loui, après vous irez au commissariat.
— Je passe mon manteau et j'y vais.
— Venez boire oun petit verre de marc si tou te sens pas bien.
Marguerite remonte vite chez elle. L'escalier est noir, sur son palier, contre sa porte elle heurte une forme. Elle crie :
— Richard ?
— Non, c'est moi ! N'aie pas peur, dit le contremaître, et ne crie pas. Y vaut mieux que personne entende.
Il n'a pas besoin de lui demander d'entrer. C'est elle qui le pousse dedans.
— Richard ? interroge-t-elle. Qu'est-ce qu'il y a ?
— Il est pas ici ?
— Non, dit-elle.
— Je l'avais prévenu, dit Nestor. Il a recommencé. Cette fois c'est plus important. On est venu pour l'arrêter à six heures, à la sortie. Y s'était défilé.
— Mon Dieu ! s'exclame Marguerite.
— Oui : lui, Mandoline, le Grêlé, toute la bande enfin et moi j'ai guère manqué d'en être. On m'a gardé à vue, on m'a interrogé, mais à la fin, on a reconnu mon innocence, on m'a laissé partir, alors j'ai couru sans même manger un morceau, pour savoir s'il était ici.

— Mon Dieu… gémit Marguerite.

Elle se laisse tomber au coin de la table et la tête dans ses bras, elle recommence à pleurer. Nestor s'approche, elle se redresse, elle essuie d'un geste dur son visage mouillé :

— Racontez-moi, dit-elle, je veux tout savoir.

— C'est embêtant… réfléchit le contremaître. Enfin voilà : quand ton mari a commencé de fréquenter ces deux, le Grêlé qu'on lui dit Passoire et ce Mandoline que c'est des gibiers de prison, moi, je l'ai conseillé : « Richard, tu t'embringues mal… » Y m'a envoyé faire foutre. Par-dessus ça, il est venu cette fille : Gianella, que soi-disant c'est la femme de Mandoline, mais qu'elle fait le trottoir dans les recoins du port et que c'est une garce de première. Ton Richard, il a beau faire le malin, elle l'a eu tout de suite. Y s'est mis à dépenser pour elle, à lui acheter de tout, et, y faut que je te dise, y l'a installée dans une chambre, rue de l'Arbre-Sec. Quand y te racontait qu'y restait à faire la manille, c'est là qu'il allait, moi je peux te le jurer ! J'ai voulu te le dire déjà, mais tu m'as pas cru et tu m'as traité de menteur, je le sais, de salaud. Tu m'as repoussé, tu aurais voulu me tuer à coups de poing si tu avais pu. Et pourtant des deux, qui t'aime le mieux, dis ? Lui qui court avec une autre ou moi qui nuit et jour…

— Alors, coupe Marguerite, quand y s'est mis avec cette bande ?

— Eh bien, c'étaient des voleurs de cuivre, de tout ce qui pouvait se prendre à l'Arsenal, dans les entrepôts et se jeter par-dessus le mur dans le camion du complice qui attendait. Et c'était Passoire, le complice. Et voilà ! A la fin, y se sont fait attraper et maintenant…

— Maintenant quoi ? crie Marguerite. Parlez ! Parlez ! On croirait que ça vous plaît de me voir souffrir !…

— Maintenant, ils en auront pour deux ans. Au moins deux ans.

— Deux ans de quoi ?

— De prison, dit tranquillement le contremaître.

— Si on l'attrape !

— On l'attrapera.

Marguerite presse ses doigts contre sa bouche. Elle répète d'une voix vide de sens :

— De prison ? Y le garderaient deux ans en prison ?

— Au moins...

— Et c'est pour cette fille, pour cette Gianella ?

— Oui, c'est pour ça.

— Y l'aimait, alors ?

— Je sais bien que ça te fait peine. Pourtant, oui, y doit y tenir, c'est la vérité.

Un tremblement imperceptible, et qui s'accroît, commence à parcourir Marguerite de haut en bas, comme si une sorte de bête à mille griffes s'était accrochée à sa nuque et que, de là, elle descende dans le creux de son dos, le long de son épine vertébrale, puis jette ses ongles crochus du côté de son cœur et déchire son cœur et déchire son foie et déchire son estomac et déchire son ventre. Et tout est labouré à la fois et il semble que le sang s'échappe en dehors des veines et qu'elle n'en garde plus une once. Les yeux perdent leur vision, la bouche est instantanément séchée de toute salive, la gorge étrangle le souffle et, pendant ce temps, le tremblement, devenu maître de tout, fait stupidement claquer la mâchoire, descend au bout des doigts glacés, remonte serrer les os de la tête entre lesquels éclate le cerveau. Et la vie, goutte à goutte, paraît s'en aller du corps.

— Je suis là, tu sais ! dit le contremaître en serrant dans sa grosse main la main froide de Marguerite. Ne pleure pas, ma belle, je suis là, moi...

VI

« Mon Dieu, mon Dieu, ça s'est véritablement passé tout ça ? A y réfléchir, ça semble impossible. Et pourtant... » En travaillant, Marguerite ne cesse de remuer en sa tête cette pensée têtue : « Richard est en prison. » Et elle revoit toute l'histoire de ces derniers mois de sa vie :

Le lendemain de la nuit où Nestor est venu l'avertir, elle a vu tout de suite le matin, dans *le Petit Var,* la photo de son mari en première page, sous le gros titre en noir : « Vol important à l'Arsenal. On est sur la piste des coupables. » Et il était écrit que quelques mois plus tôt on avait eu déjà des doutes sur cet ouvrier et d'autres qui formaient toute une bande, qu'après interrogatoire, on avait relâché ce Richard Falconnet faute de preuves, mais que cette fois, sa culpabilité était certaine. On annonçait aussi qu'il avait pris la fuite, mais que la police était sur une piste et ne tarderait pas à mettre la main sur lui et un de ses complices, également en fuite. »

Marguerite avait lu ces lignes en claquant des dents et tremblante jusqu'au fond d'elle-même, puis elle avait habillé Vincente et de là, la voiture jusqu'à Salernes. Elle avait trouvé sa belle-mère qui n'était pas encore au courant. Ça avait fait une scène de larmes chez elle et de colère chez l'herboriste. Marguerite avait dit :

— Reprenez ma petite. Je suis née Desmichels. Y a des

choses qu'il faut pas qu'elle voie. Puis Richard peut avoir besoin que j'aille avec lui, je préfère être seule...

— Comme vous voudrez. Vous êtes enceinte de combien ?

— Près de trois mois, avait dit Marguerite.

— Vous êtes beaucoup grosse. Pourvu qu'y en ait pas deux !

— Un, ce sera de reste, a dit Marguerite. Si Richard est arrêté, je me fais avorter.

— Dites pas de bêtises ! avait grondé la belle-mère.

Marguerite était revenue seule chez elle. Trois, quatre, cinq soirs, elle avait guetté tous les bruits de la rue. « Mon Richard, qui sait où il est ? C'est pas vrai tout ça, on reconnaîtra son innocence. » Et elle s'était endormie chaque soir en pleurant.

Un matin, vers six heures, elle se tenait dans sa cuisine, toute triste comme d'habitude, n'ayant de goût à rien, n'osant parler à personne. Soudain, la porte s'était ouverte, doucement, sans qu'on ait frappé. Et Richard était entré.

— Toi !

Marguerite avait étouffé son cri.

— Chut ! Ferme vite à clé, donne-moi le vieux tapis, dépêche-toi.

Marguerite, stupéfaite, regardait son mari, amaigri, sale, pas rasé, enlever une étagère du placard, la mettre sur le lit-cage qui, derrière la porte de la chambre, restait replié quand Vincente n'y couchait pas, puis se glisser au creux étroit du mince sommier.

— Étends le tapis sur la planche, dit-il, mets le vase à fleurs dessus.

Elle prit le vase où trempaient quatre œillets et le plaça où il le commandait.

— Ça va, dit-il de sa cachette. Range bien les franges tout autour. Maintenant, fais ton travail comme d'habitude.

— Richard... dit-elle tremblante, embrasse-moi.

— Tais-toi, tu as compris ? murmurait-il durement.

Presque aussitôt après, on frappait à la porte.

— Qu'est-ce que c'est ? demandait Marguerite.

— C'est moi.

C'était Mme Falconnet. Elle entrait, demandant :

— Pas de nouvelles ?

Marguerite hésitait :

— Non. Ça va bien ?

— Oui. Vous aussi ?

— Oui.

— Je viens chercher le linge de Vincente.

— Je vais vous le donner.

Tout de suite, la porte résonnait sous des coups secs... La belle-mère et Marguerite se regardaient avec effroi. Deux gendarmes étaient entrés.

Et alors la chose s'était passée si vite et ç'avait été si terrible ! « Oh, je n'y pense plus, se dit Marguerite, ça me rend malade ! » Le vase à fleurs s'était cassé quand le tapis avait été tiré, l'eau avait coulé partout, le gendarme s'était blessé avec les fragments de verre.

C'est ensuite que sa belle-mère avait emmené Marguerite avec elle. Et encore, mon Dieu, heureusement qu'elles sont d'accord ! Car sinon où aller ? Retourner à la Guirande ? Oh, ça surtout, c'est impossible. Se placer bonne ? S'il le faut, elle le fera... Enfin, la mère Falconnet, tout de suite, avait dit : — Reste chez moi, nistonne, c'est le mieux. Tu seras avec ta petite, tu gagneras ton manger en m'aidant pour les herbes.

Elle était restée. Comme, malheureusement, il ne pouvait être question de payer le loyer inutile de Toulon, elle avait noué ses quatre affaires et celles de Richard dans un mouchoir à paquet et porté le ballot avec elle à Salernes, pour s'installer.

Quelques jours plus tard, revenant de cueillir de la feuille de sauge, elle s'aperçut qu'elle avait une perte de sang. Rentrée en hâte, elle consulta sa belle-mère, qui prédit une fausse couche causée par les émotions. « Tant mieux, se dit Marguerite. Je tiens pas à en avoir un autre. On verra plus tard. »

*

Maintenant, elle continue à penser, tout en remuant avec les deux mains une grande brassée de feuilles de noyer dont le vert épais se tache de jaune dans le dessèchement.

Le plus nécessaire, n'est-ce pas, c'était de partir ? Et d'aller à un endroit où elle serait protégée contre cette espèce d'homme fou, ce Nestor qui avait profité une fois de son chagrin, de sa pauvre faiblesse de femme toute désemparée, de son malheur... Elle a honte de se souvenir, honte et colère contre elle-même, de se rappeler comme elle s'est laissé consoler et embrasser par cette grosse bouche... « Oh, quelle horreur, mon Dieu ! Mon Richard, comment j'ai pu faire ça ? Et maintenant, ce Damien... Ah, ce n'est pas pareil, mais il ne faut pas y penser non plus. Rien qu'à toi je veux penser, mon Richard ! Rien qu'à toi ! Et pourtant tu m'as trompée, mon Richard et tu vois où ça t'a conduit de courir après cette Gianella ? Car à présent je connais le détail de tout. C'est cette sale femme qui est cause que tu as mal agi. Comme ta mère le dit : « Ce genre de fille, ça fait tourner les hommes en bourrique ! Y savent plus où ils ont la tête. » Oui, c'est bien ça. Et maintenant elle, elle s'en fiche, elle est libre, et toi tu es dedans : à cette prison de Toulon où je suis allée te voir trois fois, le premier jeudi de chaque mois. Oh, que j'ai honte quand je vais te voir ! Cette grosse porte, ces gardiens, ces grilles qui nous séparent, mon Dieu, que ça m'est pénible... Chaque fois je me dis : « J'irai plus, ça me fait trop peine. » Puis je pense que toi tu y es tout le jour et toute la nuit, alors que moi je peux bien partager un peu ton mal, puisque je t'aime. »

Tout en pensant, Marguerite a soin de bien aérer les feuilles avec les deux mains. Elle est seule dans le hangar couvert de branchages qui sépare l'étroit jardin de la route. Sa belle-mère est allée à Draguignan avec Vincente pour lui acheter un tablier noir, parce qu'en octobre on la mènera à la maternelle de Salernes. Marguerite garde la maison. Elle réfléchit en remuant ses feuilles de noyer ; tout à l'heure elle va mettre la soupe en train.

Soudain, elle relève la tête. Elle entend un appel, elle sort, elle voit quelqu'un dans la petite allée. Tout de suite, de loin, il lui semble le reconnaître ; ça par exemple, il a du culot, c'est lui, c'est Nestor Mangiagari !

Il la voit, il s'avance avec un sourire resplendissant :

— Tu es seule ? demande-t-il.

— Qu'est-ce que vous venez faire ici ? lui lance-t-elle sans amabilité.

— Rien, dit-il, je suis venu de Toulon pour un peu te voir...

A la seconde, tout repasse dans la tête de Marguerite : ce terrible soir où il est venu lui annoncer la mauvaise nouvelle, ses larmes à elle et sa manière à lui de la consoler avec les mains : « Moi, je suis là, ma belle... », et cette sorte de faiblesse qui lui est tombée dessus à elle qui se croyait si forte, et les caresses de cet homme. Baï ! Comment elle a pu... Et aujourd'hui il a le toupet de revenir ?

— Me voir ? réplique-t-elle d'un ton de colère. Et pourquoi me voir, s'il vous plaît ?

— Tu sais bien... dit-il. Tu es partie comme une folle le lendemain de l'histoire. Personne savait plus où tu étais... C'est Richard à la fin qui m'a dit que tu restais chez ta belle-mère.

— Vous l'avez vu ?

— Oui, j'y suis allé avant-hier. Et toi y a longtemps ?

— Je vous défends de me tutoyer, dit-elle. Comment il était, mon mari ?

— Bien, dit Nestor. Toujours son même genre de se foutre de tout.

Il baisse la voix :

— Alors j'ai cru vous faire plaisir en vous portant des nouvelles.

— Ah, si c'est pour ça, nous sommes d'accord. Alors, y va bien ?

— Oui.

— Il a pas trop chaud ?

— Ben, vous savez, où il est, c'est plutôt la fraîche !

— Mon pauvre Richard... dit-elle. Quand je pense que cette garce est libre !

Elle le fixe dans les yeux.

— Oui, cette Gianella, cette sale femme qui était sa maîtresse ! Vous me l'avez assez dit et redit que c'était sa maîtresse ! Et au fond, continue-t-elle après avoir repris son souffle, au fond, est-ce que c'est vrai seulement, cette chose ?

— Comment ?

— Oui ! Qu'est-ce que vous en savez, après tout ? Y vous appelaient pas, je pense, quand ils étaient tous les deux ?

— Mais vous-même dans le cours La Fayette...

— Oui. Je les ai rencontrés ensemble une fois. Et puis ? Qu'est-ce que ça prouve ? Ils étaient pas seuls d'abord ? Y avait ce Mandoline. C'était peut-être lui qui couchait avec cette fille ? Pourquoi vous, tout de suite, vous avez accusé mon mari ? Vous étiez trop content, pas vrai, d'accuser mon mari ? Et alors, en accusant mon mari, n'est-ce pas, pour vous alors, c'était facile... Oh allez-vous-en, je veux plus vous voir ! Levez-vous de devant mon chemin !

Avec les bras, avec la voix, avec la fureur de son visage où monte une rougeur de colère, Marguerite chasse loin d'elle cet homme qui lui rappelle trop sa faiblesse. Et lui n'ose plus bouger devant ce déchaînement. Il demeure sur place, sans paroles et sans avoir le courage de s'en aller.

Puis, humblement, il relève les yeux, il voit ceux de Marguerite tout brillants d'un feu qui le brûle, il voit ces larmes perlant à l'angle des paupières, il ne peut plus se retenir, son désir contenu depuis cette première et imparfaite étreinte le jette en avant sur la chair de la femme. Avant qu'elle ait pu se défendre, il la presse contre son corps et sa bouche cherche la bouche à la fois si chaude et si fraîche qu'il n'a pu oublier.

— J'ai envie de toi... murmure-t-il, dans un balbutiement affolé.

Mais Marguerite est forte. D'un violent coup de hanche, elle se libère ; de toute l'énergie de ses coudes écartés, elle fait sauter les bras qui déjà la tenaient aux épaules ; elle dégage son visage de celui de l'homme affaibli par son trouble, elle bondit en arrière, elle rajuste son corsage qui s'est déboutonné, elle reprend sa respiration. Puis elle laisse tomber sur Nestor le regard du plus profond mépris et, d'où elle est, tranquillement, elle lui crache au visage.

— Vous avez compris, maintenant ? dit-elle. Je vous ai jamais voulu ! Je vous veux pas ! Je vous voudrai jamais ! J'aime mon mari, c'est tout !

Le contremaître a tiré de sa poche son gros mouchoir jaune et il essuie la salive qui coule sur sa joue, puis à son tour il regarde Marguerite d'un air dédaigneux et il dit paisiblement :

— Ah oui ? Alors, si tu l'aimes tant, va un peu plus le voir. Parce que Gianella, oui, tu sais, Gianella ? Que tu crois pas qu'elle était sa maîtresse ? Eh bien, elle au moins, c'est tous les huit jours qu'elle y va.

— Quoi ? Quoi ? suffoque Marguerite.

— Comme je te le dis, ma belle...

A cette minute, on entend une voix d'enfant qui crie :

— Man ! Nous sommes là !

— Bonsoir, dit la mère Falconnet. Je vous prie de croire qu'y fait chaud sur la route.

Elle arrive avec la petite par le bout de l'allée et regarde le contremaître avec surprise.

— C'est M. Nestor, mère, dit Marguerite. L'ami de Richard, vous savez ? Il apporte de ses nouvelles.

— Ah oui ? dit-elle. Et tu le reçois à la porte ? Fais-le entrer, au moins. Tu es guère polie.

Elle sourit et précède le groupe dans la maison. Marguerite se passe la main sur le front. « Qu'est-ce qu'il vient de lui dire encore, cet homme, qui lui a fait si mal ? Ah oui, que cette Gianella va voir Richard à la prison ! Est-ce que c'est vrai, ça, ou c'est un nouveau mensonge, pour profiter de son chagrin ? Ah, mon Dieu, que ça fait mal tout ça… »

— Sors les petits verres, Guitte, que je fasse un peu goûter mon vin miraculeux à ce monsieur, qu'il a fait tant de chemin pour venir nous voir.

Elle avance des chaises, puis s'assied elle-même. La pièce est petite et fraîche, c'est une sorte de salon avec des poutres apparentes en bois roux et on y respire un parfum entêtant parce que, tout le long des poutres, pendent à des clous les bouquets de feuilles et de fleurs sèches. Le contremaître les regarde :

— Ça sent fort, qué ? remarque Mme Falconnet. C'est mes herbes. Alors ce petit, comme y va ?

— Pas mal. Y trouve un peu le temps long.

— Tant pis pour lui, s'il avait pas fait l'imbécile, ça lui serait pas arrivé. J'espère que ça lui servira de leçon et qu'y recommencera plus. Un garçon que je l'ai élevé à l'honneur, monsieur, ça me fait honte, honte, de penser qu'il a fait le voleur !

— C'est les mauvaises fréquentations, dit Nestor. S'il avait eu que moi comme ami…

— Vaï, réplique la mère, quand on est brave, c'est pas les autres qui vous pourrissent ! Moi, quand j'étais fille, j'en ai connu des putes, pourtant je le suis pas devenue ! Guitte, tu l'apportes ce vin ?

— Voilà, dit Marguerite.

Et elle ne peut pas dissimuler plus longtemps son visage couvert de larmes qu'elle essuie maladroitement.

— Ah, pauvre petite, tu fais que commencer la vie ! s'exclame sa belle-mère. Les larmes, ça sert à rien. Moi aussi, quand j'étais jeune, je pleurais facilement. Mon père disait : « Va pisser un coup, ça te passera ! » Ça m'a passé. Par force, dans le courant de la vie, oui, ça m'a passé... Tu feras comme moi, va, pauvre nistonne ! La vie vous force bien de changer.

Elle reprend une voix alerte pour offrir :

— Le verre plein, qué, monsieur ? Vous verrez, c'est un vin que ça rendrait la vie aux morts, c'est pour ça que je l'ai baptisé « Le miraculeux ». Il y rentre dix-sept sortes d'herbes, pas une de moins, pas une de plus ! C'est moi que je l'ai inventé. Vous pouvez croire que j'ai chiffré dessus bien des nuits, avant de trouver la bonne mesure de chaque dose. Y a du romarin, de l'écorce d'orange, du miel, de la sauge... Mais à quoi ça sert que je vous dise tout, c'est pas vous qui le faites, pas vrai ? Allez, Guitte, bois-en un peu toi aussi, ça te remontera. Regardez-la ! Vous diriez pas la statue de la Désolation ?

Marguerite, ayant posé la bouteille et les verres sur la table, s'est laissée tomber sur une chaise et aussitôt sa Vincente est venue contre elle, en grattant pour grimper sur ses genoux. Et elle l'a prise et elle la serre fort : « C'est tout ce qui me reste », pense-t-elle.

— Tu te crois que je suis bien fière et bien heureuse, moi, d'être la mère d'un voleur ? Et que je l'ai mérité, ce qui m'arrive ? Moi qui l'ai fait pousser, veuve, sans homme, rien qu'avec mon travail ? Tu crois que c'est juste ? Dites, monsieur, vous croyez que c'est juste ? Eh bien, je le supporte, je me passe mon mal sans rien dire. Qu'est-ce qu'y faut faire ? Mais j'ai honte, vous savez. Je file par les traverses pour aller à mes champs. Et je parle presque à personne, mais tous me parlent, parce que quand même on m'estime bien

— Vous avez des terres ? demande Nestor. Vous dites : « mes champs » ?

— Oh, je dis « mes champs », mais vous savez je suis pas propriétaire ! Je veux dire : « tous mes champs », tous les champs qui sont aux autres, mais où j'ai la permission d'aller cueillir mes bonnes herbes parce que ça fait de tort à personne : le chiendent, la salsepareille, la pimprenelle, l'arrête-bœuf, les baies d'églantier, les sorbes sauvages, tout ça, on me laisse le prendre, on sait que je m'en sers que pour le bien des autres...

— Mais y faut savoir les préparer, remarque Nestor. Vous avez appris ?

— Oui, j'ai un peu appris, j'ai appris dans des vieux livres, par-ci par-là, mais surtout vous comprenez, c'est une espèce de don qu'on a comme ça, qui vous vient naturellement : du calotton. Et puis, y faut avoir la croyance de ce qu'on fait, y faut croire que ça guérira le monde, alors ça le guérit !

— C'est beau... admire Nestor.

Il commence à retrouver son calme dans cette étroite pièce fraîche, au parfum de colline, devant cette femme robuste et courageuse. « Elle a dû être une solide garce bien roulée dans le temps, pense-t-il. Et il aurait pas fallu que je me la rencontre au coin d'un bois... »

— Ah, dit-il, moi, je m'en vais maintenant, que je veux être rentré à Draguignan avant la nuit. Je suis venu jusque-là pour un travail, alors j'ai profité de venir porter des nouvelles.

« Tiens, observe Marguerite en elle-même, soi-disant qu'il était venu exprès pour moi depuis Toulon ! Encore un beau menteur ! Beau ? Même pas beau ! S'il était beau, qui sait si je me serais pas laissé faire ? »

— Au revoir, madame Richard, dit le contremaître.

— Fais manger la soupe à la petite, je reviens tout de suite.

Et tandis que la belle-mère le raccompagne pour lui

montrer le raccourci de la gare, Marguerite, qui a refusé à l'homme amoureux un dernier regard, un geste de simple politesse, se met à penser à ce qui lui est arrivé hier au soir.

*

C'était à peu près à la même heure. Elle était seule comme aujourd'hui, sous le hangar plein des feuilles de noyer. Elle s'était soudain vu devant elle un garçon et elle avait reconnu en lui ce laboureur qui s'employait un peu chez tous, avec son cheval. Elle connaissait le cheval qu'on appelait « Pimpant ». Et souvent elle avait écouté l'appel en se disant : « Mais quel nom il a, ce cheval ? » sans pouvoir jamais arriver à comprendre. Et puis, un jour, elle avait fini par demander au laboureur :

— Mais comment y s'appelle, votre cheval ?

— « Pimpant », il avait répondu.

Et ils ne s'étaient plus parlé. Et hier au soir, elle a vu ce garçon devant elle.

— Pardonnez-moi, mademoiselle, vous auriez pas un bout de chiffon, quelque chose ? Je me suis accroché le pouce avec un morceau de fer et ça me gêne dans mon travail.

— Oh ! avait-elle dit, mais ça vous saigne jusque sur le bras ! Ma belle-mère est pas là, elle vous aurait mis un emplâtre de feuilles de velours pour arrêter. Mais venez à la maison, je vais vous soigner.

— Un bout de chiffon seulement, ça fera... avait-il dit. Puis : C'est vrai, vous êtes la belle-fille Falconnet ? A vous voir, je vous aurais prise pour demoiselle.

Elle avait ri, contente tout d'un coup sans savoir pourquoi et elle lui avait bien enveloppé le pouce dans de la toile propre, mais tout de suite la toile était devenue rouge, sous le sang généreux qui se perdait en elle. Marguerite s'était effrayée :

— Tenez un peu le bras en l'air, avait-elle conseillé et attendez ma belle-mère, elle vous arrêtera ça tout de suite.

Il avait obéi en riant, lui aussi, et tous les deux s'étaient sentis jeunes et gais, légers comme si la vie était toute neuve. Puis, soudain, il avait dit :

— J'ai jamais entendu votre petit nom, c'est comment ?

— Marguerite, elle avait répondu.

— « Marguerite »... il avait répété. Moi, c'est Damien.

— Ah ?

— Oui. Le jour de ma naissance, quand mon père est arrivé à la mairie, qu'on lui a demandé quel nom y voulait me donner, il a dit : « Je sais pas, j'y ai pas réfléchi. Appelez-le Bâri comme moi. — Mais le prénom ? on lui a demandé. — Je ne sais pas, il a dit. Moi, j'en ai pas, je m'appelle Bâri. — « Bâri Bâri ». Alors ? l'adjoint a dit. Puis y s'est trouvé quelqu'un pour conseiller : « Ecoute, appelle-le Damien, c'est le saint du jour. » Alors, voilà, on m'a appelé Damien. Damien Bâri, vous le saviez pas ?

— Non. Je savais « Pimpant », celui de votre cheval. Il a l'air brave, votre cheval. Mais le vôtre, non, je le savais pas...

— Oui, il est brave. Un peu testard des fois, mais brave.

— Moi, un des nôtres, de cheval, à notre terre de la Guirande, y s'appelait Jeunhomme, c'était celui de mon frère Antoine.

— Un des vôtres ? Vous en aviez plusieurs ?

— Oh oui ! Nous en avions quatre.

— Mais c'était un gros bien, alors ?

— Oh oui ! C'est un domaine : « La Guirande ». C'est dans la vallée du Gapeau, entre Belgentier et Solliès, loin d'ici.

— Et c'était votre maison de fille ?

— Oui.

— Et vous l'avez quittée ?

— Oui.

— Pour vous marier ?

— Oui.
— Vous la regrettez pas ?
— Ça dépend...
— Une ferme de quatre chevaux, vous savez, c'est quelque chose ! Vous deviez avoir beaucoup de valets ?
— Oh non, parce que nous étions nombreux de famille et personne restait sans travailler. Il y avait mes trois frères : Antoine, Sébastien, Pierre ; ma sœur Louise et moi. Les autres : Rosine et Florestan, ils étaient encore trop jeunes, mais mon père leur trouvait bien de l'ouvrage.
— C'est votre père qui mène tout ça ?
— Oui, mais à présent il est mort.
— Ça devait être un bon homme.
— Oui, dit Marguerite.
Elle avait ajouté :
— Quand même nous employions toujours un peu de monde, un garçon pour les chevaux, d'autres au moment des moissons, puis nous avions à demeure un berger qui était depuis toujours dans notre maison : Nans, y s'appelait. Vous comprenez, il y avait beaucoup de moutons et de chèvres et on avait au moins six chiens. Et des poules qui nous faisaient des œufs partout. Et il fallait cueillir les fruits, qu'y en avait tant ! Les arbres laissaient tout tomber par terre...
— Ça m'aurait plu, dit rêveusement Damien, de travailler chez vous. Moi, j'aime les grands domaines où les domestiques restent longtemps, où on fait des grosses récoltes, où tu te sens soutenu par l'importance.
— Ah, chez nous, c'était important ! reprend Marguerite. Malheureusement, mon père est mort, puis ma mère, que c'était une fille de bonne souche, l'aîné de mes frères est parti, ce serait une histoire trop longue à vous raconter... Puis, moi...
— Votre père et votre mère étant morts, dit Damien, je comprends...

— Oh non, c'est avant que nous sommes partis ! Avant, bien avant, tous les deux pareils, d'un coup de tête...

Elle s'était reprise : « Quand même, je vais pas raconter ma vie à ce garçon inconnu. » Un court moment, elle s'était laissé emporter par la force de ses souvenirs et maintenant il lui semblait qu'on lui avait enlevé de dessus une robe somptueuse et elle se sentait triste et toute dénudée comme une pauvre.

Après un silence, Damien avait demandé :

— C'est vrai que votre mari est en prison ?

— Oui.

Marguerite avait baissé la tête sur ce dernier oui.

— Oh pardon, je voulais pas vous faire peine ! Il en a pour longtemps ?

— Un an et demi encore.

— Il a volé, on m'a dit ?

— Oui. Des fers, à l'Arsenal, puis y les a vendus.

— C'est bête. Ça mène à rien de voler. Vous vous languissez de lui ?

— Oh oui !

— Une belle fille, gentille comme vous, c'est bien dommage, avait dit Damien Bâri.

Et c'est alors que leurs yeux s'étaient rencontrés. Ceux de ce garçon étaient clairs, pleins de douceur et de flamme, et Marguerite avait vite voulu baisser les siens, mais quelque chose l'avait retenue et le mariage des regards avait duré une seconde de trop, une seconde suffisante pour que le monde entier ait l'air de chavirer sur sa base et qu'une flamme embrase tout le corps.

« Qu'est-ce que j'ai eu ? Qu'est-ce que j'ai eu ? » s'était demandé Marguerite le soir, dans son lit où elle sentait qu'elle chauffait les draps. Le garçon partit ensuite, son doigt s'étant enfin arrêté de saigner, elle avait pensé à lui cette nuit-là et elle s'était brusquement retournée dans sa fièvre. Et elle pensait encore à lui le lendemain, aujourd'hui, en remuant les feuilles de noyer dans ce hangar, en se disant comme elle était malheureuse d'être faite comme ça, si ardente, avec toujours ce besoin de l'amour d'un homme ? Déjà, jeune fille, elle avait connu ces heures tourmentées, quand elle rentrait chez elle après avoir été serrée contre Richard. Et elle s'était impatientée pendant bien des insomnies, de sentir toute cette passion qui ne servait à rien et elle avait langui, tant langui, d'être toutes ses nuits dans les bras de Richard, contre ce corps dur et brûlant qui la serrait à lui faire perdre le souffle. « Je t'écrase », disait-il alors. Et elle disait : « Non, non, écrase-moi, c'est bon ! » Et il l'écrasait de toute sa force. Et elle était heureuse. « Les femmes sont faites pour ça, pensait-elle, rien que pour ça, tout le reste, ça sert qu'à attendre le moment de l'amour et vous faire patienter. » Et jusqu'à ce que Richard aille en prison, ç'avait été ainsi une folie qui la tenait esclave et faisait que, tout le jour, elle ne pensait qu'au soir où enfin Richard la prendrait.

Et puis tout d'un coup, la privation de caresses, d'amour, de jouissance. Plus rien... Cette chair moite qui ne comprend pas, qui continue à demander, à souhaiter, à s'énerver et plus rien, plus rien, plus de joie. Ce Nestor Mangiagari, ce n'est pas un souvenir de joie, c'est une honte, une horreur, une de ces choses qu'on voudrait se cacher à soi-même. Et depuis, le lit chaste que le petit corps de Vincente ne suffit pas à emplir ; depuis, la solitude de cœur et de chair...

Qui peut savoir à quel point, pour une petite femme d'un mètre cinquante-cinq, avide de tendresse, ah, qui peut savoir à quel point elle est dure à supporter, cette double solitude ?

Ce Damien Bâri, il a de bien beaux yeux. Et elle pense encore : « Voilà le garçon que j'aurais dû épouser. Un paysan comme mon père, comme mes frères, mais j'en voulais pas à ce moment, d'un paysan ! Je disais : « Toujours ces brailles salies de terre et ce travail de la campagne ? » Je savais pas que l'Arsenal, ça fait des bleus encore plus difficiles à rendre propres et je savais pas tout ce que ce travail d'ouvrier entraîne pour un homme d'envies de boire ou de courir. Ou alors, c'est que je suis mal tombée, je sais pas... » Et de repenser à ce Damien qui est laboureur comme étaient les siens, elle se met à penser au cheval « Pimpant » et aux autres chevaux qu'elle a connus. Au Domaine, il y avait Jeunhomme, oui, dont Antoine était si fier et puis les autres, tous beaux, roux, noirs, blancs avec des taches et toujours luisants et bien soignés... Et voici que soudain toute la prospérité, perdue pour elle désormais, de cette riche Guirande lui apparaît vivante et se matérialise dans la vision de ces quatre beaux chevaux.

Et plus tard, une nuit, dans les affres de la mort, ils devaient lui réapparaître encore, ces quatre chevaux, mais Dieu, à cette minute, serait seul à le savoir.

*

Et dans cet instant où elle est si profondément enfoncée dans l'autrefois, sa belle-mère entre et dit :

— Il est beaucoup brave, ce contremaître, tu trouves pas ?

— Oui... répond-elle vaguement.

— Je trouve que tu as guère été aimable avec lui.

— Oh, j'étais pas en train.

— Quand même, simple politesse ! Cet homme qui s'est dérangé...

— Depuis Draguignan, c'est pas une affaire.

— Il a l'air de beaucoup aimer Richard, hé ?

— Voui, il en a l'air, dit Marguerite.

— Tu sembles pas de mon avis ?

— Moi ? Mais oui ! dit Marguerite, énervée.

— Il est pas beau, ça non ! Il est pas beau. Jeune, y m'aurait pas fait caprice. Mais pour brave, il a l'air bien brave. La beauté, après tout, ça se mange pas en salade.

— La petite s'endort sur sa chaise, fait remarquer Marguerite, je vais aller la coucher.

— Donne ! Donne ! réclame la belle-mère, tu sais qu'elle a l'habitude que c'est moi et qu'y faut que j'y chante sa chanson.

Mme Falconnet ramasse sur le siège, comme un paquet, le gros petit corps tout rond de Vincente et, avec amour, commence à la déshabiller :

— Et voilà dit-elle, ça c'est un petit pied tout nu ! Et ça, un autre piétou tout nu ! Et ça un beau petit dos ! Et ça une belle petite poitrine ! Et ça un joli petit ventre ! Hou, le joli petit ventre ! Et le joli petit derrière ! Et voilà ! Et vite on met la chemise de nuit, pour ne pas faire pleurer le petit Jésus.

Marguerite l'écoute et elle entend le doux rire un peu pleurnicheur de sa petite fille à demi réveillée et, comme tous les soirs, elle est jalouse et elle en veut à Richard qui n'a pas su endurer les pleurs de l'enfant pour la garder à la maison. Maintenant, elle préfère sa grand-mère à sa mère, ça ne fait pas plaisir, mais on l'a bien cherché.

Et voilà que dans la longue chemise de finette blanche, brodée de points russes au coton rouge, Vincente est couchée sur les genoux moelleux de la vieille femme qui lui fait un tendre berceau de ses deux bras et de sa grosse poitrine et qui, penchée sur le petit visage dont les paupières se ferment, se met à chanter doucement :

> « *Discrète,*
> *la violette,*
> *sait s'attacher*
> *à se cacher,*
> *pour mieux se faire rechercher.*
> *Modeste et belle,*
> *fille, comme elle,*
> *doit à son tour,*
> *fuir sans retour,*

les feux du jour
et de l'amour ! »

A « Modeste et belle », Vincente s'est endormie. La mère Falconnet se prépare à la porter dans le lit, mais elle se retourne, car elle a entendu un petit bruit de sanglots. Elle comprend tout de suite :

— Toi, dit-elle, ça va pas, ce soir. Tu as la tête troublée ! Y te faudrait une infusion de marjolaine. Qu'est-ce que tu veux, ma pauvre fille, tu dois prendre ton mal en patience... Viens te coucher, va ! Demain y fera jour.

VII

Et le lendemain matin, en effet, non seulement il fait jour, mais il fait beau sur le monde et il fait gai dans les cœurs, parce que ce n'est pas possible d'être triste, quand un pareil soleil ruisselant de lumière dorée baigne la terre.

Marguerite, en ouvrant les yeux, pense tout de suite qu'elle a encore ce même plaisir, neuf d'avant-hier, d'avoir rencontré Damien Bâri. Bien sûr, il y a eu aussi Nestor, toujours aussi laid et insupportable, avec sa manie de vouloir se faire aimer par elle. Ah ben merci, si elle aimait quelqu'un, enfin quelqu'un autre que Richard, elle comprend bien qui ce serait ! Mais c'est des idées qu'y faut pas se mettre en tête, pour s'en faire un avenir. On peut seulement y penser de temps en temps, parce que c'est agréable, ça semble le petit vent doux qui passe sur la peau quand il fait trop chaud, ou le proche du feu quand il fait froid.

Puis tout d'un coup, pendant de longues périodes elle n'y pense plus et alors la vie est légère et facile à vivre : « Il n'y a qu'à attendre. Richard reviendra. Ce qui lui est arrivé, c'est certes un gros malheur, mais d'ici quelques années ça s'oubliera, il n'aura qu'à travailler en dehors de Toulon, voilà tout. Nous avons notre petite, nous ne serons pas malheureux. »

Et elle joue avec Vincente comme si elle était elle-même

une enfant de trois ans, pleine d'innocente allégresse. Elle court avec elle dans la prairie, cueille des mûres aux haies, s'en barbouille autant que sa fille, joue avec elle à faire rentrer les cornes de l'escargot, à faire envoler la catharinette rouge en soufflant dessus, ou la soie floche du pissenlit. Elle pare Vincente de colliers en fleurs de jasmin, lui plante une rose rouge sur chaque petit soulier, tresse dans ses cheveux bouclés une couronne en lianes de clématite, qui traîne derrière la petite fille comme une robe royale.

— Qu'elle est belle, ma poupée !

Ce sont des rires, des baisers, des cris de joie, des colères enfantines, des bouderies, des raccommodements, des courses, des goûters de fruits et de confiture, de grands renversements dans l'herbe, des chatouilles. Vincente rit jusqu'à s'étouffer :

— Plus, ma maman !

Parfois, elle demande :

— Et mon papa ?

— Il est en voyage. Il est en Amérique.

— Moi je veux aller en voyage avec mon papa.

C'est un embrouillamini de syllabes rétives qu'il faut comprendre. Mais la mère comprend.

— Demain, dit-elle.

— De-main ? De-main ! chantonne la voix de bébé.

Et Marguerite pense : « Ah, qu'il vienne vite, ce demain ! »

*

Aujourd'hui sa petite fait la sieste et elle a beaucoup de travail : avant de se mettre à ventiler à nouveau les feuilles de noyer, à préparer les petits bouquets de sauge, de thym, d'origan, enfin de toutes ces plantes bonnes pour tant de maux, il faut qu'elle aille rincer du linge mis dans le savon la veille et elle y va, aussitôt bu le café. La grosse pierre creuse, qui reçoit l'eau de la source, est à l'ombre d'un épais cyprès. Et ce matin, la sombre verdure est si pleine de ramages qu'on devine que le couple de verdiers l'ayant choisie pour maison n'a jamais été aussi content.

Avec ses beaux bras nus, pleins et colorés comme la panse muscate qui mûrit sur la treille, Marguerite plonge et replonge le linge dans l'eau et elle le retire et elle le tord de ses deux mains solides et elle le jette dans le panier d'osier, posé auprès d'elle. « Maintenant, pense-t-elle, y faudrait que ça passe un peu plus vite. J'ose pas me le dire à moi-même, mais Richard, ça fait beaucoup de temps que je l'ai plus ! Si j'étais vieille, ça irait mieux. Malheureusement c'est pas ça. Comme je suis fabriquée de toujours penser à cette chose ? J'en connais, des autres, des femmes seules, des veuves, de celles-là que leurs maris les ont abandonnées, elles ont la tête à leur travail, à leurs enfants, pas plus ! Moi, peut-être que mon père avait raison de dire que j'étais tête en l'air ? Et si je l'avais écouté et que j'aie épousé celui qu'y voulait me donner, peut-être j'aurais pas mal fait ? »

Elle reste deux secondes, appuyée sur le bord vieux et rongé de la pierre. Elle se voit dans le mol balancement de l'eau calme, où elle éclate comme une grosse fleur dans sa chemisette rouge à pois blancs. Elle se voit, brillante et lustrée, avec le miroitement du ciel qui casse à tout petits morceaux ses yeux vifs, ses dents luisantes, ses lèvres de pulpe fraîche, ses cheveux dansant en flammes noires. Elle se regarde avec bien du plaisir : « Laide ou vieille, pense-t-elle encore, ce serait plus facile. » Mais elle s'arrache à son reflet, elle soulève à deux bras la corbeille pleine de linge. Et c'est alors qu'elle s'entend dire :

— Elle a l'air lourde, votre panière. Vous voulez pas que je vous la porte ?

C'est Damien. Il est là debout à côté du cyprès et contre l'arbre sombre il est lumière, comme Marguerite était lumière dans le fond de la vasque.

— Merci bien, dit-elle.

Et elle sent de petits ruisseaux qui, coulant du linge, mouillent ses jambes nues. Damien la regarde. Il rit :

— Ce serait le moment de vous embrasser. Vous pourriez pas vous défendre !

Il soupire :

— Vous êtes beaucoup jolie...

Puis il glisse la main entre sa chemise et sa chair.

— Tenez ! Je vous ai porté ça.

« Qu'est-ce que c'est ? Ça ressemble à un gros œuf blanc enveloppé dans d'épaisses feuilles vertes. »

— Oh ! qu'est-ce que c'est ? demande-t-elle.

— C'est une fleur de magnolia. Vous en avez déjà vu ?

— Oh oui ! Mais de loin, sur des grands arbres qu'on pouvait pas y grimper pour en prendre, jamais aux basses branches.

— Moi, j'ai grimpé, dit-il. C'est à Vallomber, vous savez ? Le château au-dessus de Salernes ? J'y travaille pour défoncer. Puis je suis entré dans le parc de bonne heure, y avait pas les messieurs et je vous l'ai cueillie.

— Ça, c'est beau ! dit-elle.

Avec un bout de raphia, il a attaché les feuilles autour de la fleur pour ne pas l'abîmer. Il le coupe avec les dents et les dures feuilles, dont l'endroit est de cuir verni vert et l'envers de daim fauve, s'écartent et laissent voir la fleur dans toute sa gloire virginale.

— Elle est en bouton, dit Damien, dans l'eau elle s'ouvrira.

Marguerite regarde et reste sans paroles.

— Seulement, y faut pas la toucher, vous savez ? Pas même du bout des doigts. Partout où on la touche, ça devient noir.

Marguerite n'ose plus respirer.

— Oui, c'est beaucoup fragile, continue Damien. C'est son seul défaut.

Puis il se tait à son tour.

— Ça c'est beau… répète Marguerite.

Enfin, elle cesse de regarder la fleur et regarde le garçon en plein visage :

— Merci. Seulement maintenant allez-vous-en, ça vaudra mieux.

Il baisse la tête.

— Ça vous a fait plaisir ?

— Oui, dit-elle, mais moi je suis mariée, vous comprenez ?

— Vous l'aimez, votre mari ? ose-t-il demander encore.

— Oui ! jette-t-elle sourdement.

Elle place avec soin la fleur de magnolia sur le linge, puis sans tourner la tête, elle s'en va.

*

Et, dans la nuit, il y a eu un orage terrible parce que, quand même, il ne peut pas toujours faire beau. Trois poussins de la dernière couvée furent noyés par un ruisseau de boue qui s'était glissé sous la porte de la remise. Mme Falconnet eut beau les sécher, les réchauffer, ils eurent tout juste la force d'ouvrir de pauvres becs pour piauler de plus en plus faiblement, puis n'arrivèrent plus à les refermer. Une mousse rosée leur coulait des commissures.

— Y bavent, dit Marguerite, y sont perdus.

Une heure après, on les jeta sur le fumier, tout petits coqs en miniature, écartelés sous leur fourrure serrée, jaune comme le centre nourricier des œufs d'où ils étaient sortis. Les feuilles de noyer, étourdiment laissées par Marguerite sous des tuiles cassées du hangar, furent trempées, il plut tout le jour suivant et la fermentation répandit partout une odeur de noix verte et de tanin. Damien ne revint pas. C'était naturel. Elle lui avait dit : « Allez-vous-en. » Et après : « Je suis mariée et j'aime mon mari. »

Puis le mistral se leva et tarit la pluie. Les feuilles étendues dehors sur des sacs redevinrent craquantes et légères.

— Mais maintenant, quand même, elles auront perdu leur bon pouvoir, dit l'herboriste.

Et elle demanda un moment après :

— Qui te l'a donnée, cette fleur de magnolia ?

— Personne, mentit Marguerite. Je l'ai trouvée par terre à côté de l'hangar.

— Elle peut guère venir que du parc de Vallomber. Y en a que sur sa grande pelouse.

Elle réfléchit :

— Ça doit être le vieux monsieur, qui des fois en se promenant, l'aura laissée tomber. Mais près de notre hangar, c'est drôle.

— Oh, c'est pas tout près... corrige Marguerite, c'est plutôt vers le chemin... Sur le talus.

— Ce monsieur, continua Mme Falconnet, c'est un drôle d'homme. C'est des gens d'un autre monde. Ça vit dans ce château de Vallomber depuis sa naissance. Il y est resté avec son père et sa mère, puis, quand les parents sont morts, avec sa femme, une fille d'un autre château du Var qu'on lui avait fait épouser. Puis sa femme aussi est morte et on l'a enterrée avec les vieux, au bout de l'allée qui traverse le parc. Alors lui, il est resté seul. Y paraît qu'y sait même pas s'y a eu la guerre ou s'il existe les automobiles ! Y a cinquante ans passés qu'il a plus quitté son domaine. C'est drôle, des gens pareils ! Il a ses fleurs, ses chiens, tout le reste y s'en désintéresse.

— C'est drôle... répète Marguerite.

Elle rêve, elle regarde sa fleur, si bellement éclatante, parfumée d'une odeur qui vous monte à la tête. Elle la respire de près.

— Ça sent le citron, dit-elle. Qu'elle est belle !

Elle soupire, le cœur écrasé par ce magnifique cadeau qui l'emplit de langueur.

— Je te crois qu'elle est belle, répète Mme Falconnet, elle est d'une délicatesse... Tu croirais de la peau en satin blanc. Seulement, fais-y bien attention, y faut pas la toucher, autrement ça vient noir.

— Oui, dit Marguerite avec respect, c'est beaucoup fragile.

Et, en elle-même, elle continue à parler : « Oh oui, que c'est fragile ! Tu aimes un homme, pour l'avoir tu fais pis que pendre ! Tu te batailles avec les tiens ! Tu fais des histoires terribles parce qu'un autre, un jour, te pousse où tu ne voulais pas tomber ! Tu cries sur les toits que tu es pas de celles-là qu'on pourrait croire ! Tu te ronges de remords ! Et puis voilà : un jour il en vient un, qu'au lieu d'avoir un nez en aubergine et une vilaine figure, il a des beaux yeux et une voix qui sait dire les choses, qui t'apporte une fleur que ça semble qu'y peut pas en exister une plus belle... Alors, ce jour-là, tu restes en contemplation. Té, tu es propre, ma fille ! Je te félicite ! Je sais pas comme tu finiras, mais tu feras bien d'un peu te surveiller. Elle est fragile, cette fleur. Si tu la touches, elle vient noire, tu le sais ? Alors tu as que de pas la toucher. Après qu'elle t'a semblé si belle, elle se fanera d'elle-même, tu la jetteras, comme les petits poussins sur le fumier. Et tu seras tranquille ! C'est ce que tu as de mieux à faire. »

Le lendemain, seule dans la cuisine, tout à coup, elle prend la fleur dans ses deux mains, elle la chauffe, elle la serre, elle passe ses doigts sur les gras pétales immaculés, depuis le cœur tout grenu de pollen jusqu'au bord délicat qui se recourbe. Et elle enfonce des ongles bien aigus dans la chair épaisse. « Là ! Comme ça, se dit-elle méchamment, elle viendra toute laide ! Et j'en serai débarrassée. »

Un peu plus tard, elle la montre à sa belle-mère :

— Regardez, se plaint-elle, comme elle est venue noire, ma fleur ?

— Tu l'auras trop touchée. Je te l'ai dit que c'était fragile.

— Hé non ! Je lui ai juste changé l'eau... C'est agaçant, des fleurs pareilles ! Maintenant, y vaut mieux que je la jette, vous trouvez pas, mère ?

— Tu es bien capricieuse, gronde Mme Falconnet. C'est dommage, elle était belle...

Elle hoche la tête et annonce :

— Tiens, une lettre de mon fils. Pour toi naturellement ! Moi, je compte en rien. Lis-la fort.

Marguerite obéit :

« Ma chère petite femme, je te fais ces deux mots pour te demander pourquoi tu es pas venue me voir ce dernier jeudi... » Elle s'exclame :

— Avec ce qui tombait ! Lui, y s'est pas douté que l'orage bouchait la route.

— Continue, dit la mère.

— « ... Ce dernier jeudi. Ma chère petite femme, j'ai à te dire que je m'ennuie beaucoup après toi et notre chère petite fille. Je regrette mon acte jour et nuit et je te demande de venir sans faute le prochain jour de visite. Porte-moi des cigarettes, du chocolat, un peu de saucisson, des galettes et aussi des fruits parce qu'on a toujours la bouche sèche et un peu de pommade pour nous défendre des poux et si tu as quelque chose contre les puces (demande à ma mère), nous en sommes infestés ! ! ! Ma chère petite épouse, je t'envoie des *millions* de baisers. Viens, sans faute, et apporte-moi bien tout. Ton Richard qui t'adore.

RICHARD. »

P.-S. — Embrasse bien ma mère et dis-lui de me tricoter des gants pour l'hiver.

— Je vais m'y mettre tout de suite, dit la mère. J'achèterai la laine demain.

Elle tire une prise de sa tabatière de poche, la respire, puis s'essuie à la fois le nez et les yeux.

— Pauvre Richard ! Y paye cher son peu d'idée.

Marguerite demeure froide. « Mon Dieu, se demande-t-elle, est-ce que je ne l'aimerais plus ? C'est pas possible... » Et elle est toute bouleversée par cette interrogation.

*

Mais le fameux jeudi de « la visite » arrive et dès après lui, Marguerite se sent pacifiée. Pauvre Richard ! Ah, n'importe quoi qu'il ait fait, il est bien puni ! Il souffre entre ces murs épais, il s'ennuie mortellement, le travail imbécile de tresser du chanvre pour en faire de la corde, puis des semelles d'espadrilles, n'arrive pas à l'intéresser.

— Oh Guitte, a-t-il dit, quand est-ce que ce sera fini ? Quand est-ce que je me retrouverai avec toi et notre Vincente ? Tu verras comme je serai brave alors ! Plus d'apéros et de bêtises avec les copains... Rien qu'avec toi ! Rien qu'avec ma femme et ma petite.

Il la regardait avec fièvre à travers les grilles de séparation et à la fin, quand elle a osé lui demander :

— La Gianella vient pas te voir, au moins ?

— Oh ! il a dit, comment tu pourrais croire ? Cette pute ? D'abord, sincèrement, je ne la connais guère.

— Elle est jamais venue ?

— Mais oui, bien sûr, elle vient voir Mandoline.

« Ah oui c'est vrai, a-t-elle pensé. Parbleu, bien sûr... Elle vient voir Mandoline. C'est tout naturel. Ce Nestor, quelle langue de vipère ! » Elle a laissé les biscuits, le saucisson, la pommade pour les poux, et le bouquet de rue contre les puces, à mettre sous le châlit. Sa mère, le lui ayant envoyé, a dit :

— Voir mon fils là-dedans, ça me tuerait ! Toi tu es jeune, tu peux supporter.

Marguerite supporte bien. C'est curieux même... Même, il y a des jours où elle est contente. Demi-nue au soleil avec juste sa casaque et sa jupe de basin rayé, arrangée dans une robe de Mme Falconnet, elle va et vient en sandales, sur la terre chaude et sur l'herbe humide autour de la source. Quand elle va jusqu'à Draguignan porter les paquets de plantes odoriférantes au magasin d'herboristerie qui est sur les Allées, alors elle met les bas et les souliers et un grand chapeau de paille noire qui a un nœud blanc sur le dessus. Elle retrouve un peu le genre de la ville, « mais de loin quand même, pense-t-elle, parce que Toulon et Draguignan, ça fait deux ! A Toulon, tu as la mer qui agrandit le coup d'œil, puis tu as les marins, les bateliers, cette gaieté que tu as pas ici. Non, j'aimerais pas d'y vivre dans leur Draguignan... Et maintenant au fond, en bien calculant, je me rends compte que j'aimerais plus non plus de vivre à Toulon, ni où que ce soit, dans une ville enfin... Je me plais à Salernes. Si Richard voulait, quand il aura fini son temps, on y resterait : y a ce magasin de plomberie Raimondi que le patron est malade, la femme presque seule pour le tenir, leur petit encore jeune... Si Richard voulait, y pourrait le prendre, moi je continuerais d'aider la belle-mère, on serait pas des plus malheureux. Parce que c'est vrai, je me rends compte que finalement ça me plaît mieux, la campagne. »

Ce soir, tandis qu'elle réfléchit à tout cela, ses pas l'ont entraînée loin dans la colline. Elle traîne avec elle un sac de jute qu'elle remplit de fruits d'églantier. Il n'en manque pas à toutes les haies qui séparent les champs des chemins creux. Avec allégresse, depuis plus de trois heures qu'elle est là, elle a sauté de talus en talus, elle a dégringolé, elle s'est ramassée, elle a rattrapé à deux mains sa jupe que la bardane accroche, ses cheveux épais que décoiffe le vent, sa sandale dont l'arrête-bœuf dénoue le lacet avec sa pointe fine et dure comme une aiguille ; elle se dresse, tenant haut ses seins bien plantés, pour cueillir une baie, encore une, plus rouge et plus grosse. Elle pense à ce que lui a appris sa belle-mère, qu'en Allemagne on en fait de la confiture de ces fruits sauvages, mais qu'elle, elle les fait sécher pour en tirer un sirop contre la catarrhe. Puis elle pense qu'elle devait rapporter du bouillon blanc, cette plante guérisseuse de tout, mais par là, y en a guère. Et comme, contre un vieux mur, elle voit une grosse touffe de sauge, elle en cueille un bouquet parce que la belle-mère dit aussi : « Il a tort de mourir, celui qui a de la sauge dans son jardin. » Et elle pense encore que s'il y a des femmes qui ne sont pas d'accord avec leur belle-mère, elle, ce n'est pas son cas, elle l'aime bien.

Et se relevant après avoir coupé les rameaux de sauge, elle se met à chantonner doucement :

> « *Voici le printemps qui s'avance,*
> *Le front couronné de lilas,*
> *Près de lui sourit l'espérance...* »

— Oh ! s'interrompt-elle, j'ai eu peur !

Devant elle, un homme est debout. Ce vieux mur, c'est sans doute celui de son cabanon, il va peut-être lui reprocher d'avoir volé la sauge ? Il est grand et robuste dans une chemise ouverte sur une toison de poils noirs et un pantalon de velours jauni. Il est nu-pieds, ses gros souliers de bonnes herbes pour...

— Où tu vas comme ça ? demande-t-il.

— Vous voyez, répond-elle, je ramasse des bonnes herbes pour...

— Tu es bien foutue, dit-il brutalement.

Il a de petits yeux brillants, il mordille une branche entre ses dents et, appuyé contre les pierres, il la regarde. Elle se sent mal, il lui semble que si elle fait un pas en avant, il va sauter sur elle. Elle a tout juste la force de reprendre, pensant que ça la protègera :

— Je suis la belle-fille Falconnet.

— Je sais, dit-il. Ton homme est en prison, hé ?

— Oui.

— Y a longtemps, je crois ?

— Oui.

— Il en a pour un bon bout ?

— Oui.

— Tu dois commencer d'être privée, non ?

Elle demeure sans répondre. Il insiste en la fixant :

— Surtout la nuit qu'y te manque, qué ? J'ai idée que ça te plaît, la chose de la nuit ?

— Ah, je vais descendre, ma petite m'attend...

Elle va recharger son sac, mais d'un coup de talon, il l'envoie rouler contre la pente et tend une large main vers Marguerite :

— Viens un peu ici, je te fais peur ?

Elle reste sur place, le cœur battant dans sa gorge. Il la regarde encore :

— J'ai que des armes d'homme, tu sais ? Ça a jamais tué une femme !

Un gros rire termine sa phrase :

— Au contraire ! dit-il. Y en a qui disent merci après.

Marguerite se sent devenir rouge jusqu'aux cheveux. La colère lui monte :

— Pas moi ! assure-t-elle. Moi, j'ai un mari.

— Oui ! Mais comme il est pas là...

Il l'a attrapée à pleins bras maintenant, il la serre, il lui chauffe l'oreille d'une bouche qui murmure en haletant :

— Allez, viens ! Allez ! Tu regretteras pas...

Sans paroles, elle se défend comme avec Nestor en raidissant les épaules, mais l'homme est en fer, elle se sent faiblir. « Le secours me viendra pas ? » pense-t-elle. Et tout d'un coup il vient : elle aperçoit à terre le gros soulier... Glissant entre les bras qui la serrent, elle s'en saisit, et elle frappe à coups redoublés sur le pied nu ! Il saute en l'air.

— Garçasse ! crie-t-il.

Il la lâche pour protéger son pied meurtri. Elle se dégage, elle saute le talus, elle s'accroche à la pierraille, elle roule, elle tombe, elle retrouve son sac, elle le jette sur son épaule et elle court tant qu'elle peut. Son cœur éclate dans sa poitrine. Ce n'est qu'assez loin, arrivée sur un petit mamelon, qu'elle se retourne pour regarder. L'homme est toujours debout sur le vieux mur. Dieu merci, il ne l'a pas suivie ! Il la regarde lui aussi et elle voit briller ses dents. Il rit avec indulgence.

*

Rentrée à la maison — qui sait pourquoi ? — elle ne dit rien à sa belle-mère. Elle étale sur la planche du hangar les baies de l'églantier, elle cuit la soupe, elle lave le petit linge de Vincente et c'est seulement dans le lit, plus tard, qu'elle se donne le loisir de réfléchir à ce qui lui est arrivé. « J'y ai passé près, se dit-elle, si au moins y avait eu quelqu'un pour me défendre dans cette colline, mais c'est des endroits au tonnerre de Dieu ! Pourtant, un bûcheron, un paysan, ça peut se trouver... Un laboureur, tenez, qui revient de son travail... On l'a plus vu, ce Damien ? Il a raison, c'est moi qui lui ai interdit de revenir. Sinon, lui, y m'aurait défendue. Avec autre chose que des coups de soulier sur le pied ! Quand même, cet homme... Alors, y sont tous comme ça, les hommes ? Parce que tu es femme, tu es comme le lapin et eux, c'est les chasseurs ? « Tu regretteras pas », y me disait. Sa bouche me brûlait l'oreille... Oh, je sais bien. A moi-même je peux pas manquer de me l'avouer que j'en ai envie... Mais pas comme ça, pas avec le premier venu que je l'ai pas choisi, pas avec cet homme, pas avec Nestor, non... D'abord avec personne. Avec personne, qui sait ? Avec un qui s'y prendrait d'autre manière peut-être ? Qui serait doux... Non ! Non ! Avec personne ! Allez, je veux pas ! Et puis je peux pas ! Je serai bien avancée après. J'ai qu'à attendre que Richard revienne. J'ai tant attendu, je peux patienter encore un peu. Je suis pas une femme de la rue peut-être ! Ah, si ta mère te voyait des idées pareilles, elle t'arrangerait, ma pauvre petite ! Elle qui a mené sa vie tout droit comme ces lignes au cordeau qu'on traçait à la Guirande. Dis, tu as pas honte ? Tu es une fille Desmichels quand même ? C'est quelque chose, ça ! Que tu aies fait une bêtise de quitter le Domaine sur un coup de tête, ça passe, mais de là à te conduire comme la dernière des dernières, y a un cheveu !

Quand Richard retournera et moi je suis sûre qu'y sera devenu brave, peut-être y voudra rester à Salernes ? Et s'y veut pas, eh bien, j'irai où y voudra, lui, moi et notre Vincente et nous pourrons être encore heureux. Et je serai bien tranquille avec lui, comme avant ces histoires. Mais qu'est-ce que j'ai dessus, moi, que tous ces hommes me cherchent ? Ce Nestor, ce Damien, celui de la colline et puis l'autre jour à Draguignan, un qui m'a suivie tout le long de la rue et un qui m'a demandé si je voulais pas boire avec lui ? Je suis pas si jolie pourtant ? Je le sais, j'ai une grosse bouche, une dent de lait en plus sur le devant, j'ai des seins que jamais mes corsages peuvent tenir boutonnés... Oui, y en a des plus belles, des mieux habillées que moi qui m'arrange les robes de ma belle-mère et voilà tous ceux qui me courent après... Qu'est-ce que ça veut dire ? Cet homme de la colline il a insinué : « J'ai idée que ça te plaît, la chose de la nuit. » J'ai bien compris. Peut-être que ça me plaît, oui, mais pas avec tout le monde. Je veux choisir.

D'abord voilà, j'ai choisi ! J'ai choisi mon Richard. Et un mari que tu l'as voulu, que tu t'es donnée à lui sage, quand même, tu en changes pas comme de tablier, non ? Celles qui font ça, y faut croire que c'est des pas-grand chose ! Pourtant ça existe. A Toulon y en avait, mais moins qu[illegible] ce qu'on veut bien raconter, je m'imagine. C'est un genre de laisser croire que les femmes sont pas sérieuses, mais y en a, y en a, des sérieuses. La preuve, y en aurait qu'une, c'est moi. Et c'est pas demain que je changerai, j'en suis sûre ! »

A la fin, lasse de penser et rassurée sur elle-même et sur l'arrangement du monde, Marguerite s'est endormie dans la paix et le corps tout rond, tout tiède de sa petite Vincente à côté d'elle est encore plus rassurant que toutes les raisons. Et le lendemain où elle doit aller couper du romarin, elle se promet de bien faire attention de ne pas courir la colline, que si l'homme était encore dans ces contrées... Elle se souvient que derrière le château de Vallomber, où on ne risque rien parce que toujours des paysans, par-ci par-là, travaillent, il y a un sentier qui longe la base de la montagne et qu'il est tout bordé de romarin. « Le romarin, tu sais, dit la belle-mère, les femmes trop sensibles devraient en prendre journellement une infusion. D'abord, c'est avec ça qu'on a composé « l'eau de la reine de Hongrie », et Dieu sait si c'est bon contre les maladies de nerfs et les accidents spasmodiques. » « Les accidents spasmodiques », c'est une phrase que Marguerite ne comprend pas très bien. « C'est quoi, ça ? demande-t-elle. — C'est quand une corde se serre sur ton estomac ou que tu t'étouffes, faute de pouvoir respirer ou que ton cœur te tape dans la gorge. » Ah oui, c'est ça qu'elle a eu quand l'homme a voulu la violenter ! C'est agréable de savoir tant de choses... Et elle en sait, la belle-mère ! Elle dit encore : « Le romarin, dans un livre que j'ai, on explique que Don Quichotte, que c'était un cavalier espagnol, y s'en servait pour le baume de Fier-à-bras. Fier-à-bras, ça devait être un autre cavalier, mais je sais pas s'il était espagnol. Tu vois c'est une plante célèbre. Et y a encore des endroits en France, vers le Rhône, où on se sert du romarin pour asperger les morts, comme nous, du buis. »

Alors Marguerite doit apporter beaucoup de romarin et elle est contente de savoir que dans ce chemin qui longe

Vallomber il y en a et qu'elle ne risquera pas de rencontrer l'homme. « Vallomber », la belle-mère lui a encore expliqué que ça signifie : « Val ombreux, Val de l'ombre... » C'est joli. Et c'est vrai que ce château, grosse maison carrée avec ses dix-huit fenêtres sur chaque façade, est entièrement enfoui, sauf le devant qui donne sur les champs, dans une vraie forêt d'arbres. Et ces arbres vert clair, montant haut, droit, comme on en voit peu en Provence, ces châtaigniers, ces peupliers, ces hêtres, avec aussi des cyprès et des chênes verts, tous ces arbres font, derrière le château et de chaque côté, un grand parc qui vient finir contre un mur bordant le ruisseau du Gaoû. Et ensuite commence ce chemin où il y a tant de romarin.

« Vallomber »... Qui lui avait parlé de Vallomber, à part la belle-mère qui si souvent en prononçait le nom : « Ces messieurs de Vallomber sont arrivés. A Vallomber, tu as une terrasse que tu pourrais faire bal pour tout le village... » Non, ce n'était pas ça. Ah oui, elle se souvient maintenant : « Cette fleur de magnolia, ça vient de Vallomber. J'y suis allé labourer... » Oui, mais enfin, on n'y va pas tous les jours, labourer ! Et puis dans ce chemin de derrière le parc, ce serait un hasard qu'on se rencontre. Le tout, c'est de ne pas se chercher...

Elle ne l'a pas cherché. Elle ne pouvait pas savoir que, justement ce soir-là, le jardinier du château faucherait le regain de la prairie qu'arrose le Gaoû et qu'il engagerait Damien Bâri. Et que son travail fini, la faux perchée sur son épaule nue, luisante et brune, la pierre placée dans la gaine d'herbe humide contre la hanche musculeuse, Damien s'arrêterait dans le chemin pour lui parler de l'hirondelle. Non, elle ne pouvait pas savoir qu'elle-même ne pourrait faire autrement que de répondre, n'est-ce pas ? Parce que n'importe qui se serait intéressé à cette pauvre hirondelle...

Il s'avançait, la main ouverte :

— Voyez ! Je l'ai blessée avec ma faux. Elle rasait l'herbe, elle a sauté en l'air, je l'ai vue trop tard !

— La pauvre, dit Marguerite.

— Vous me trouvez bête peut-être... mais j'aime pas faire du mal.

— Oh non, je vous trouve pas bête ! Au contraire.

Elle a caressé le petit corps noir et lisse, couché dans la grande main creuse du laboureur. Le bec était ouvert, plein de sang coagulé, l'œil si vif d'habitude et au brillant de jais disparaissait à demi sous les paupières fines. Un tremblement spasmodique agitait les pattes crispées qui soudain se raidirent.

— Elle est morte, dit Marguerite.

— Ce n'est pas ma faute. Je l'ai vue trop tard, répétait Damien.

— La pauvre... redit Marguerite.

Elle avait un visage de pitié et de chagrin, mais cependant tout chantait de joie en son cœur. Elle regarda le garçon et son plaisir lui éclata au visage.

— On va l'enterrer, dit-elle.

— Où ?

— Tenez, là, sous ce romarin. Et dessus on mettra une grosse pierre pour pas que les chats viennent fouiller.

Damien avait fait le trou, tandis que Marguerite cueillait deux larges feuilles de noisetier pour rouler dedans le minuscule cadavre. Puis ils avaient fermé la fosse. A genoux près de Damien, elle avait placé dessus un fragment de dalle rocheuse, puis ni l'un ni l'autre n'avait plus osé bouger ; leurs mains, brûlantes de se sentir si proches, étaient restées un long moment sans savoir se toucher, il avait fallu que ce soit Damien qui avance la sienne, et quelle force de résistance il aurait fallu alors à Marguerite pour s'en aller...

Non, elle ne savait pas qu'elle avait tellement envie

d'être embrassée. Ces choses, il faut y être passée bien des fois pour les savoir.

Et ce fut seulement après des années qu'elle se jugea avec ironie : « Que j'étais jeune et bête, mon Dieu ! Que j'étais innocente ! »

DEUXIÈME PARTIE

I

Quand Richard Falconnet sortit de prison un jour de fin mai, il faisait extrêmement doux. Sa mère, sa femme et sa fille étaient venues l'attendre dans un petit café, à l'angle de la place.

Marguerite guettait l'ouverture de la porte qui doublait la grande entrée par où passaient les voitures cellulaires. Quand il apparut, pâle et gras, dans des habits un peu fripés, il avait l'air assez pathétique. Elle s'élança vers lui comme un jeune chien vers son maître retrouvé et laissa voir son émotion dans des yeux prêts aux larmes. Mais il l'écarta doucement et la tourna vers un garçon qui demeurait à ses côtés :

— Mon copain, dit-il : Pablo. On s'est bien tenu compagnie.

— Je vous connais, dit Pablo. Richard m'a assez parlé de sa femme.

— Tu vas voir aussi ma mère et ma petite. J'ai jamais voulu qu'elles viennent à la taule.

A la terrasse du café, l'herboriste et son fils s'embrassèrent. Vincente se cachait derrière sa grand-mère, bien qu'on l'eût prévenue qu'elle allait voir son papa. Elle était trop petite pour comprendre et assez sauvage naturellement.

Bien qu'elle n'eût d'attention que pour son mari, Mar-

guerite fut obligée de voir comme ce Pablo avait un visa
bizarre, dur et cruel et à la fois beau, tout rasé alors q
c'était rare, et même rasé de frais au sortir de la prison.
bouche mince avait une finesse remarquable, ses ye
étaient noirs et brillants comme du minerai, noyés dans
golfe d'ombre et abrités sous des cils longs et drus, p
habituels aux hommes. Des pommettes saillantes, un fro
haut, un peu olivâtre lui donnaient un aspect étrang

— Vous êtes espagnol ? lui demanda Mme Falconn

Il rit en montrant des canines aiguës.

— Je suis né au Mourillon. Mon père y était né aus
Mais il se peut bien que ma mère ait connu quelque señ
car tout le monde me croit espagnol. Aussi je me lais
pousser les rouflaquettes et je m'appelle Pablo. Mon v
nom c'est Paul.

— Alors, vous étiez avec mon fils ? reprit la mè
méfiante.

— Oui, dit Richard. Le même coup que moi ! Il a pa
pour des autres. Y pêchait tranquillement aux gôbis, y a
une rafle en mer pour la contrebande, y s'est trouvé
milieu, va te défendre !

— J'en ai pris pour sept mois, dit Pablo avec philo
phie.

Marguerite tenait dans la sienne la main de Richard et
jouissant de se sentir si bien dans cette étreinte, e
retrouva son ancienne jalousie :

— Et ton ami Mandoline ? interrogea-t-elle.

— Mon ami ? explosa Richard. Ce fumier qui m
vendu ?

— Et Gianella ?

— Elle est belle fille, dit Pablo.

Les yeux de Marguerite s'allumèrent :

— Vous la connaissez ?

— Ben, dit Richard, elle venait voir son homme.

— Ah c'est vrai ! dit Marguerite. Alors elle est si bell

Pablo la regarda de haut en bas, passant sur elle comm

la lumière d'un phare, puis il ramena ses yeux noirs sous ses paupières bistrées et il laissa tomber :

— Il n'y a pas de comparaison.

« Il me trouve mieux ou moins bien ? » s'inquiétait Marguerite. Après un silence, Mme Falconnet reprit la parole :

— Dis, Richard, il faut pas manquer le train de neuf heures et demie...

— Pour ?

— Pour Salernes, parbleu.

— Je compte pas aller à Salernes.

— Non ? dit la mère.

— Non ? dit Marguerite.

— Non, dit Richard.

— Et où on va ? demanda Marguerite.

— Au Mourillon, chez Pablo. Y nous logera quelque temps, après on verra.

— Tu préférerais pas venir à la maison ? insista la mère.

— Nous avons des affaires à voir ensemble, précisa Pablo.

— Je vais avec toi ? dit peureusement Marguerite.

— Sûr ! dit Richard, mais la petite y vaut mieux que ma mère l'emmène. Quand nous serons installés, nous la reprendrons.

— Où tu as idée de t'installer ? demanda sa mère ; nous avions pensé qu'à Salernes...

— Tu n'es pas folle ? Qu'est-ce que tu veux que je gratte à Salernes ?

— Y a le magasin des Raimondi... commence Marguerite. J'avais pensé...

— T'occupe pas ! dit Richard. Je sais ce que j'ai à faire.

*

Ah, ce n'est pas ça que Marguerite avait rêvé ! Après cette grande épreuve subie avec tant de soucis, de hontes, de larmes, d'envies secrètement refrénées, elle avait cru payer assez cher son droit à un peu de bonheur, de vie tranquille... Et ce n'était pas ça, pas ça du tout.

Le premier soir, se jetant avec tout son espoir, toute sa tendresse, sur le cœur de Richard, elle y avait pleuré sa joie de le retrouver et il l'avait vite reprise dans sa chair sensible avec sa façon à la fois câline et brutale. Mais la nuit, ça ne dure qu'une nuit et le matin il avait bien fallu voir la vie comme elle était.

S'éveillant dans ce cabanon du Mourillon, où tout lui était inconnu, elle avait bu le café déjà prêt, après quoi Richard avait dit à Pablo :

— Montre-lui.

Et Pablo lui avait expliqué comment on faisait la cuisine, où se trouvaient le bois pour allumer le feu et l'eau douce pour la soupe. Il lui avait donné des tomates, des poireaux, des pommes de terre.

— On te portera le reste en revenant, avait dit Richard. Nous avons à sortir.

Elle était restée surprise, se disant : « Y me laisse seule comme ça ? Le premier matin ? » Et le cœur gros, elle s'était mise à préparer le repas. A midi passé, les hommes étaient revenus, ils avaient mangé, les coudes sur la table, et parlant entre eux.

Et plusieurs journées avaient coulé ainsi, puis plusieurs semaines, sans que Marguerite ait autre chose à faire que la cuisine, le ménage et le raccommodage. Elle ne sortait presque pas, ne connaissait personne dans ce quartier éloigné de la ville, où seulement quelques cabanons de pêcheurs bordaient un sentier douanier qui longeait le rivage. Au-dessous, la mer battait les roches dentelées, puis se couchait, soumise, devant elles. Marguerite n'aimait pas habiter aussi près de l'eau. Il lui semblait toujours qu'une grosse vague verte, toute mousseuse d'écume, allait se dresser au milieu des autres et se jeter sur la terre pour l'écraser.

Elle se demandait combien de temps cette vie allait durer ? Le soir, seule et morte de peur quand l'orage grondait, elle tournait et retournait dans sa tête ce fait que Richard n'avait pas repris et ne parlait pas de reprendre d'ouvrage, qu'elle était loin de sa fille et qu'elle languissait, qu'elle aurait été mieux avec sa belle-mère ; qu'on n'apercevait plus Nestor Mangiagari ni les autres, qu'elle ne reverrait sans doute jamais Damien le laboureur. Mais tout ça, au fond, n'avait pas d'importance pourvu que Richard l'aimât comme autrefois... Et quand elle était dans ses bras, la nuit, elle oubliait tout.

Quelques mois plus tard, vint une heure où, après la soupe de poissons quotidienne, elle écouta parler les deux garçons :

— Tu comprends, disait Pablo, c'est une combine qu'y faut la faire qu'avec un copain sûr.

— Tu es pas sûr de moi ? demandait Richard.

— C'est pas ça, mais c'est délicat, tu comprends ? Moi je te connais, mais La Fouène...

— Faisons-la sans lui...

— On ne peut pas. C'est lui qui a la lette. Et puis c'est lui qui connaît le douanier.

— Alors ? disait Richard.

— Si on avait un peu de sous, il marcherait. Ce pécule, qu'est-ce que tu veux, c'est rien !

— Y faudrait combien au juste ?

— Je sais pas. Je calculerai.

— Marguerite ? avait appelé Richard.

Elle, allant et venant, apportant les tomates farcies, demanda :

— Quoi ?

— Dis-moi, cette chaîne en or que tu avais gardée...

— Oui.

— Eh ben, tu l'as toujours ?

— Sûr ! C'est de ma mère, tu voudrais pas...

— Où elle est ?

— Je l'ai laissée à Salernes. C'est Vincente qui la porte.
Il y avait eu un silence.
— Tu iras la chercher demain, avait commandé Richard.
— Demain ? Mais pourquoi ?
— Y avait pas une médaille après ?
— Oui.
— Tâche de pas l'oublier.
Richard s'était retourné vers son ami :
— Tu crois que ça suffira ?
— Ce sera toujours un commencement, avait dit Pablo.
— Tu trouveras quelqu'un pour les laver ?
— C'est pas ce qui manque, sois tranquille !
Pablo avait ri. Marguerite était demeurée muette : sa chaîne, sa médaille ? Celles que sa mère mourante lui avait données pour sa petite ? Richard voulait les lui prendre ? Et pour quoi faire ? Les laver ? Qu'est-ce que ça veut dire : « Les laver ? » Elles ne sont pas sales.

Ayant fini de manger, les deux hommes étaient repartis. Ils étaient rentrés le soir à neuf heures. Elle attendait d'être au lit pour parler à Richard, sûre d'avoir davantage d'audace dans l'obscurité.

Quand ils avaient été couchés, elle avait voulu commencer, mais la peur lui serrait la gorge. Alors, roulée en boule dans un coin, elle s'était abandonnée à pleurer doucement.

Richard fumait. Toute lumière éteinte, seul le bout rouge de sa cigarette trouait la nuit. Elle avait sangloté plus fort, pour qu'à la fin il l'entendît.

— Qu'est-ce que tu as ? avait-il demandé.

Elle n'avait pas répondu. Pourtant, comme il ne parlait plus, elle avait osé murmurer :

— Je ne veux pas que tu me prennes la chaîne et la médaille.

— Ah, c'est pour ça ?

— Oui.

Il n'avait pas eu un ton méchant. Alors elle s'était enhardie :

— Ça vient de ma mère, c'est sacré tu comprends ? Puis c'est à la petite.

La cigarette, lancée d'un geste vif dans l'angle de la chambre, avait tracé la trajectoire d'une étoile. Richard l'avait accompagnée d'une voix brève :

— Nous avons besoin d'argent.

— Tu veux les vendre alors ?

Se retournant d'un coup vers lui, elle avait crié sa surprise. Il avait ri :

— Bien sûr ! Qu'est-ce que tu as cru que j'allais en faire ?

— Mais...

— Oui, je sais, ça vient de ta mère ! C'est sacré ! Tu l'as déjà dit.

Et il avait ri encore une fois, de ce rire qu'elle détestait. Dans l'ombre, elle avait rougi sous le dédain. Elle s'était redressée en colère :

— Je veux pas !

— Non ?

— Non. C'est à moi après tout !

— Ah oui ? Et ce que tu as mangé aujourd'hui, c'est à toi aussi ? Et ce que tu mangeais chez ma mère pendant deux ans ?

— Je travaillais, dis ! Je travaillerai encore s'y le faut.

— Tu travailleras quand je te le commanderai. Pour le moment, c'est moi qui veux travailler et pour ça j'ai besoin de sous.

— Pour faire quoi ? cria-t-elle encore.

— Ça me regarde. Et ne crie pas. J'ai pas besoin que tout le monde sache nos affaires. Va chercher la chaîne, c'est tout ce que je te demande.

— Non, j'irai pas ! dit-elle.

— Tu iras pas ?

Il l'avait prise à la nuque et lui enfonçait ses doigts durs sous les oreilles.

— Tu me fais mal !

— Tu iras pas ?

— Non ! Non !

Sans la lâcher de la main droite, il la gifla de la main gauche à toute volée.

— Tu iras pas ? répéta-t-il.

Et comme elle se ployait sur elle-même, vaincue et recommençant à pleurer, il écrasa sur sa bouche une bouche chaude et mouillée. Elle le sentit peser sur elle. Elle pleurait, ils firent ce qu'il appelait l'amour.

*

Et le lendemain, sur la route, en revenant vers Toulon, elle se disait : « Je suis comme un chien, comme ce chien de la Guirande, qui courait, sur l'ordre du maître, ramasser le gibier. Mon frère Pierre qui était chasseur plus que les autres, quand il allait aux perdreaux dans la forêt de Montrieux, il commandait : « Pille ! Pille ! » et son épagneul lui rapportait l'oiseau tout saignant. Moi, je rapporte la chaîne et la médaille. Je suis comme un chien, pas plus. »

Elle n'avait rien confié à sa belle-mère : « Pas besoin de lui raconter, débrouille-toi. » Ç'avait été la dernière recommandation de Richard.

Alors, elle était seulement venue, dit-elle, pour chercher la dernière paire de chaussettes tricotées et pour embrasser la petite.

Et elle avait emmené l'enfant, jouant, courant, jusqu'au hangar où séchaient en ce moment des feuilles d'oranger.

— Ça vient de la terrasse de Vallomber, tu sais ? avait expliqué sa belle-mère. C'est un garçon jardinier qui m'a donné ce qui est tombé de la taille.

« Un garçon jardinier ? Peut-être Damien ? » Seule ensuite dans le hangar avec Vincente, elle lui avait détaché du cou la chaîne et la médaille et les avait glissées dans sa poche.

— Pourquoi tu me les prends ? avait pleurniché la petite.

— C'est pour rire, c'est pour rire… avait-elle murmuré. Ne pleure pas. Tu auras des bonbons ! Tu sais, les gros verts à la menthe, que tu aimes ?

Et tandis qu'elle la cajolait, une voix reprochait en elle : « Tu voles ta fille. »

Au moment de partir, elle avait dit très vite et d'un air négligent à sa belle-mère :

— Ah, ne cherchez pas la chaîne de cou de Vincente, je la lui ai prise…

— Pourquoi ?

— L'anneau s'est cassé, figurez-vous, celui qui tient le petit ressort de la fermeture… Je vais le porter à arranger.

— Comment ça s'est fait ? s'était étonnée la belle-mère. Y tenait bien pourtant.

— Hé, j'en sais rien ! avait-elle répondu. C'est en nous amusant à courir tout à l'heure, la petite a tiré dessus, ça s'est cassé.

Et elle avait baissé les paupières, car le regard droit de son enfant s'était fixé avec surprise dans le sien. Ensuite, elle avait à peine osé l'embrasser rapidement, avant de partir, puis elle avait repris la route vers la gare. Et c'est là que tout au long, elle s'était répété en elle-même : « Je suis comme un chien », commençant à douter que son mari méritât son amour.

Et maintenant, la vie reprenait d'une autre manière. Marguerite avait remis à Richard la chaîne et la médaille et le soir suivant, alors qu'elle essuyait la vaisselle du repas, on avait entendu gratter à la porte du cabanon. Elle avait pensé : « Quelque chat errant… » Mais Richard qui fumait, assis à côté de Pablo, avait levé la tête :

— C'est lui, avait-il dit.

Pablo ayant ouvert, ce garçon étique et sale qu'on appelait La Fouène était entré.

— Personne t'a vu ? avait demanda Pablo.

Et il avait répondu dans un rictus qui soulevait en biais sa lèvre sèche sur des dents cariées.

— Non. Je m'ai déguisé en courant d'air !

Richard avait commandé :

— Marguerite, tu peux te coucher. Nous, on a du travail.

Au regard impérieux qui soulignait l'ordre, elle ne pouvait désobéir. De son lit, derrière la mince cloison de brique, elle essayait d'entendre, mais seulement des lambeaux de phrases lui parvenaient. Et c'était : « Au large du cap Brun... La roche est haute, mais pas si aiguë... Dans les nids de goélands. » « Dans les nids de goélands ? se répétait-elle, toute seule. Qu'est-ce que ça peut vouloir dire ? Y vont dénicher des œufs peut-être et ça se vend bien ? Ce serait ça ? Mais pourquoi Richard ne reprend-il pas son métier de tôleur ? Nous trouverions une petite maison tranquille dans la banlieue de Toulon. Nous serions pas heureux ? Au lieu de toutes ces complications... »

Tandis qu'elle tentait de saisir le sens de la conversation qui s'échangeait à voix sourde dans la cuisine, le mistral s'était levé au-dehors et courait le long de la grève en hurlant de sauvages clameurs. Les vagues, soulevées par sa puissante main, claquaient comme d'énormes gifles sur le bâti de la jetée. Et on eût cru que la maison entière était un bateau à sa merci, balancée entre l'eau et le vent. Marguerite, tremblante, songeait combien les bras de Richard lui eussent été bons, car elle était naturellement peureuse de tout, de la mer déchaînée autant que de ce mistral féroce, ou de l'orage avec ses tonnerres et ses éclairs. Mais Richard restait dans la cuisine avec ses amis, projetant d'aller ravir dans les nids d'algues sur les roches aiguës, au-delà du cap Brun, des œufs de goélands. « Pour les vendre... Et la chaîne et la médaille de Vincente, les avait-il vendues aussi ? Je n'aurais jamais dû les lui donner... Mais il m'a giflée. Il m'aurait tuée. Pourtant il n'est pas tout mauvais : il m'aime. Oh, quand ça finira toutes ces histoires, mon Dieu mon Dieu ? » Et tout d'un coup, elle avait sombré dans le sommeil.

Bien plus tard dans la nuit, La Fouène était parti et tout de suite le vent hurleur avait emporté la minable silhouette. Alors Richard était arrivé près du lit, avec le calel à la main et, sous la jeune lueur de la mèche à huile, il avait regardé sa femme. Pablo, l'ayant suivi pour passer dans le chambron où il couchait sur une paillasse de maïs, à même le sol, avait regardé aussi et il avait dit :

— C'est une gosse.

— Oui... avait approuvé Richard.

Pablo avait hoché la tête :

— Y a pas de comparaison avec Gianella. Ta femme, tu as pas eu raison de l'embarquer dans tes combines... Elle est encore trop jeune. Plus tard elle pourra servir.

Et les deux hommes avaient détaillé l'innocence du bras rond et frais replié sous la tête, les yeux clos sans une ride, le nez, petit et légèrement relevé, la bouche aux lèvres épaisses, ouvertes sur de naïves dents, écartées les unes des autres et laissant glisser comme une bouche de bébé, un filet de salive d'argent.

Ils avaient regardé le corps chastement couvert jusqu'à la taille et seulement, indiscrètement dévoilé par un bouton sauté hors de sa boutonnière, un sein rond, plein, blanc de peau, avec un bout rose, à peine grenu, qui jaillissait entre deux bords de chemise.

— Ça s'est trouvé comme ça, avait dit Richard.

Et couché contre Marguerite, il avait attendu que Pablo commençât à ronfler pour la presser contre lui et, sans la réveiller, comme il lui arrivait souvent, prendre sur elle son plaisir.

*

Et maintenant, la vie avait changé de manière, oui. Trois jours plus tard, Richard était arrivé le soir, pâle, agité :

— Embarque tout, il avait dit, on part.

— Quoi ?

— Allez ! Essaye pas de comprendre. Fais la malle en vitesse.

— Mais qu'est-ce qu'y a ?

— Rien ! Y a rien ! On déhale.

Marguerite tenait encore à deux mains la marmite où elle était en train d'écraser la soupe de poissons quand Richard était arrivé. Et c'était une si belle soupe… Justement, elle avait eu des petits rougets, des écrevisses de mer, des rascasses blanches, tout ce qui donne à ce plat un fumet spécial, et elle avait bien fait roussir tout ça avec les pommes de terre, l'ail, l'oignon, puis la pomme d'amour, dans l'huile d'olive, jusqu'à ce qu'il n'y ait plus une goutte de jus, alors elle avait versé dessus l'eau bouillante, elle y avait jeté, attaché d'un fil, le bouquet garni, fenouil et laurier, elle avait laissé cuire à gros feu de sarments et une vapeur odorante avait embué la maison. Ensuite, elle avait mis le tout dans la passoire, puis dans un torchon de toile grossière, et elle avait serré, tordu de toute la force de ses poignets, se brûlant les doigts, jusqu'à ce que le jus exprimé devienne comme une purée épaisse et blanche. C'était le meilleur. Il ne fallait pas le laisser perdre. Sa mère le lui avait appris.

Dans ce beau bouillon, elle avait distribué le sel, le poivre, trois paquets de safran et quand ça avait commencé à chanter en faisant des bulles, elle avait jeté dedans un demi-kilo de gros vermicelle.

Et maintenant c'était prêt, c'était doré ! C'était savoureux ! Rien que par l'odeur, ça vous faisait saliver tout le fond de la langue. Le parmesan râpé attendait dans le siéton, les assiettes creuses s'avançaient seules et voilà que maintenant Richard arrivait et disait : « On s'en va. »

— Dînons d'abord, dit-elle.

— On dîne pas, dit-il. Fous-moi ça à la flotte.

Elle leva sur lui un regard égaré.

— Allez ! Allez ! gronda-t-il.

Il prenait par les anses la marmite pleine et la portait

dehors. Marguerite entendit un choc contre la mer. Il rentra les mains vides.

Il versa un arrosoir d'eau sur le charbon de bois enflammé. Une fumée âcre emplit la pièce. Il rafla la vaisselle sur la table et la replaça dans le placard qu'il referma soigneusement.

— Occupe-toi de la chambre, précisa-t-il. Empile toutes nos choses dans la malle. Pablo va être là. Y faut qu'y reste rien de nous ici.

— Mais qu'est-ce qu'y a enfin ? demanda-t-elle.

— On a arrêté La Fouène, dit-il. Ce salaud nous a vendus. Y faut se barrer !

— C'est pour les œufs de goélands ?

— Quoi ?

Il releva les épaules :

— Tu es plus bécasse que nature... ricana-t-il. T'occupe pas ! Fais ce que je te dis si tu veux pas qu'on retourne en prison.

— En prison ! bégaya-t-elle.

Et elle se mit à trembler.

Cependant une défense instinctive l'enjoignait en elle-même à se presser. Elle fermait la malle où elle avait mis toutes leurs affaires en pêle-mêle hâtif, quand la porte s'ouvrit et avec une pluie brutale qui battait le panneau, Pablo entra.

— C'est prêt ? demanda-t-il.

— Oui, dit Richard.

La malle venue de la Guirande, avec son couvercle en poils de chèvre un peu râpé, fut hissée sur une sorte de charreton, qu'un mulet, cinglé du fouet par Pablo, emporta au grand trot sur le chemin détrempé par l'averse.

— Nous, conclut Richard, vaut mieux qu'on aille à pied. On le rejoindra au pin couché.

Il ferma la porte à clé et prit la main de sa femme :

— Marchons de travers, ordonna-t-il. Y faut brouiller

nos traces. Heureusement, la flotte s'en chargera. Mets-tc le fichu sur la tête.

Ils partirent dans la nuit, dans cette pluie qui les cinglai dans cette boue où leurs pieds s'enfonçaient. Marguerite abrutie de peur, de fatigue et d'émotion, se retena machinalement aux doigts de Richard. Sur son visage, de larmes de petite fille punie se mêlaient à l'eau qui tomba du ciel et c'est en arrivant au pin couché où ils retrouvèrer Pablo, qu'elle sentit pour la première fois bouger, au fon d'elle-même, un nouvel enfant.

*

Oui, maintenant, elle se souvenait de cette étrange nui comme d'un cauchemar lointain.

Arrivés près du pin couché, au bord d'une anse minus cule taillée dans des roches rouges, sur la rive qui allait d Toulon au Lavandou, ils avaient trouvé Pablo. Tous troi avaient mangé du pain et du saucisson et bu le vin rouge les uns après les autres, à la bouteille.

Marguerite, réconfortée, mais toujours peureuse, avai pensé soudain : « Y faut que je dise à Richard que je sui encore enceinte… » Elle s'en doutait depuis la fin du moi de juin. C'était sûrement de la nuit même où son mari étai revenu et voilà que l'enfant manifestait nettement s présence. « Ce soir, décida-t-elle, quand on sera couch tous les deux, je lui annoncerai. » Et elle s'était demand s'il serait bien content ? Puis elle s'était inquiétée d charreton, de la malle ?

— C'est tout arrimé chez Finesse, avait dit Pablo. E nous, y a plus qu'à y aller. Son monsieur est en Chine, o risque rien. On pourra se poser.

Marguerite avait vite compris que ce Finesse, ami d Pablo, était le gardien d'une campagne appartenant à u officier de marine qui était sur les océans et qu'on allait s' cacher. Elle était entrée après les hommes dans une bell maison, où des miroirs brillaient dans le vestibule. Montant des marches ouatées de tapis rouges et gardées par une haute statue, on la fit pénétrer dans une chambre claire, aux murs crépis de blanc, où une douce luisance de meubles cirés se révélait dans l'ombre.

— Vaut mieux pas éclairer l'électricité, avait dit le gardien. Ça pourrait donner l'éveil. Vous vous contenterez des bougies.

Il en avait allumé trois, dans un lampadaire de cuivre qui en arborait sept, rangées comme les branches d'un espalier.

— Dormez tranquilles, avait-il ajouté. Ici personne viendra vous chercher.

Marguerite avait regardé autour d'elle avec éblouissement. Jamais, non, jamais, même à la Guirande, à la maison de ses parents, réputés si riches, jamais elle n'avait rien vu d'aussi beau ! Elle avait suspendu avec respect ses vêtements humides au dossier d'une chaise à coussin de brocart puis, découvrant le lit de sa courtepointe de velours jaune, elle s'était glissée entre les draps de toile, fins comme elle n'en avait jamais connu. Alors, après que celui qu'on appelait « Finesse », grand et gros homme portant devant lui un ventre en barrique et sur le haut de sa tête un petit béret de marin fut redescendu parler à voix assourdie avec Richard et Pablo, elle s'était complu à admirer les choses autour d'elle.

Au lieu d'être fatiguée par l'aventure de cette journée, elle sentait un sang vivifié courir plus chaud dans ses veines. Elle se laissa glisser hors du lit qui était bas et la fit aborder sur une peau de singe, jetée en guise de tapis sur le sol : une peau à longs poils souples et d'une légèreté de cheveux de femme. Et elle regarda ses petits pieds se poser là-dedans, comme deux oiseaux blancs dans une forêt noire.

« Qu'est-ce que ça peut être ? se demandait-elle. C'est de la bête ou de la soie ? C'est doux... On voudrait se rouler dessus toute nue. » Elle écouta si les hommes ne montaient pas. Mais non, elle entendait toujours le murmure étouffé de leurs voix. « Qu'est-ce qu'ils peuvent bien avoir tant à se dire ? Et pourquoi il a fallu quitter si vite le cabanon de Pablo ? Est-ce que c'est à cause des œufs de goélands ? Oui, ça doit être défendu de dénicher les œufs de ces oiseaux... Et pour pas se faire attraper, y fallait s'en aller. Je voudrais bien quand même que Richard se trouve un travail régulier comme celui qu'il avait à l'Arsenal. On était plus tranquille. »

En réfléchissant, elle se mit debout et commença à marcher dans la pièce et à toucher les meubles. Une petite commode Louis XV offrit à ses doigts une panse ronde, marquetée de fleurs de bois de rose sur un fond vernis. Elle tira à elle un des minuscules tiroirs et trouva dedans un paquet de cartes de visite, portant ce nom gravé : « Faustin de Rouvre. » Elle en prit une et la garda à la main, lisant et relisant le nom et le trouvant joli. Se caressant rêveusement la joue du bristol, elle se mit à regarder, avec curiosité, une gravure sous verre qui était juste au-dessus et qui représentait une fille dénudée dont les seins opulents et la cuisse grasse jaillissaient d'un fouillis de raides soies à fleurettes, froissées autour d'elle en mille plis. A genoux, un jeune gentilhomme en habit vert pomme volanté de dentelle enlaçait à deux bras ce corps voluptueux dont une jambe de-ci, de-là, s'ébattait sur une couche en désordre et plongeait sa tête à perruque bouclante au plus intime de cette chair abandonnée.

Marguerite n'avait jamais vu de gravure aussi légère. Aux murs de la Guirande, dans la chambre de ses parents, il y avait seulement deux grandes photographies dans des cadres noirs ; l'une était celle du grand-père Venel, l'autre, celle de Firmin Desmichels, chacune prise un jour de mariage. Et dans sa chambre à elle, qu'elle avait si longtemps partagée avec Rosine, il y avait dans un cadre plus petit, au verre bombé, celle de leur mère : Félicie Venel

Elle avait, un soir, piqué au-dessous par une épingle (et toujours les coins se retournaient et se roulaient), une image en couleurs où deux mains se serraient au-dessus d'un nid de colombes blanches, établi au creux d'un rosier en fleur. C'était Richard qui lui avait acheté cette carte à la fête de Solliès et elle l'avait emportée dans son paquet, le jour de sa fuite.

Mais une gravure comme ça, faisant à sa pudeur candide à la fois honte et plaisir, non, elle n'en avait jamais vu !

Pour s'en distraire, elle souleva le couvercle d'un petit coffret en bois sculpté qu'elle remarqua sur la commode et, stupéfaite, le referma vivement, car une mélodie sautillante et vieillotte sortit de ce qui était une boîte à musique... Affolée par le concert intempestif déchaîné par son geste étourdi, elle l'étouffa sous son châle noir, encore tout mouillé de la pluie. Mais la musique, rapidement, se tut et avec méfiance Marguerite s'en éloigna, songeant qu'il serait plus raisonnable de se recoucher.

Pourtant, elle ne put résister à l'envie d'ouvrir une grosse armoire ancienne qui tentait sa curiosité. Elle craignit une minute que le battant criât et ne la trahît, mais il glissa sur ses gonds harmonieusement, les panneaux s'écartèrent et Marguerite retint un cri d'admiration.

Là-dedans tout brillait et chatoyait et ce n'était que soie, velours, voile, broderies. Une longue robe traînait jusqu'à l'étagère inférieure, une tunique en brocart rouge serti d'or écartait ses larges manches, de la plume d'autruche en fine guirlande bordait un étroit sarrau de velours feu, une jupe de tulle noir éclatait d'une floraison de jais et de paillettes. C'était si magnifique que Marguerite en demeurait sans souffle. Elle osa enfin toucher, d'une main respectueuse, les plis d'un pantalon en lamé d'argent, un pantalon qui semblait d'homme et qui pourtant, n'est-ce pas, ne pouvait être que de femme ? Et dont les jambes sortaient justement de cette merveilleuse veste rouge, toute brodée d'or, qui l'avait tout de suite éblouie.

Et il lui vint une envie folle de les essayer. Elle alla sur ses pieds nus jusqu'à la porte restée ouverte et guetta les bruits. Celui de la conversation mystérieuse continuait en bas. Alors, très vite, elle ôta du cintre le pantalon et la tunique et elle les passa. Le pantalon, trop long, lui couvrait les pieds d'une traîne lumineuse, mais la tunique lui allait parfaitement. Elle la retint d'un seul gros bouton brillant sur l'épaule gauche et elle serra autour de sa taille une étroite ceinture, faite de ces mêmes cabochons verts qu'elle ignorait être du jade.

Un long miroir, à même le mur, lui révéla, quand elle s'en approcha avec le chandelier, une telle extraordinaire transformation de sa beauté qu'elle croyait être la proie d'un rêve et ne pouvait se lasser d'une contemplation respectueuse de son reflet. Elle fit quelques pas, glissant avec grand soin ses pieds nus hors du lamé et marcha à travers la pièce en ondulant des hanches. Elle se trouvait magnifique et certainement elle l'était, de par l'éclat de sa santé et de sa jeunesse, mis en valeur par la somptuosité de cette tunique de noces chinoise, tissée et brodée si loin d'elle et de l'endroit où elle s'en parait.

Elle venait de découvrir au milieu des plis une poche secrète et, y ayant mis la main, d'en tirer un mince flacon revêtu d'un métal qui semblait de l'or. Elle le regarda, il contenait de petites pilules nacrées, d'un aspect séduisant de bonbons. Un minuscule rouleau de papier soyeux comme du tissu portait d'étranges caractères en ligne verticale, qu'elle ne sut déchiffrer. Au-dessous, il y avait quelques mots en français, qu'elle allait lire quand, soudain, il y eut en bas des bruits de chaises remuées qui la tirèrent brutalement du songe de luxe où elle s'engourdissait. Elle remit le flacon et le papier dans la poche et s'avança hâtivement vers l'armoire pour y rependre le vêtement, mais, à cette seconde même, un élancement bien connu lui traversa la chair et l'immobilisa au-dessus du petit tas d'argent que faisait le lamé autour de ses chevilles. Elle porta les deux mains à son ventre où elle venait de sentir, pour la seconde fois de la journée, bouger son enfant. Elle constata : « Il remue davantage que Vincente. Ce sera un fils. » Et, coulant un dernier regard extasié sur le splendide costume : « Il deviendra peut-être un prince ? pensa-t-elle. Il faut que je garde ce costume pour lui. »

II

Quand cet enfant vint au monde, et ce fut un garçon, Marguerite habitait une villa dans la banlieue de Marseille. Après l'affaire du Mourillon, qui était de contrebande non d'œufs de goélands, mais d'opium et qui avait manqué de très près de les ramener dans la prison cellulaire de Toulon, les deux amis avaient jugé prudent de quitter le Var pour les Bouches-du-Rhône. A présent, Richard était devenu représentant de commerce comme son copain Pablo. Il avait expliqué à Marguerite qu'il lui était nécessaire de changer d'état civil et avait pris celui de Charles Martin, tandis que Pablo, se faisant appeler Luis Ricardo, expliquait :

— Ma mère avait un amant de ce nom, qui est mort. J'ai tous ses papiers, c'est plus commode.

Pour Richard, un faussaire de mairie lui avait fourni ceux d'un négociant disparu sans laisser de traces, durant une traversée en mer. Et la firme Ricardo-Martin était née d'une amicale association.

La Fouène avait été tué par un gardien, en tentant de s'évader, au sortir d'un interrogatoire où ses trop vagues renseignements sur des complices n'avaient pas suffi à les faire arrêter. Finesse, l'ancien marin à gros ventre et petit béret, apparaissait de temps en temps à la villa, repartait, toujours lourdement chargé, vers la campagne du « pin couché » sans que jamais Marguerite puisse supposer qu'il emportait autre chose qu'une marchandise, à revendre avec bénéfice normal.

La « Villa des Troènes » était grande et d'allure bourgeoise. Au-dessus d'une cave importante, on abordait le rez-de-chaussée par un court perron à double développement, jointant une terrasse à balustres de pierre pompeusement ornée de quatre vasques, fleuries de géraniums. Un couloir d'entrée assez large commandait deux portes à doubles battants, celle de la salle à manger et celle du salon. Au fond, sous l'escalier, s'ouvraient d'une part la cuisine, de l'autre une pièce où coucher une bonne. A l'étage, autour d'un palier rectangulaire, il y avait trois chambres et une salle de bains. Marguerite en était éblouie : elle n'avait jamais vu de salle de bains.

A vrai dire, celle-ci était assez antique, se composant d'une énorme toilette de marbre rouge, imposante comme une cathédrale, où deux robinets déversaient l'eau, dont il fallait emplir le réservoir supérieur, dans deux cuvettes jumelles et basculantes. Dans la partie basse, fermée comme un placard, deux seaux recevaient le liquide souillé. Naturellement personne ne s'en servait et on se lavait à la cuisine, mais Marguerite trouvait que c'était bien joli.

Une sorte de crapaud en zinc, peint de vert vif et court sur pattes, prétendait être une baignoire. Au-dessus, un chauffe-bain en cuivre, lequel avait toujours dû, avec son feu de bois, donner plus de fumée que de chaleur, rutilait de reflets, car Marguerite l'astiquait avec soin au chiffon de laine et à la pâte blanche.

Elle prenait d'ailleurs un grand orgueil à entretenir la propreté de toute cette maison qui, du buffet à colonnades au lit orné d'un dais en couronne, lui paraissait représenter le summum d'un luxe citadin, ignoré à la Guirande.

Considérant son mobilier actuel, elle revoyait, pour la juger bien primitive et digne au plus d'un ménage paysan, la chambre paternelle dont les murs étaient crépis d'ocre, en certains endroits même effrité, alors qu'ici, un papier peint déroulait des guirlandes de roses bleues parmi des entrelacs de lianes roses.

Ici, une rosace de plâtre sculpté laisse pendre du plafond trois ampoules électriques à abat-jour. Là-bas, ce même plafond était fait d'épaisses poutres de chêne, brunies par le temps. Sur la massive table de nuit à tiroirs, il y avait la haute lampe à pétrole ; une peau de chèvre, tannée par le berger, servait de descente au lit de bois verni formant de lourds rouleaux que dépassait le gonflement rouge de l'édredon. On n'y avait jamais vu d'oreillers que pour les accouchements où les taies s'encadraient alors d'une large dentelle au crochet, assortie à la couverture. A côté, une chaise basse, à haut dossier grossièrement sculpté, paillée de jaune comme le canapé, était, avec l'énorme armoire à panneaux cirés, tout le meuble de la chambre. Au-dessus du chevet, un crucifix où s'accrochait le brin de buis, béni le jour des Rameaux ; un peu plus loin, un cadre en poirier, aux coins arrondis, montrant, sous une vitre, la photographie des parents. Le plancher était fait en lattes de bois que les vers attaquaient depuis plus d'un siècle. La fenêtre, enfoncée dans un mètre d'épaisseur de mur, laissait voir par l'écartement de ses rideaux blancs brodés, d'abord la cour de la Guirande, ensuite la prairie déclivante et la rivière coulant paisiblement au bas du Domaine. Il y avait toujours un pot de géraniums sur l'appui, entre les vitres et les volets pleins percés d'un trou. Oui, voilà quel était le rustique luxe du Domaine.

Marguerite n'avait pas un goût assez éclairé pour comprendre combien la vieille ferme de la vallée du Gapeau était plus belle que cette villa banale de Marseillais enrichi, dont elle descendait les degrés du perron vers le jardin, prête à croire qu'elle était devenue une vraie châtelaine Selon la température, elle disposait, à l'ombre des lauriers-tins ou au soleil, le berceau d'osier où dormait son fils, tandis que Vincente jouait à transporter de l'eau dans un petit seau, depuis le bassin rond où tournaient trois poissons rouges, à la plate-bande qu'elle avait élue pour son fief.

Quatre massifs cernaient ce bassin où, le dimanche matin, Richard actionnait un jet pleureur que le mistral vaporisait selon son caprice. Des rosiers, des dahlias, des zinnias et des mascottes y mêlaient des floraisons échevelées au-dessus de la bordure de lierre. Dans le jardin et la maison, Marguerite passait à peu près tout son temps. Marseille, plus vaste et moins connu que Toulon, l'effrayait un peu et elle n'y allait guère qu'en compagnie de son mari.

Elle avait ainsi une bizarre existence, le plus souvent accablée de solitude avec le seul secours de ses enfants et de son travail ménager et, tout à coup, impétueusement envahie par l'arrivée de Richard, de Pablo, de Finesse et de toute la bande qu'ils amenaient avec eux. Quand Marguerite, seule depuis neuf heures du matin où les hommes partaient pour Marseille, avait levé, lavé, habillé ses petits, refait les lits, balayé les chambres et l'escalier, nettoyé la cuisine, frotté à grande eau la terrasse à carreaux rouges, elle préparait le repas de midi. Le déjeuner terminé, elle lavait la vaisselle, descendait lessiver, rincer ou étendre du linge, raccommodait quelques moments, assise près du bassin, en surveillant les jeux de sa fille. Puis venait l'heure de mettre au feu la soupe du soir. Richard et ses amis avaient un appétit solide, ils ne la laissaient manquer ni de poulets ni de poissons. Sur le tilbury en bois verni, nouvellement acheté par Pablo, ils apportaient tout ce dont une cuisinière peut avoir besoin.

Ainsi se succédaient les jours, sans que Marguerite ait d'autre souci que celui de ne pas voir son mari autant qu'elle l'aurait voulu. Richard partait le matin, revenait le soir, toujours assez tard, parfois un peu trop gai et pris de boisson. Pablo, qui restait stoïque, aidait alors Marguerite à le soigner. Mais le plus souvent, il supportait allégrement son demi-état d'ivresse, faisant danser sa petite femme au milieu du salon, lui mordillait le cou et l'embrassait à pleine bouche sans se gêner. Alors Marguerite était bien heureuse et prenait sa bonne part de cette réjouissance générale où le vin vieux emplissait les verres, les rires éclataient, les chansons partaient seules. A la fin, on allait se coucher et le plaisir continuait au lit.

— Pauvre Pablo ! se disait Marguerite. Il a pas de femme !

— Un de ces jours, je te ferai la surprise, répondait le garçon.

Et, en effet, quelques soirs plus tard, voilà que Pablo ramène avec lui une fille qu'il présente à Marguerite en disant :

— C'est Calandre. Si ça t'ennuie pas, elle habitera avec nous.

— Pourquoi ça m'ennuierait ? répond Marguerite.

Et elle sourit à la nouvelle venue, s'étonnant seulement :

— Calandre ? C'est pas son petit nom ?

— Si, dit Pablo. Celui de son baptême tout le monde l'a oublié. Tu sais bien ce que c'est, « une calandre » ?

— Sûrement ! C'est cet oiseau qui a des plumes noires autour de la tête, qui niche sous les touffes d'herbe et qui chante à lui seul comme le merle, la grive et le rossignol. Y en avait à la Guirande.

— Eh bien, c'est tout à fait ça : elle a des plumes noires sur la tête... Vois ses cheveux ? Elle chante tout le jour. Seulement, elle fait pas son nid sous les herbes, ça non ! Ce serait plutôt dans les cabarets de nuit, pas vrai, Calandre ?

— On niche où on peut ! répond la fille en riant.

— Montre-leur ta voix ! dit Pablo.

— Qu'est-ce que je chante ?

— Ce que tu voudras.

— Attends, dit Calandre. Celle-là, je sais qu'elle te plaît.

Et sans se faire prier, elle commence :

« Il l'avait rencontrée au bal parmi ces folles
« qui vendent le plaisir et vivent du mépris !
Ses cheveux ondulés, le son de ses paroles,
tout l'attira vers elle et il fut vite épris. »

Elle chante : appuyée contre le mur, ses épaules pointues en avant, ses bras minces repliés sous son dos, son ventre dessiné par la jupe légère, son petit visage à peau ambrée, tendu par une oppression pathétique qui agrandit ses yeux, brillant d'un feu sombre et sa large bouche à épaisses lèvres presque noires…

« Elle est laide et pourtant elle est belle », pense Marguerite.

— Vous chantez bien, dit-elle.

— Merci, madame !

— Elle s'appelle Marguerite : Margot, si tu veux ! Et tutoyez-vous tout de suite, conseilla Pablo, ce sera plus simple !

Dès le lendemain, les deux femmes commencent à se raconter leur vie.

— Quel âge tu as ? demande Marguerite.

— Seize ans, dit Calandre.

— Tu as pas tes parents ?

— Oh oui ! Mais j'ai déjà roulé, tu sais… Ma mère vendait les langoustes au charreton à la rue de Rome. Un matin, comme un agent la faisait courir…

— Pourquoi ? coupe Marguerite.

— Parce que c'est défendu de vendre dans les rues. Alors, elle est tombée et un cheval lui a donné un coup de pied dans l'estomac. Depuis, elle est à l'Hôtel-Dieu, elle peut plus se guérir… Trois fois qu'elle a vomi le sang ! Celui avec qui elle était, parce que mon vrai père il est mort il y a longtemps, çui-là : Hilaire, y l'a lâchée et y s'est mis avec une autre revendeuse qui gagne d'argent. Après, une salope de la rue de la Guirlande, que c'est où nous habitions, elle est allée raconter ça à ma mère ! Ça a plus fait pour l'acclaper que le coup dans l'estomac.

— Y a de ces salopes ! s'indigne Marguerite.

— Je te le dis. Alors, je suis restée seule. J'ai connu Luis un soir que j'avais une sale histoire avec un type dans un bar. Y gueulait que j'y avais pris le porte-monnaie...

— C'était pas vrai ! proteste Marguerite.

— C'était vrai... J'ai manqué de coucher au violon. Heureusement, Luis lui a mis la main sur la figure. « Toi, tu me plais », j'y ai dit. On est parti coucher ensemble.

Calandre éclate de rire. Marguerite est un peu suffoquée. Elle regarde cette petite qui est maigre et de peau jaune, avec un visage de chat où flambent deux yeux noirs aux cils épais et une large bouche rouge dont les coins retombent en un rictus amer. Les dents sont régulières, serrées, éclatantes ; les cheveux font un fouillis sombre, crépelé, avec quelques fauves lueurs. Au-dessous du cou, mince colonne ambrée, le corsage bariolé de rouge, de jaune, de bleu vif, s'écarte sur des seins aigus de négresse et couvre à peine ce torse où pointent les épaules. Mais au-dessous de la taille que serre, jusqu'à l'invraisemblance, une masculine ceinture de gros cuir, les hanches sont rondes, le ventre bombé et les cuisses sur quoi plaque l'étroite robe, sont des cuisses de femme. Une sorte de voluptueuse attraction bestiale émane de cette chair qu'on sent si peu protégée par les vêtements. Marguerite a eu une jeunesse tellement différente qu'elle demeure méfiante dans la surprise... Cependant, elle est séduite, comme elle comprend que Pablo l'ait été.

Et ainsi cette étrange existence continue à quatre, avec les enfants au milieu et les visites de Finesse ou d'autres types qui ne font que passer, puis qu'on ne revoit plus.

Calandre dit :

— Les petits m'embêtent d'habitude, mais les tiens sont braves.

Elle s'amuse avec Vincente et prend le bébé sur ses genoux.

— Pourquoi tu l'as appelé Faustin ? demanda-t-elle. C'est original.

— Une idée… dit Marguerite.

— Quelle idée ?

— Ben, le premier jour que je l'ai senti bouger, j'ai juste lu ce nom sur une carte : « Faustin de Rouvre. » Ça m'a plu et j'ai voulu l'appeler comme ça.

— C'est un que tu avais fréquenté ?

— Oh non ! s'exclame Marguerite. Moi, tu sais, j'ai guère fréquenté que mon mari.

— Alors, ce type…

— C'est un monsieur que j'ai dormi à sa campagne, le soir qu'on a quitté le Mourillon : « Le pin couché », ça s'appelait. C'était une maison si belle… Oh, encore plus belle qu'ici ! Je peux pas te dire… Y avait des choses dans les armoires, y avait de tout : des robes de velours, en soie, garnies de dentelles…

— Tout ça ? Et tu as rien chipé ?

— Non, dit Marguerite.

Elle reste silencieuse, puis elle reprend :

— Je ne veux pas te mentir, puisque toi tu m'as raconté du porte-monnaie. Oui, j'ai emporté quelque chose.

— Ah oui ? Et quoi ?

— Une robe, une tunique, une veste, je sais pas… Un drôle de machin rouge… avec de l'or. Tu sais, j'étais seule dans cette chambre où y avait des grands miroirs. Alors, je l'ai essayée, cette chose, je me suis promenée avec, en me regardant dans la glace, je me semblais une princesse ! Après, y a eu du bruit en bas, chez les hommes, alors, je l'ai vite quittée, j'en ai fait un paquet dans mon fichu noir, je l'ai cachée dans l'armoire. Puis quand il a fallu partir de là, je l'ai emportée… Dans une poche, y a un petit flacon en or, avec des bonbons.

— Tu me la feras voir ? supplie Calandre.

— Si tu le dis à personne, oui. Parce que autrement Richard me la vendrait. Et je veux la garder pour mon fils.

— Pourquoi tu crois qu'il te la vendrait ?

— Il m'a vendu une chaîne et la médaille de ma petite.

— Je t'en ferai cadeau d'une autre, va !

— Tu as de l'argent à toi ? s'étonne Marguerite. Moi, j'en ai jamais.

— Quand j'en ai pas, j'en chaparde aux hommes, c'est facile, Luis laisse son pantalon au pied du lit, puis il s'endort. Alors, quand sa poche est pleine, j'en profite ! Des fois, ça roule par terre... L'autre jour, j'ai eu trois louis, j'en ai donné un à un mendiant, il était content comme un roi !

— J'aurais peur... dit Marguerite. Tu l'appelles Luis, Pablo ?

— Hé ! tu sais bien que c'est son nouveau nom ! Moi, je lui ai jamais connu que celui-là. C'est comme moi : Marie-Adèle, personne que ma mère m'a jamais appelée de ce nom. Pourtant c'est mon vrai.

Elle réfléchit, puis reprend :

— Je m'en fous, tu sais : « Qué saint qué siègue, ora pro nobis ! »

Elle se lève, remet Faustin dans le berceau d'osier, fait trois pirouettes sur les mains. Ses jupes sautent jusqu'en haut de ses cuisses brunes, puis, s'étalant à la renverse sur le coin de la pelouse, elle croise les bras sous sa tête et se met à chanter d'un air triste :

« *Pourquoi pleur' tu, p'tite mèr' chéri-e ?*
Je vois des larmes dans tes yeux-eux... »

— Les hommes, conclut-elle après un silence, c'est tous des salauds. Toi, tu as beau être plus vieille que moi, tu es encore bien innocente.

— Ça me plaît cette romance des *Ballons rouges*, rêve

Marguerite, elle donne envie de pleurer. Tu en sais beaucoup, des chansons ?

— Je les sais toutes, dit Calandre. J'avais commencé de faire collection de complaintes, tout un paquet. Y avait celle de *la Malle sanglante,* tu sais, la femme coupée en morceaux, qu'on a trouvée dans une malle ? Celle de *l'Enfant martyr* que sa marâtre lui brûlait les jambes au fer rouge ? Celle de *la Grotte Loubière* où on a découvert la petite de six ans, violée et étranglée...

— Quelle horreur ! s'exclame Marguerite. Ça vous fait frémir !

— J'avais celle du *Vampire du Muy,* cet homme qui déterrait les cadavres pour leur prendre les bagues. Elle dit comme ça :

Au Muy, y avait un cimetière
qu'était bien tranquil' dans son coin
et le gardien nommé Jean-Pierre
était toujours aux petits soins... »

— Je la sais tout entière. A la fin, le type y coupe le doigt d'une femme qu'on l'avait enterrée l'avant-veille, pour y enlever son anneau de mariage. Alors, figure-toi, la grosse perte de sang la réveille, elle crie, elle était pas morte, on l'avait enterrée vivante ! Le gardien il arrive, on arrête le voleur et la femme bien contente retourne avec son mari et son bébé, que juste elle était morte de couches.

— C'est des choses à pas y croire ! murmure Marguerite.

— Pourtant, c'est vrai, assure Calandre. Mais je sais pas moi, tu es pas sortie ? Tu as l'air au courant de rien !

— Je menais un autre genre de vie, dit Marguerite. Mon père, tu peux être sûre qu'il était sévère et qu'y nous laissait pas courir. D'abord, nous habitions loin de la ville. La vallée du Gapeau, tu comprends, c'est pas Toulon ni Marseille, c'est la campagne...

— Vous êtes nombreux de familles, je crois ?

— Oui. J'ai trois frères et deux sœurs. Oh, la famille, tu sais... Quand mon mari a été arrêté, je leur ai écrit. Y a juste Florestan qui m'a répondu.

— Vous êtes pas d'accord ?

— Pas avec tous, bien sûr. Je préférais Antoine et Florestan. Antoine, c'était l'aîné, il a voulu épouser une fille de rémouleur, une de celles qui vont sur les routes pour aiguiser les couteaux, les ciseaux, les scies...

— Une coureuse ?

— Oh non, elle était brave ! Mais sans un sou. Et mon père, celui-là, orgueilleux comme il l'était de se sentir un Desmichels de la Guirande, il a voulu se mettre en travers. Alors, mon frère a quitté la maison. Maintenant, il fait le charbon de bois dans la montagne du Grand-Cap, au-dessus de Solliès-Pont. Il a deux garçons.

— Tu le vois plus ?

— Oh, tu sais... hésite Marguerite, nous avons pas suivi la même route. Et après l'histoire de Richard, ça me fait honte...

— Et les autres ?

— Le second : Sébastien, y mène le bien depuis la mort de mon père. Il est pas méchant, mais y se laisse commander par mon frère Pierre qui est une brutasse, un peu fou... La femme de Sébastien, Madeleine, c'est une divorcée. Ils ont une petite fille : Nine, on m'a dit. Je la connais pas. Après, y a ma sœur Louise. Celle-là, elle est tout en dévotion, embêtante comme pas une ! Puis y a Rosine : c'était mon chouchou. Elle a des cheveux magnifiques qui lui viennent aux genoux. Le matin, je me régalais de la coiffer... Puis, y a eu Florestan, le dernier. J'étais son adoration, y m'embrassait les mains quand personne nous voyait... Lui et Rosine ils ont pleuré quand je suis partie. Oui, eux, je les ai bien regrettés. Pourtant, y fallait que je parte...

— Tu t'es enlevée avec Charles, hé ?

— Charles ? qué Charles ?

— Enfin, Richard, ton mari, je veux dire ! Avec leur manie de changer leur nom, on y comprend plus rien ! Dehors de la maison, on les appelle Charles et Luis ; avec nous autres, c'est Richard et Pablo, y a de quoi s'y perdre…

— Oui, je me suis enlevée avec Richard. J'en étais folle et j'étais enceinte de Vincente…

— Tu avais pas pu te la faire passer ?

— Oh, j'avais même pas essayé. J'y connais rien à ça, moi !

— Ma mère, dit Calandre, elle s'est fait avorter quatre fois d'Hilaire. Hé ben, sans ça, on aurait été nombreux !

— Et toi ? demande Marguerite.

— Moi, pas encore.

— Tu le ferais ? Mais c'est un crime !

— Le crime, c'est de mettre des malheureux au monde, dit Calandre. Alors, raconte-moi quand tu es partie ?

— C'est une nuit… Y avait une lune comme un soleil, je croyais mourir de la peur de traverser notre grande terrasse, éclairée comme en plein jour. Je croyais toujours de voir mon père à sa fenêtre avec le fusil chargé sur la tablette de nuit, tu te rends compte ? Depuis qu'il était devenu riche, il se figurait toujours voir des bandits ! Et je sais qu'il aurait tiré sur moi.

— Il était méchant ?

— Pas méchant, si tu veux, mais dur avec le monde, avec ses enfants, avec sa femme…

— Ta mère, il l'a rendue malheureuse ?

— Je sais pas. Elle a jamais rien dit. Ma mère, c'était une sainte. Tu comprends, j'avais beaucoup peur de mon père parce que je me sentais fautive. Je suis partie de la maison, oui… Mon frère Antoine aussi il est parti de la maison pour rejoindre son Arnaude, mais lui, il a tout laissé dans la cour du Domaine où mon père avait réuni les biens pour le tenter… Y avait les sacs de blé, les tonneaux de vin, les charrues, les réserves de fourrage, les moutons, même le cheval Jeunhomme qui était son cheval ; mon père y a tout mis devant les yeux pour le faire choisir, y lui a dit : « Ça, ou la fille ? » Et lui, il a répondu : « La fille », et il a passé le portail avec juste son baluchon d'habits sur l'épaule. Je vois encore ma mère, la pauvre ! Elle serrait contre elle le coffret de l'argent qui lui venait de sa famille — Venel le riche — elle avait les mains toutes tremblantes, Rosine et moi nous lui essuyions les larmes qui coulaient sur son corsage…

— Et ton père ?

— Mon père, il était dans une colère terrible. Y s'est retenu tant qu'il a pu, mais quand il a vu que notre berger Nans s'était mis à suivre Antoine, alors il a éclaté ! Il a jeté une dame-jeanne pleine de vin contre le portail et le soir il a eu une attaque.

— Pourquoi ? Ça l'embêtait tant que votre berger s'en aille ?

— C'est-à-dire que tu comprends, cet homme, ce berger, ce Nans, il était dans la famille depuis la naissance de mon père. Ils se sentaient comme frères tous les deux, quoique maître et valet. Alors pour mon père, ç'a été terrible de voir que celui-là lui donnait tort ! Y criait : « Nans ! Tu es pas fou ? » Mais le berger marchait son petit train derrière mon frère Antoine, sans tourner la tête. Et puis on l'a plus vu. Personne a compris pourquoi il a fait ça…

Les deux femmes se taisent, pleines de diverses pensées, puis Marguerite reprend d'une voix plus sourde :

— Oui, Antoine, il a tout laissé, tandis que moi, j'ai volé mon père.

— Comment, volé ? questionne Calandre intéressée.

— J'ai pris les billets et les pièces dans le coffret que ma mère le cachait sous son linge, j'ai tout noué dans un mouchoir, après j'ai mis le mouchoir dans mon soulier que je le portais par des lacets, pour faire moins de bruit avec les pieds nus et figure-toi que je l'ai tombé ! Ça a fait un bruit comme un tonnerre. J'ai cru m'évanouir de la peur de voir mon père en haut des escaliers !

— Tu as pas volé, suggère Calandre, puisque tu avais droit à ta part d'héritage ?

— Je me rends compte maintenant que pourtant c'était voler, affirme Marguerite. Et puis, à présent, tu sais pas, hé ben, je me demande, si j'avais rien eu... pas d'argent, je veux dire, rien du tout, si Richard m'aurait voulue quand même ?

— Ça... hésite Calandre, pour le savoir...

— Tu as guère confiance, qué ?

— J'ai point de confiance dans les hommes. J'en ai trop vu, tu comprends !

— Enfin, je préfère encore croire qu'y m'aurait épousée avec ma pauvreté, soupire Marguerite.

— Tu es pas heureuse comme ça ?

— Oh si ! dit-elle. Je l'aime, moi. Et lui, je crois qu'y m'aime.

— Sûrement qu'y t'aime ! confirme Calandre. Même s'y court un peu...

— Courir ? Pourquoi courir ? Tu crois qu'y court ?

— Moi, je dis ça... proteste Calandre, j'en sais rien, après tout ! Seulement, je te le répète, j'ai tellement guère confiance dans les hommes que c'est tout putassier et compagnie, alors qu'est-ce que tu veux ? Moi, tu te figures que je crois que Pablo m'est fidèle ?

— Y me semble, dit Marguerite. Je l'ai jamais vu avec une autre.

— Sûr qu'y la mènerait pas ici ! s'esclaffe Calandre. C'est comme Richard, s'y se passait un caprice nous en verrions rien.

Marguerite réfléchit :

— Moi, je le crois pas. D'abord nous autres, tu comprends, c'est pas pareil, nous sommes mariés, nous avons deux petits, c'est une autre chose, nous sommes pas des camps-volants.

— Oh, dit Calandre, le mariage, tu sais, ça a jamais rien empêché ! Enfin, peut-être tu as raison d'y croire. Moi, des fois je regrette d'avoir mal commencé.

— Tu as encore le temps, dit Marguerite. Tu as que seize ans.

— Non. J'ai que seize ans, mais c'est trop tard quand même. Je me suis mal embringuée, j'arriverai plus à m'en sortir.

Elle reste silencieuse quelques minutes.

— Puis j'ai trop de vices, termine-t-elle.

— Tu as des vices ?

— Oui ! Tu les vois pas ? Je suis menteuse, coquette, gourmande, paresseuse. Voleuse par-dessus le marché... Ma mère me le disait, je voulais pas le croire ; mais je vois qu'elle avait raison.

— Corrige-toi-z'en ! dit Marguerite.

— Té ! C'est commode à dire. Et puis, quand j'aurai plus ça, qu'est-ce qu'y me restera pour me faire heureuse ? Le bon Jésus, le Paradis, la vie éternelle, toutes ces choses des curés ? Moi j'y crois guère, tu sais ! Et toi ?

— J'y ai jamais pensé. Ma mère, jeune fille, elle était religieuse, après ça y a passé. Ma sœur Louise a tout pris à son compte. Mais elle était si grognon, si désagréable...

— La vraie punaise de sacristie, comme on appelle ?

— Oui. Elle vous aurait enlevé la croyance. Quand même nous avons tous fait la communion. Mon père disait que pour les gens, c'était mieux.

— Alors, tu sais, si on se donne pas un peu de plaisir sur la terre, qu'est-ce qu'on a ? Si on rôtit en enfer, on le verra bien. D'abord, moi, j'aime la chaleur !

Et Calandre fait éclater son sourire tout en lumière sur ses dents aiguës et, dressant son mince corps souple, mime une valse onduleuse en chantant :

« *Voici mon cœur, qui veut m'aimer ?*
Voici mon corps pour s'y pâmer !

Voici mes lèvres, voici mes yeux,
Je vous les donne, soyez heureux !
Voici la fleur de volupté... »

— Toi, dit Marguerite, tu es heureuse, toujours tu chantes !

— Et qu'est-ce que tu veux faire ? réplique Calandre en se laissant tomber sur l'herbe avec un grand rire. On a pas assez le temps de vieillir ?

III

Cette vie, en somme paisible et confortable, de la « Villa des Troènes », dura deux ans. Vincente qui avait d'abord tant langui après sa mémé de Salernes s'était habituée à vivre auprès de ses parents et de son frère Faustin. Mais elle était encore toute petite et aucun souvenir ne devait marquer, dans sa mémoire, cette partie de son enfance. Il lui fallut, bien des années après, en son âge mûr, le hasard d'une bizarre rencontre pour l'obliger à corriger le jugement qu'elle avait porté sur sa mère.

Pour Marguerite Desmichels devenue Falconnet, cette période demeura comme une sorte de conte de fées qu'elle se raconta plus tard, en consolation. Avec Richard dit « Charlot » et Pablo dit « Luis », Calandre, étrange fille au nom d'oiseau chanteur ; avec les visites de Finesse, le gai matelot toulonnais ; celles de femmes et d'hommes toujours bien habillés, toujours fumant, riant, gaspillant les louis, les écus, et les billets bleus, arrivant en tilbury ou en automobile, ce nouveau joujou ; apportant à mains pleines les poulets, le gibier, les coquillages, les langoustes, les gâteaux, le bordeaux vieilli et le champagne pétillant, jours et nuits passaient comme des étoiles filantes. Debout, à demi nue sur la table où les petits verres de chartreuse et de cognac se renversaient et poissaient la nappe, Calandre chantait ses airs sentimentaux et grivois. Les hommes scandaient en chœur les inepties obscènes de Mayol et de Dranem ; les femmes se sentaient déchirées à cause de l'enfant malade, soupirant dans la voix habilement assourdie :

« *Que la fête doit être belle,*
Pourtant il fait bien froid chez nous.
Va vite, père et prends des sous !
Moi, je veux un polichinelle !
Je veux un grand polichinelle... »

Et le père, torturé par ce désir entêté, va voler l'argent, va voler le polichinelle et quand il revient, son fils est mort. Et il met le polichinelle inutile dans les bras glacés de l'enfant et il s'écroule à son chevet, et les femmes qui écoutent cette histoire chantée sentent monter depuis leur utérus maternel, une souffrance qu'elles croient venir de leur cœur.

Marguerite se sentait touchée comme les autres. Elle n'avait pas dépouillé sa naïveté paysanne. Elle était mère, fière de sa Vincente robuste, fière de son Faustin aux yeux extraordinairement beaux dans un visage grave et sage. Quand elle se reconnut enceinte pour la quatrième fois, elle n'en eut qu'un nouvel orgueil, mais Richard fit la grimace, conseilla certains remèdes qu'elle refusa avec indignation.

— Tant pis pour toi ! dit-il.

Elle se prépara à couver son fruit avec délice, contre l'avis de Richard et même de Calandre. La chanteuse, d'ailleurs, sembla, vers ce moment, être plus âprement dominée par ce qu'elle appelait « ses vices ». Négligeant sa participation aux soins ménagers, elle partait presque chaque jour à Marseille le matin, pour en revenir le soir.

— Mais pourquoi tu vas tant en ville ? demanda Marguerite.

— J'ai à faire, répondit Calandre. J'apprends la broderie.

Et Pablo coupa un jour brutalement la parole à Marguerite qui s'obstinait en interrogations :

— Tu es bien brave, dit-il, mais fous-lui un peu la paix.

Quelque deux mois plus tard, le couple annonça son départ aux Falconnet. Richard et Pablo paraissaient moins amis. Calandre semblait triste, ses adieux furent froids. Marguerite se trouva seule à longueur de journée à la Villa des Troènes. Ce fut alors qu'elle eut une visite : un matin où, dans le jardin, elle étendait du linge sur une haie, la clochette de la porte s'agita. Ayant ouvert, Marguerite vit devant elle un petit homme maigre et déjeté que, sur le moment, elle ne reconnut pas.

— Richard Falconnet ? demanda-t-il. C'est bien ici ?

— Oui. Vous voulez le voir ?

— S'il vous plaît.

— Seulement il n'est pas là...

— Ah non ?

— Non. Il est en ville.

— Ah, il est en ville ? Et où ?

— Ça, pour vous le dire ! Il est à son travail.

— Qu'est-ce que c'est son travail ?

— Il est négociant, dit Marguerite qui entendait toujours Richard dire : « Je suis négociant. »

— Ah ? répéta l'homme. Et où ça, il est négociant ?

— Ma foi ! s'exclama Marguerite. Partout ! Au café, aux docks, à son entrepôt, où il a ses affaires.

— Où y perche, son entrepôt ?

— 7, rue des Consuls, dit-elle en hésitant.

— C'est où ça ?

Marguerite se tut, car son mari lui avait bien recommandé de ne jamais donner son adresse de Marseille.

— Vous m'avez pas reconnu ?

— Non.

— C'est vrai que vous m'avez vu qu'une fois ? Je suis « Mandoline ».

— Ah oui ! dit-elle.

Et elle se revit, en pensée, descendant de l'omnibus de Salernes et trouvant devant elle ce petit homme et Nestor Mangiagari.

— Rue des Consuls, précisa-t-elle, c'est sur le quai de la Joliette. Vous trouverez bien ?

— Sûrement, dit-il. Et à quelle heure y rentre ici ?

— Oh, tard le soir ! Il a beaucoup de travail.

— Ça marche alors ?

— Oui, dit-elle.

— Alors tant mieux ! dit-il. Je vais le voir.

Ce jour-là, quand son mari revint, il ramenait Mandoline avec lui et ordonna :

— Prépares-y un lit, y couchera ici.

Mandoline resta deux semaines, ayant le soir, avec Richard, des conciliabules à l'infini. Le marc coulait à pleins verres et le matin l'odeur de fumée n'arrivait plus à s'évaporer. Pendant ce temps, Marguerite endormait ses deux petits et sentait le quatrième se mettre à vivre dans son ventre. Parfois, elle essayait d'entendre la conversation, mais la voix de Mandoline était basse, raucie par l'alcool et le tabac et celle de Richard restait mystérieuse. Marguerite se demandait ce qu'était devenue cette Gianella qui lui avait tant fait peur à ses débuts de mariage, quand elle l'avait crue la maîtresse de Richard et non de Mandoline. Puis elle se mettait à penser à Calandre. Elle sentait qu'elle la regrettait, quoique, aux derniers temps, elles n'eussent plus été aussi amies, à cause de l'étrange conduite de la fille et de cette espèce de mauvaise humeur qui lui était venue et qui, lorsque sa compagne la questionnait : « Qu'est-ce que tu as ? », lui faisait répondre : « Rien, tu pourrais pas comprendre », haussant ses épaules pointues et arquant plus bas le pli amer de sa bouche tombante.

Vers la fin du séjour de Mandoline, après un dîner joyeux où elle avait pris sa part de mangeaille fine et de vin généreux, Marguerite se mit incidemment à en parler :

— Qu'est-ce qu'elle est devenue ? interrogea-t-elle. Ni elle ni Pablo n'ont donné signe de vie.

— Lui est à Bordeaux, dit Richard brièvement.

— Et Calandre ? insista Marguerite.

— Avec lui.

— En partance ? demanda Mandoline. Rio ?

— Buenos Aires ou Barcelone. On sait pas.

— C'est une bonne affaire ?

— Pas mauvaise, dit Richard. Elle est jeune et elle a de l'abattage.

Les garçons semblaient avoir oublié Marguerite qui reprit :

— Calandre part pour Barcelone ?

— On te le dit... grogna Richard.

— Pour quoi faire ?

Mandoline la regarda froidement :

— Pour travailler.

— Elle va travailler si loin ? s'étonna Marguerite, mais à quoi ?

Richard, qui avait bu pas mal, éclata de rire et répondit :

— Elle va enfiler des perles, tu comprends pas ?

Mandoline grimaça un rictus maigre et jaune :

— Ta femme, dit-il, elle n'a pas l'air affranchie.

— Ça lui viendra, assura Richard.

— Y vaudrait mieux que tu lui expliques un peu.

— Quoi ? dit Marguerite.

— Ben, que le plaisir des hommes, c'est pas un mauvais métier !

— Oh, mais dites, répliqua-t-elle, suffoquée, Calandre, c'était une fille sérieuse ! Pablo s'en est jamais plaint. Elle était pas fainéante !

— Je te crois ! ricana Mandoline.

— Quand elle était ici, les derniers temps, et que tous les

jours elle descendait à Marseille à son magasin de lingerie...

Les yeux des deux hommes se fixèrent sur ceux de Marguerite avec tant d'ironie qu'elle s'arrêta. Puis elle reprit en hésitant :

— Elle allait pas à son magasin de lingerie ? Même qu'on lui faisait broder le feston au point de rose...

— J'en ai vu des naïves, dit Mandoline, mais la tienne alors, à elle le pompon !

Il se versa un dernier verre de marc, tandis que Marguerite demeurait sans paroles, devant le sourire méprisant de Richard.

*

Ce fut vers la fin de l'hiver qu'elle apprit brutalement la vérité sur Calandre comme sur plusieurs autres personnes. Elle avait vu se défeuiller les gros platanes du jardin, noircir les chrysanthèmes jaunes qui garnissaient les plates-bandes d'une floraison échevelée, se couvrir l'eau du bassin d'une mince pellicule de glace. Elle était seule maintenant dans cette villa où elle regrettait les incursions des joyeuses bandes amenées par l'été. Elle s'y serait ennuyée si elle n'avait eu beaucoup de travail avec la cuisine, le ménage et les deux petits. Richard semblait moins bien réussir dans ses affaires et lui donnait moins d'argent. Il demeurait parfois absent deux ou trois jours et revenait ensuite, soit trop gai, puant le cigare et la boisson, soit d'une humeur acariâtre d'homme vaincu. Elle se réfugiait alors avec Vincente qui se faisait belle, Faustin dont le visage et les jambes se couvraient de boutons et la pensée de ce nouveau qui allait naître. Un matin où Richard se préparait à partir, elle s'aperçut que la figure de son fils était enflée, rouge et brûlante et qu'il avait la fièvre. Elle appela son mari. Il était rentré très tard la veille et bâillait à se décrocher la mâchoire. Il regarda l'enfant :

— C'est rien, dit-il. Il a pris chaud en dormant.

Et il se détourna, sifflant un air léger.

Marguerite ne devait jamais oublier cette minute, premier son de cloche qui déclencha des torrents d'assourdissantes sonorités. Tout à coup, sans qu'elle pût s'expliquer d'où elle lui était venue, une lucidité éblouissante fondit sur elle. Elle vit son mari tel qu'il était et cela l'écrasa d'un bloc : grand et lourd, le menton pesant de graisse, le nez luisant, le cheveu raréfié, la poitrine creuse et le ventre adipeux. Richard avait perdu la triomphante séduction de la jeunesse ; ses doigts, qui maniaient l'eau de Cologne dont il aimait s'inonder, tremblaient en l'air comme des oiseaux atteints par le plomb ; le jaunissement du tabac souillait ses ongles ; sa lèvre inférieure pendait, tirée en bas par le premier mégot matinal. « Ce n'est plus mon Richard », pensait-elle. Mais c'était toujours son mari. Et c'était le père. Elle insista :

— Je t'assure que le petit a la fièvre.

— Hé non ! lança-t-il. Tu t'épouvantes toujours.

Elle demeurait soucieuse, au chevet du lit. Il s'habillait en chantonnant.

— Écoute, reprit-elle, j'ai trop peur qu'il ait pris mal et je veux pas le laisser. En passant, dis au droguiste qu'il m'apporte de la farine de lin et de la moutarde. Je lui ferai des cataplasmes. Et puis envoie-moi le médecin, je serai plus tranquille.

Richard haussa les épaules :

— Tu aimes foutre l'argent en l'air ! Enfin, ça va, je t'enverrai tout ça. A ce soir et t'inquiète pas. Ça sera rien.

— J'ai peur, dit-elle.

Il partit. Un quart d'heure après, elle sortit et alla jusqu'au portillon de bois qui séparait le jardin de la traverse. Elle attendit un peu, puis revint près de son fils, toujours engourdi dans son échauffement. Alors elle eut peur que le commis du droguiste eût sonné sans qu'elle l'entendît. Elle retourna au portillon, l'ouvrit, regarda au-delà, le laissa ouvert en calculant : « Comme ça, le garçon entrera tout seul. » Elle revint à la maison, trouva Vincente debout et pleurante, tout empêtrée dans sa longue chemise de nuit. Elle la lava, la fit déjeuner, la laissa sur la terrasse, remonta vers son fils, puis soudain pensa au portillon demeuré ouvert et s'affola de croire que Vincente l'avait déjà franchi et qu'il allait falloir la chercher dans le chemin. Elle dévala les marches de l'escalier intérieur et celles du perron comme une folle, appela, courut au portillon, le ferma, le rouvrit pour inspecter le dehors, enfin revint, désespérée, et trouva alors sa fille assise paisiblement sous un buisson de troènes, où elle s'était mise à l'abri de l'averse noyant le jardin, ce dont Marguerite ne s'était même pas rendu compte.

A midi, ni le droguiste ni le docteur n'étaient venus. Le petit avait ouvert les yeux et même ébauché un sourire. Marguerite se tranquillisait un peu. « Richard va revenir manger, pensait-elle. Il n'a pas voulu me laisser seule, en souci. Il amènera le remède et le médecin. » Mais midi et deux et quatre heures sonnèrent, sans que fût interrompue sa solitude. La fièvre de Faustin paraissait augmenter, il se jetait au bord de sa couche en des mouvements spasmodiques qui terrorisaient la mère. Elle n'osait plus le quitter pour aller elle-même chez le droguiste, ni faire ses courses pour le repas du soir. L'ombre tombait rapidement, une humidité pénétrante montait du jardin trempé de pluie. Marguerite mit hâtivement sur le feu une soupe de poireaux et de pommes de terre, elle coucha Vincente dans son propre lit, puis recommença à s'asseoir au chevet de l'enfant, lui glissant de temps à autre, entre les lèvres, une cuillerée d'eau sucrée qu'il rejetait avec rage, en secouant tout son corps.

Vers huit heures du soir, il tomba dans une sorte de sommeil stupéfié qui d'abord rassura Marguerite, puis l'effraya. Elle s'éloigna du chevet, ne pouvant plus supporter cette immobilité et certaine de la toute proche rentrée de son mari, elle décida d'aller l'attendre au portillon. Il faisait une nuit d'un noir épais sans une étoile, ni une espérance d'éclaircissement. Une pluie serrée, régulière, implacable, continuait à tomber du ciel. Marguerite s'était mise dans un bosquet de lauriers taillés en quinconce, elle y demeura près de deux heures presque sans un mouvement et sans se rendre compte du temps qui passait, ni de l'eau qui finissait par transpercer ses vêtements. Quand le clocher laissa tomber onze coups dans la glaciale moiteur de l'air, elle les compta avec stupéfaction et, songeant que son fils était resté seul si longtemps, elle courut vers lui. Il dormait toujours. Elle revint à son poste, jetant un châle sur ses épaules et s'effrayant de ce lourd sommeil qui évoquait la mort.

Alors, comme il lui était apparu, le matin, dans sa déchéance physique, elle vit clairement Richard dans sa déchéance morale.

« Est-ce que je ne l'aimerais plus ? » se demanda-t-elle. Mais elle se dit que c'était impossible, qu'elle n'avait pas pu se tromper ainsi et qu'il allait tout de suite être auprès d'elle comme autrefois, pour la rassurer par une raison valable.

A une heure du matin, alors qu'elle avait fait quatre ou cinq allées et venues du jardin à la chambre, elle entendit soudain le tilbury avec lequel rentrait son mari quand il n'y avait plus d'omnibus.

Le véhicule tourna le coin de la route et stoppa devant la remise qui ouvrait au-dehors. Le cheval, qui n'avait pas bu d'alcool, y entra tout seul. Elle entendit que Richard repoussait malaisément le gros vantail et s'avançait vers le portillon. Pour mieux le guetter, elle était sortie depuis un moment sur le vieux chemin qui desservait la villa. C'était un tronçon de traverse, finissant tout de suite après « Les Troènes » en cul-de-sac, où tout le pays venait jeter ses ordures. Une pente rapide se perdait au bas, dans un ruisseau sale appelé le Jarret. L'été, il y avait dans son lit plus de bouteilles brisées et de boîtes de conserve éventrées que d'eau, mais, en cet hiver pluvieux, il était gorgé jusque par-dessus bord et grondait comme un vrai torrent de montagne.

Quand Richard eut refermé la remise, il s'approcha de cette rive escarpée et Marguerite l'entendit uriner. Elle était toute proche de lui, si proche qu'elle devinait qu'il tremblait sur ses jambes mal assurées. « Il a encore bu, se dit-elle avec dégoût, et, pendant ce temps, mon fils se meurt... » Une colère rouge inonda son cerveau, elle se jeta en avant sur lui de tout son poids : « Je le tue ! criait sa pensée égarée. Je le tue ! » Et elle broyait entre ses dents une injure dix fois répétée.

Sous le choc imprévu, Richard chancela. Ils tombèrent ensemble. Un tronc d'acacia écorché les retint enlacés au bord de la pente.

— Ho... disait Richard d'une voix rauque, ho, qu'est-ce que c'est ?

Elle le releva d'une poigne dure. Sa fureur s'était calmée net dans une soudaine inertie.

— C'est rien, dit-elle, c'est moi. Je te voyais pas, je t'ai tombé dessus. Tu m'as porté les remèdes ?

— Qué remèdes ? demanda-t-il en se remettant péniblement debout.

— Pour Faustin.

— Faustin ?

— Le petit, oui ! Il est malade. Tu te rappelles plus qu'il est malade ?

— Il est malade ? Qu'est-ce qu'il a qu'il est malade ?

— La fièvre... dit-elle, grinçant des dents.

— Ah oui ? Et alors ?

— Alors, tu devais aller au droguiste, au médecin... Tu y es pas allé, au médecin ?

— Non, dit-il.

— Tu m'as pas porté la farine de lin ? Ni la moutarde ?

— J'y ai pas pensé.

S'avançant vers l'entrée du jardin, il jeta un bras autour du cou de sa femme et l'embrassa lourdement au coin de la bouche.

— On va se coucher ? murmura-t-il en lui pressant les seins.

Elle le laissait faire, envahie de mollesse, incapable de résister à cette douceur succédant à l'excitation douloureuse qui l'avait possédée tout le jour et avait fini par briser ses forces. « Pourtant, j'ai manqué le tuer ! » pensait-elle.

Le lendemain matin, l'enfant s'éveilla guéri, l'éruption avait disparu.

— Tu vois, tu te fais toujours du mauvais sang pour rien ! lui dit son mari.

*

Un peu plus tard, Richard lui annonça que Mandoline et son amie, une femme qu'on appelait Marie-José, allaient venir s'installer dans le pavillon de fermiers qui occupait l'angle ouest du jardin. C'était un rez-de-chaussée de deux pièces, chambre et cuisine, jointant une ancienne étable et un clapier.

— Je pourrai tenir des lapins, dit Mandoline.

— Et même une chèvre, si tu veux !

— Elle mangera les fleurs, fit observer Marguerite.

— Je la mènerai dans les chemins, promit Mandoline.

L'arrangement parut réussir assez bien. Marguerite était contente d'avoir de la compagnie. Mandoline, qui aimait jardiner, dessina de petits carrés qu'il garnit de terreau passé au crible et qu'il ensemença de radis, de salades et de choux.

— On aura les légumes, promit-il. Ça fait une économie.

Et en effet, bientôt, sous les châssis vitrés, le soleil du précoce printemps provençal caressa de jeunes feuilles vertes, tandis que Marguerite commençait à sentir la lourdeur de son nouveau fruit. Richard, qui passait par une période calme, décida d'emmener Vincente à Salernes, chez la mère Falconnet et Marie-José déclara qu'elle se chargerait de Faustin, pendant l'accouchement qui devait se produire aux premiers jours d'avril. Il fallut que sa fille ne soit plus là, pour que Marguerite, avec son fils qui dormait beaucoup depuis sa nuit de maladie, s'aperçoive qu'elle était presque aussi seule qu'avant, Marie-José descendant en ville chaque matin pour n'en revenir que le soir.

— Je travaille chez une lingère, expliquait-elle.

« Comme Calandre, pensait Marguerite, qui sait si elle aussi sait faire ce point de rose si difficile ? Je lui demanderai de me l'apprendre. »

Marie-José était une petite femme élégante, menue, toute rose et blonde, qui tressait sagement en rond de fins cheveux couleur de sable ensoleillé, sur ses oreilles où s'enchâssaient deux perles fines dans le lobe délicat.

Marguerite l'enviait de la trouver si « distinguée », à côté de sa propre santé robuste qui faisait épanouir ses seins et ses hanches. Quelques rares femmes commençant à se couper les cheveux, Marie-José critiquait cette mode hardie et jugeait que c'était mal porté. Une ou deux fois par semaine, elle restait à la villa pour faire la lessive commune, ce qui devenait pénible à Marguerite. Mandoline l'aidait alors à étendre les vastes draps et à alimenter le feu de bois dans la buanderie. Les jours où elle revenait de Marseille, il allait l'attendre dans le bosquet de lauriers, guettant l'omnibus et courant dès son arrêt, en portant contre lui le petit Faustin. Quelque gâterie, cigarettes ou chocolat, récompensait son attention et il ramenait sa femme enlacée, au long de l'allée où les platanes se garnissaient de feuilles neuves, jaunes et pelucheuses comme des poussins.

Un après-midi où Mandoline était allé couper l'herbe pour ses lapins, Marguerite vit Marie-José qui s'avançait d'un pas rapide et nerveux, sans paraître la voir.

— Qu'est-ce que tu as ? lui jeta Marguerite, la croyant malade.

— Oh rien ! dit-elle. Des emmerdements. Dans le travail, tu sais, ça arrive...

— Tu as eu un ennui ? Ça a pas marché ?

Marie-José se laissa tomber sur un tronc d'arbre renversé dans l'herbe.

— Oh... répéta-t-elle d'une voix rauque, y a des fois que j'en ai par-dessus la tête, du métier.

— Tu as eu une discussion avec ta patronne ?

— Non, avec un client... Il était saoul. Y voulait me forcer... Tu comprends, y a des choses que quand même...

Elle parlait avec une grande lassitude. Sa tête blonde et son corps mince s'étaient repliés contre la terre, où ses doigts distraits traçaient des lignes sans but.

— Y a des choses, que même pour gagner tes sous, tu peux pas les accepter...

— Un mauvais travail ? demanda Marguerite.

— Oui... Alors parce que je voulais pas, cette brute m'a cassé la bouteille de champagne sur l'épaule ! Et c'est dur, le verre de champagne ! Tiens, regarde !

Elle dénuda sa blouse et montra une tuméfaction violette en haut de son bras. Marguerite demeurait stupéfaite. Il lui fallait des explications :

— Tu voulais pas quoi ? questionna-t-elle.

— Je voulais pas... Oh, c'est vrai, tu as encore rien compris ? Mais moi, j'en peux plus, j'ai prévenu Mandoline :

« Un de ces jours, j'y déballe la chose. Tant pis ! »

— Quelle chose ?

— La chose du travail que je fais en ville.

— Ta lingerie ?

— Justement, avoua Marie-José d'un ton plus bas, c'est pas de la lingerie.

— Et qu'est-ce que tu fais alors ?

— La putain, dit Marie-José.

Bien souvent, plus tard, Marguerite devait se répéter cette réponse et y devenir indifférente, mais à la seconde où elle toucha son oreille, il lui sembla sentir basculer le monde sous elle. Et c'est dans le trouble de son cerveau qu'elle entendit la voix imprudente et pourtant honteuse qui continuait à lui parvenir :

— Comme Calandre, disait-elle. Oui, je sais, tu l'as jamais su, mais moi, Calandre, y a longtemps que je la connaissais. Et elle a toujours fait le métier. Sa mère aussi, malgré qu'autrefois c'est vrai qu'elle vendait des langoustes au charreton, mais Hilaire, qu'il est bien connu au Quartier, y l'a dressée et après il a dressé Calandre. Et je la connaissais, je te dis, avant de venir à ta villa et de travailler pour Mandoline, et elle me parlait toujours de toi et elle me disait qu'elle voudrait bien que tu saches parce que tu venais de la campagne et que tu étais trop brave...

— Calandre... ne savait que répéter Marguerite.

— Oui. Comme moi. Sa broderie qu'elle te parlait, c'était comme moi ma lingerie. C'était du faux, de la frime, tu comprends ? Pour pas t'avouer le reste ! Mais c'était fatal qu'un jour tu l'apprennes. Je disais à ton mari...

— Mon mari ? cria sourdement Marguerite. Mon mari le savait ?

— Ben ? Bien sûr ! dit Marie-José. Comment veux-tu ? Bien sûr qu'y fallait bien qu'y le sache ! Comment tu veux... C'est pas d'aujourd'hui. Y le savait de Calandre, y le sait de moi. Toi, y t'a jamais demandé de le faire ?

— Oh non ! s'exclama Marguerite.

Elle s'était empourprée jusqu'aux cheveux et tremblait de colère soudaine.

— Alors, c'est qu'y t'aime, conclut Marie-José, tu as de la chance...

Le lendemain, il y eut à la « Villa des Troènes » un tel bouleversement que la paix que l'on y goûtait ne put s'y rétablir. La brigade des mœurs vint arrêter Marie-José dès le matin. Elle ne s'était pas vantée à Marguerite d'avoir, après avoir reçu la bouteille de champagne sur l'épaule, jeté par sa seule force accrue de rancune, son client contre un placard. Sa tempe y avait malheureusement rencontré un verrou de fer forgé et sous le choc, il avait perdu connaissance.

La patronne l'avait ramassé vers minuit, en faisant sa ronde. Il avait perdu beaucoup de sang par le nez et la bouche et on avait dû le transporter à l'hôpital. Quand il put parler, il accusa la fille Marie-José Fragneau, qu'on arrêta pour homicide volontaire et prostitution.

Aussitôt que les agents, si reconnaissables à leurs cols crasseux et à leurs melons verdâtres, avaient fait résonner la clochette du portillon, Mandoline s'était glissé dans le quinconce de lauriers et de là dans le chemin. Il préférait être absent. Par contre, Richard, c'est-à-dire le négociant Charles Martin, reçut d'assez haut les représentants de la loi et jura ses grands dieux ignorer l'ignoble métier auquel se livrait la concubine de son jardinier. La patente de commerçant qu'il exhiba aux représentants de la loi et défenseurs de la vertu, sa femme enceinte, son fils à son bras, plus encore, les petits verres de fine habilement offerts, lui conquirent l'estime des policiers et Marie-José s'en alla seule vers la prison des femmes, à Marseille.

Cependant, Richard n'était pas très tranquille. Mandoline, revenu en cachette à la tombée de la nuit, fut prié assez brutalement d'aller chercher fortune ailleurs. Les deux hommes eurent une violente dispute où sonnèrent les gros mots.

Le soir, Marguerite pleura dans les bras de son mari qui la calma et tenta de lui faire comprendre ce qu'était la vie, tandis qu'elle ne cessait de répéter :

— Je veux plus rester ici ! Je veux partir !

— Pour aller où ? demanda Richard.

— Pour aller à Salernes, chez ta mère, avec Vincente.

Richard réfléchissait :

— Non, ça serait idiot ! dit-il enfin. Nous partirons, mais pas pour Salernes. Je te mènerai dans un plus beau pays.

A la fin, elle accepta de se laisser consoler et ne pensa plus qu'au départ.

— Où ce sera ? demandait-elle à Richard.

— A Cette, je crois, ou peut-être à Bordeaux...

— Tu le sais pas exactement ?

— Non, disait-il, ça dépend des demandes.

— Les demandes ?

— Eh, oui, les demandes de l'étranger, enfin ! Ne pose pas tout le temps des questions. Je sais ce que je fais.

Les semaines passèrent. Marguerite lavait, repassait, rangeait le linge pour le mettre dans la malle. Elle se fatiguait beaucoup et s'inquiétait de prévoir si elle accoucherait avant ou après leur voyage. Etant seule après avoir pris l'habitude d'une compagnie, malgré son travail elle trouvait le temps long, dans cette villa éloignée où son mari ne revenait toujours qu'à la nuit. Comme il ne l'approchait plus depuis sa grossesse, elle devenait jalouse et se demandait s'il ne la trompait pas ? Ce fut au milieu même de ce marasme qu'un jour, juste après midi, où elle se tenait au lavoir dans le jardin, elle entendit un moteur trépidant dans le portail. « Richard, déjà ? » pensa-t-elle. Mais le portillon, ouvert par une main familière, lui montra Mandoline.

— Té, c'est vous ? dit-elle étonnée.

— Bonjour, dit-il. Y a longtemps que je voulais venir te voir.

— Ah oui ? Et Marie-José, elle va bien ?

— Toujours pareil. Elle en a pris pour six mois.

Marguerite baissa la tête, puis remarqua :

— Vous, ça marche, puisque vous roulez en automobile ?

— C'est à un collègue. Je suis venu te chercher.

— Me chercher. Pour quoi faire ?

— Pour te mener quelque part.

— Quoi faire quelque part ?

— Voir quelque chose qui t'intéressera.

— Je suis pas habillée, expliqua Marguerite.

— Change-toi, je t'attends, c'est ton mari qui te demande.

— Mon mari ? Mon Dieu, y lui est arrivé quelque chose ?

— Non, non ! Te trouble pas pour rien ! Y veut te voir, c'est tout et je t'emmène. C'est qu'une promenade.

— Où on va ? voulut préciser Marguerite.

— Oh pas loin ! A la calanque des Goudes. Tu connais pas ?

— Non.

— C'est au bord de mer, c'est joli, tu verras !

— Et Richard veut que j'y aille ?

— Oui.

— Et mon petit ?

— Mène-le. On le laissera dans l'automobile. Faro le gardera.

— Qui c'est, Faro ?

— Mon collègue. C'est le chauffeur. Dépêche-toi de te préparer. Sinon tu rates tout !

« Tout ? Quoi tout ? » se demandait Marguerite en passant sa nouvelle robe à pois blancs sur fond bleu marine, à ceinture lâche, dont Richard lui avait fait cadeau un mois avant. « Quelle combinaison ils ont encore ces deux ? Si c'est pour boire, moi je marche pas. »

La voiture, haute sur pattes, monumentale et coquettement parée d'une tente de toile à franges tressées, les emporta à travers la route de banlieue rejoignant le Prado par la Blancarde. Puis elle roula au long de la Corniche, au bord d'une Méditerranée éclatante de lumière ; elle atteignit la Madrague et grimpa enfin par un chemin de douaniers, dominant des roches blanches qui croulaient en falaise vers la mer.

— Arrête-toi, Faro, c'est là, dit Mandoline.

Marguerite ouvrait de grands yeux sur le chemin désert, que seuls bordaient des cinéraires marins aux feuilles grises, minutieusement découpées.

— Descends, lui dit Mandoline. Tu vois ce gros cabanon bleu là-bas ? C'est un restaurant, c'est *la Rascasse.* C'est là que Richard t'attend. Tu as que de rentrer. Nous te gardons le petit.

— Mais... commença Marguerite.

— Tu vois pas que la route est mauvaise et que nous pouvons pas aller jusqu'au bout ? Allez ! Va la première, nous te porterons ton gosse. Richard va s'impatienter.

Comme elle hésitait encore, il rit grossièrement :

— Ça te suffit pas d'en trimbaler un dans le tiroir ?

Elle marcha vers la maison bleue, sur la façade de laquelle on avait peint un poisson à gueule de monstre, aux écailles épineuses et à la queue en bataille. Elle monta cinq marches, pénétra dans une salle par une porte vitrée ouverte et alors elle vit son mari qui lui tournait le dos, assis à une table, tout penché vers une grande fille brune qui riait à pleines dents et qu'elle reconnut tout de suite : c'était Gianella !

Elle ne sut jamais comment elle s'était avancée, comment elle avait giflé la fille, jeté d'un revers de main et piétiné sur le sol un sac de cuir rouge dont elle entendait encore crisser les morceaux de miroir à son oreille ; comment elle avait tiré le coin de la nappe et jonché le parquet d'assiettes brisées avec fracas, ni comment elle reçut à son tour deux gifles de Richard et comment elle fut reconduite par lui, brutalement, jusqu'à l'auto.

Mandoline s'était caché derrière Faro qui arguait que la femme l'avait payé pour venir et Richard, que la fureur faisait trembler, ne le vit que lorsque le moteur démarra :

— Salaud ! lui cria-t-il. Je t'aurai !

Mais la poussière l'enroba dans un nuage et la voiture ramena Marguerite chez elle, sans qu'elle s'aperçut que Mandoline était descendu en route, tandis que la tête contre celle de Faustin, elle sanglotait en le mouillant de ses larmes. Le chauffeur Faro l'aida à descendre devant « Les Troènes » et d'un ton pitoyable, lui dit :

— Moi, j'y peux rien, ma bonne dame... On m'a commandé.

Puis il regarda le visage jeune et frais malgré le désespoir et il conclut :

— Ne vous en faites pas, allez ! Un de perdu, dix de retrouvés !

La nuit suivante, Marguerite accoucha prématurément d'un enfant du sexe masculin qui mourut dès sa naissance parce qu'il n'était pas bien fini. Elle, on l'emporta à la Conception où on la soigna pour une péritonite qui dura quatre-vingts jours. Quand elle en sortit, elle était mince et pâle. « J'ai l'air distingué comme Marie-José... » pensait-elle. Faustin avait été confié hâtivement à une fermière voisine qui, passant par hasard pour lui proposer des œufs, avait trouvé cette pauvre femme seule, baignant dans son sang, Richard n'étant rentré qu'au matin pour donner une leçon à Marguerite. Quand il sut ce qui lui était arrivé, il parut bourrelé de remords et vint tous les jours à l'hôpital la visiter.

— Guéris-toi vite, lui murmurait-il à l'oreille. Tout ça n'est rien, c'est des bêtises. Bientôt nous partirons rien que nous deux, pour Bordeaux.

IV

On part, puis on revient, c'est la vie. « Je l'ai rêvé tout ça ? » pense Marguerite.

— Où tu navigues encore ? lui demande Louise.

Elle tourne vivement la tête et regarde sa sœur. « Alors, c'est vrai, elle est revenue à la Guirande ? »

— Tu ferais mieux de pas tant réfléchir et d'un peu plus travailler, dit aigrement Louise.

Marguerite calcule qu'elle aurait dû aller à Salernes, chez la mère Falconnet. Elle s'y plaisait. Ça sentait la plante sèche et le thym, le romarin, le pèbre d'aï, la sauge, plus c'est sec plus ça sent bon. Cette odeur, la belle-mère finissait par la porter dans ses jupes. « On aurait pu prendre sa suite et devenir herboriste comme elle. A Marseille, y en a un qui est connu dans toute la région : « Le père Blaise », y gagne de l'argent avec ses tisanes de santé qui guérissent toutes les maladies. Mais c'était pas les idées de Richard. Non plus que de succéder à ce Raimondi, toujours impotent, dont le fils est encore trop jeune. C'est une affaire qui aurait pu rapporter : y a des tas de villages autour : Varrages, Aups, Sainte-Trinide et jusque du côté de Barjols qui ont besoin d'un plombier. Même à Draguignan, on aurait pu se faire une clientèle, mais Richard, c'était encore pas ses idées... Non, Richard, je comprends maintenant que je me suis beaucoup trompée sur lui. Mais c'est malheureux, j'arrive pas à m'en détacher. Pourtant quand y me fait des coups comme celui de Bordeaux... ça par exemple, je l'aurais jamais cru ! »

L'énervement, soudain, dresse Marguerite sur sa chaise. Elle demande à sa sœur :

— Y fallait pas aller nouer les oignons ?

— Je croyais que tu l'avais fait hier ?

— Non, j'ai oublié, j'y vais.

Elle sort. Le gros soleil de fin juin, qui est le mois des orages dans ce pays, écrase la terre. Même au bord de la rivière, le sol est craquelé de sécheresse. Le Gapeau n'est qu'un torrent de galets brûlants, entre lesquels glisse, sur le côté, d'une rive où les noisetiers et les ronciers entretiennent quelque verdure, un mince ruisseau d'eau lente. « On voudrait se coucher à plat, dans le fond, sous les arbustes et laisser couler le frais sur sa peau toute nue. Ce serait bon... Une fois, à Salernes, je me suis baignée dans l'Albenc, pas loin de la source, dans une sorte de trou qu'il y avait fait. Je m'étais pas rendu compte, j'y suis entrée droite, c'était glacé, ça m'a coupé la respiration ! Aujourd'hui y fait beaucoup chaud... Alors, voilà, je suis encore à la Guirande comme autrefois. »

Elle arrive au champ où les gros oignons blancs affleurent ainsi que des œufs luisants. Au-dessus d'eux, ils laissent monter des tiges rondes garnies de quelques feuilles charnues, d'un vert glauque et dont certaines portent une boule d'étamines grenues. « Hé, se dit Marguerite, y sont près de faire fleur ! C'était temps de les nouer. » Elle se courbe sur le premier rang et, tortillant les tiges dans ses doigts, elle leur fait une belle ganse. « Comme à ma tresse quand j'étais petite. » Marguerite est leste, le travail avance. Au bout de la longue rangée, elle se laisse aller, assise sur le talus : « Hou ! elle pense, ça me plaît pas plus que quand j'étais jeune fille ! Ça vous met les mains toutes vertes, on empeste, on a chaud, on se frotte et alors votre figure et tout, ça sent l'oignon. Richard qui aime tant l'eau de Cologne, ça lui plairait pas de me voir faire ça. Mais ce qu'y voulait me faire faire, Richard, c'était guère beau non plus ! »

Elle demeure assise pour réfléchir et se remémorer ce qui s'est passé à Bordeaux.

D'abord, après cette histoire de Gianella, y a eu ce grand vide où Marguerite n'a plus rien connu de la vie que le coup d'assommoir de l'anesthésie, les outils aigus du chirurgien et la lente convalescence à la Conception. Ensuite, on lui a appris que son enfant était né mort. Puis elle a reçu Richard qui semblait avoir de gros regrets. Ils ont parlé de Gianella et il lui a bien fait comprendre que « s'il s'était trouvé près de cette femme ce jour-là, alors qu'il ne l'avait plus revue depuis un temps infini, c'est parce qu'il était en affaire avec elle, que ça à rien à voir avec l'amour. Et que Mandoline l'avait menée, elle, Marguerite, au restaurant des Goudes, pour se venger que Richard l'ait foutu à la porte de la villa et aussi par jalousie de Gianella qui était son ancienne maîtresse, tu le sais ? Oui, il avait fait ça par pure méchanceté, ce salaud ! Mais Richard, un de ces beaux matins, lui réglera son compte... En attendant, dès qu'elle serait guérie, on partirait tous les deux pour Bordeaux, Vincente était chez la belle-mère, bien soignée et le petit, on pouvait être tranquille, la fermière s'y était attachée et le garderait jusqu'au retour ».

Marguerite avait commencé par glisser les jambes hors de son lit et se tenir debout sur la descente. Ça allait bien. Son sang avait cessé de couler entre ses cuisses. Elle pouvait marcher. L'infirmière avait dit à la servante : « Mène-la un peu sur la terrasse. » Assez vite les forces généreuses de la jeunesse étaient revenues, la chair meurtrie, à nouveau s'était gonflée et Marguerite, définitivement, était sortie de l'hôpital.

A Richard qui était venu la chercher, elle avait demandé :

— On monte aux « Troènes » ?

— Non, avait dit Richard. On y est plus.

— Comment ?

— Y a eu du pétard dans la coquille. C'est embêtant, mais tout a été saisi.

— Comment, saisi ?

— Par la loi. Hé, c'est la faute de Pablo ! Lui, y s'en fout, il est parti, mais avant, il a fait des mauvaises combines. Moi, j'ai tâché de sauver la mise, mais y a pas eu moyen. Alors, après la faillite, y a eu la saisie.

— Et mes affaires ? Et celles des petits ?

— T'en fais pas, j'avais prévu le coup, j'ai mis vos choses de côté. Pas tout, peut-être, mais enfin, le principal... A propos, dis, cette veste rouge toute brodée en or et ce pantalon en machin qui brille, où tu as eu ça ?

Marguerite se souvient comme elle avait rougi, puis menti péniblement pour répondre :

— C'est... c'est Calandre, tu sais bien, Calandre ? Une fois, elle en faisait rien, alors elle me l'avait donné.

— C'est de la riche marchandise, non ?

— Je crois, dit Marguerite, enfin ça me plaît.

Ce même soir, ils avaient couché dans un hôtel de la rue du Lycée. C'était minable. Le sommier criait comme un chat qu'on égorge, l'armoire était sans porte, une vitre de la fenêtre était cassée et le seau hygiénique sentait la vieille urine. Cependant, Marguerite s'était bien serrée contre Richard et l'amour, encore une fois, avait été bon.

Le lendemain, ils avaient pris le train. On avait dormi et mangé deux fois en route. Marguerite regardait passer d'abord avec curiosité, puis avec lassitude, toutes ces gares portant des noms inconnus, puis enfin Richard avait annoncé : « On est arrivé. » Et voilà, c'était Bordeaux !

On étouffait. Comme aujourd'hui, mais sans cet air de campagne. Ils avaient logé encore dans un hôtel bon marché, une maigre maison tout en hauteur, prise entre d'autres aussi laides de façade, avec leurs volets déteints, leurs taches et leur décrépitude. C'était une ruelle donnant sur le port. De gros bateaux qu'on chargeait de marchandises touchaient le quai. Le roulement des barriques qu'on y amenait n'arrêtait pas de tout le jour. Les sirènes jetaient leurs cris stridents. La nuit, l'étroite rue retentissait des chants et des spasmes des accordéons. Deux nègres saouls se battirent sous la fenêtre de Marguerite. Elle regardait, horrifiée et attirée pourtant. Le moins robuste tomba à la renverse, sa tête sonna contre la base du mur. Puis il se releva, tandis que l'autre s'en allait, riant avec insolence. Marguerite, les mains crispées contre la bouche, vit briller un éclair. Un couteau s'était planté dans un dos sombre et luisant, un cri sourd avait retenti, puis un râle, puis le bruit d'une fuite et soudain la rue fut pleine d'hommes et de femmes gesticulant. Enfin, la police dispersa le tout et sur le pavé sale où le ruisseau visqueux traînait des ordures, demeura seul le nègre assassiné.

Marguerite tremblait en fermant sa fenêtre. Elle languissait de voir rentrer Richard, qui était, disait-il, « forcé de sortir pour affaires ». Il cherchait du travail, sans doute, c'est ce que pensait sa femme, mais elle s'étonnait de ce que l'embauche se fit nocturnement. Enfin, elle s'était endormie quand il revint. Il poussa une fille devant lui dans la chambre :

— Calandre ! s'exclama Marguerite.

C'était Calandre.

— Vous coucherez ensemble, dit Richard. Moi, j'ai du boulot jusqu'à demain matin. Je vous ferai porter du muscat. Faites pas de cauchemars !

Comme c'était drôle de se souvenir de tout ça, maintenant, revenue à la maison d'enfance, assise sur le talus de chiendent, auprès de ces oignons dont il fallait nouer les queues pour les empêcher de fleurir et de grainer aux dépens de leurs bulbes. Oui, c'était tellement étonnant que Marguerite se répétait de temps à autre : « Non ! Je l'ai rêvé, c'est pas possible ? » Mais elle ne l'avait pas rêvé.

Un moment après, le garçon de l'hôtel, le visage gras et

mal rasé, avec un tablier sale pendant sur le ventre et traînant des savates sans talons, leur montait une bouteille de vin doux et des choux à la crème. Elles se régalèrent, burent, rirent, heureuses de se retrouver. Calandre commença un refrain.

— Tu chantes toujours ?

— Quand je suis contente, oui ! Mais c'est pas souvent.

— J'ai fini par le savoir, lança Marguerite enhardie par le muscat, ce que tu allais faire à Marseille !

Calandre baissait la tête :

— J'osais pas te le dire, tu étais trop brave de ce temps. C'est Marie-José, qué ?

— Oui, elle m'a raconté...

— C'est une pute ! gronda Calandre.

— Pourquoi tu faisais ça ? demanda Marguerite.

— Hé... Qu'est-ce que tu voulais...

— Maintenant que tu es en plein avec Pablo, tu te tiens tranquille, au moins ?

— Qu'est-ce que tu veux dire ?

— Tu fais plus ce métier ?

Calandre relevait son front, cerné de serpentines mèches noires :

— Et quel tu veux que je fasse ?

— Mais alors... dit Marguerite.

— Oh ! cria Calandre. Je vois que tu comprends toujours rien.

Elle s'était couchée près de Marguerite. Son corps, sorti de l'étroite jupe de toile bleue et de la blouse écarlate collant sur sa peau, mettait une longue tache brune sur le drap. Une courte chemise de pongé rose, incrustée de trois papillons de dentelle noire, dévoilait ses deux seins pointus aux larges cernes et son ventre plat. Elle étendit un de ses bras où dansait une gourmette d'argent, elle enlaça Marguerite et la ramena au creux de son épaule. Une touffeur moite monta de son aisselle profonde et velue, ses lèvres violettes cherchèrent la joue de son amie et ce fut là, qu'entre la bouche et le nez, elle posa un baiser maternel.

— Ma pauvre Margot ! dit-elle, c'est le moment de t'affranchir.

Elle prit dans ses doigts maigres une petite main blanche et potelée et la serrant et serrant contre elle Marguerite tout entière, elle commença à lui expliquer patiemment sa manière de voir.

*

Le lendemain, il faisait si chaud que toutes les deux, seules dans l'étroite chambre, elles s'étaient inondées de serviettes trempées dans l'eau froide.

— Tu es belle, disait Calandre, tu es blanche et grasse comme une caille !

— Toi, tu es mince, disait Marguerite, moi, je suis trop grosse.

— Crois-moi, va, ça plaît aux hommes. Ils aiment d'en avoir plein les mains.

— Alors, tu vas partir ? demandait Marguerite.

— Oui. C'est un pays magnifique, y paraît ! Dans les jardins, les oranges mûrissent et même, y a des autres fruits qu'ici on en connaît que le nom. Pablo me mène, j'ai une autre amie qui vient, tu la connais pas : Espérance. C'est une de Perpignan. Si tu venais, tu comprends, on serait bien copines toutes les trois ensemble et nous deux on serait comme cette nuit... Tu étais pas bien, cette nuit ?

— Je sais pas... murmurait Marguerite.

— Ni plus ni moins, tu le vois, ton mari, il a perdu sa situation. Y faut lui laisser le temps de se retourner. Avec cette faillite maintenant, il a la police au cul. Il a besoin d'avoir ses coudées franches, tu comprends ? Si tu viens, nous restons six mois, trois mois, si tu veux, le temps de faire sa pelote... hé ?

— Qu'est-ce que je ferai ? interroge Marguerite. Moi, tu sais, je veux pas faire le truc.

— Et qui t'a dit le contraire ? Moi-même, je compte bien… Pablo, il a beaucoup d'amis là-bas. C'est des types qui sont fous des femmes ! Y vous donnent de l'argent, des bijoux, juste pour sortir avec eux. Tu verras, c'est pépère.

Marguerite se taisait.

— Et quand tu reviendras, tu seras pleine aux as, tu pourras habiller ta Vincente et ton Faustin comme des rois ! Tu iras encore habiter ta Villa des Troènes ou une encore plus belle, tu seras tranquille avec tes petits…

— Mais Richard, qu'est-ce qu'y dira ?

— Richard ? Mais que tu es bête ! y dira rien, Richard. Nous en avons parlé. Il a dit : « Qu'elle fasse comme elle voudra. Moi, pour le moment, je suis à sec ! »

— Il a dit ça ?

— Oui.

— Je lui parlerai, avait conclu Marguerite.

Et le soir, elle avait eu avec son mari une grande conversation. Non, une grande conversation se compose de beaucoup de phrases, de demandes et de réponses, tandis que, pour celle-ci, quelques mots avaient suffi. C'est Richard qui avait commencé :

— Calandre t'a dit quelque chose ?

— De quoi ?

— De Rio. De l'idée qu'on a eue que tu partes avec elle ?

— Oui.

— Ça te plaît ?

— Non.

— Pourquoi ?

— J'aime pas te laisser.

— Moi, ni plus ni moins, je pars.

— Où ?

— Je ne sais pas. Sur un bateau. Comme marin.

— Et moi ?

— C'est pour ça qu'y faut que tu te débrouilles. Les petits sont placés. Va avec Calandre. Dans six mois, on se retrouvera.

— Je verrai... elle a dit.

Richard a allumé une cigarette et il est sorti. Après, quand Calandre est revenue, Marguerite lui a annoncé qu'elle était décidée à partir avec elle.

*

Aujourd'hui, tandis qu'elle commence à nouer les tiges des oignons, elle se demande comment il avait pu lui venir une minute en tête l'idée d'accepter ? Et elle se revoit au lendemain de cette conversation, dans le petit salon de l'hôtel où elle s'était assise pour attendre Pablo, Richard et Calandre qui devaient venir la rejoindre, parce qu'elle, ayant à refaire les valises et séparer les affaires de son mari des siennes, était restée dans la chambre. Puis, ayant terminé, elle était descendue pour guetter Richard qui devait revenir à cinq heures. Et beaucoup trop en avance, elle attendait, réfléchissant à cette drôle d'aventure qui allait la séparer de Richard et de ses petits, quand le patron était entré, introduisant une femme :

— Tenez, elle est là, avait-il indiqué, désignant Marguerite.

Et la femme avait demandé :

— Madame Margot ?

— Oui ? avait-elle dit.

— Mme Calandre, elle est pas là, s'il vous plaît ?

— Non.

— Vous êtes sa copine, je crois ?

— Vous voulez la voir ? Elle va venir.

— Je suis Espérance. Elle vous a parlé de moi ?

— Ah si ! Nous partons ensemble, pas vrai ?

— Oui, dit la femme.

Marguerite la regardait, imposante, lourde, large de seins et de fesses et portant ce nom délicat d'Espérance.

— On rigolera bien toutes les trois...

Elle portait ce nom délicat d'Espérance et elle avait une voix éraillée de vieil ivrogne.

— Où ? demanda machinalement Marguerite.

— A Rio. C'est les plus riches bordels du monde et les clients sont pleins aux as. Tu as déjà ta place de retenue ?

— Pour le bateau ? Je sais pas.

— Non, pour le claque, je veux dire. Moi, je vais directement au *Palazzo negro.* Y paraît que c'est le mieux fréquenté. Et toi ?

— Je sais pas. . répéta Marguerite.

— Calandre, elle va à l'*Alhambra.* Peut-être tu y entreras avec elle ? C'est du populaire. Y a un gros boulot. Ça aurait fait pour moi parce que je suis solide, mais y m'a placée au *Palazzo.*

— « Il » ? Qui ?

— Pablo. Je suis son doublard, tu le sais pas ? Il en a déjà une là-bas : Antonine. Elle travaille pour lui depuis longtemps, mais elle se fait vieille, y va la liquider. Y lui restera Calandre et moi.

— Je comprends pas... dit Marguerite.

Espérance s'esclaffa, frappant de la main sur son énorme cuisse :

— Mais dis, tu as pas l'air de savoir ce que c'est qu'un maquereau, toi ? Alors tu vas partir sans connaître le métier ? Ah mais, dans ce cas fais bien attention ! Moi je suis au *Petit Chabanais* de Perpignan, depuis six ans, mais j'en ai marre, je veux voir du pays ! Enfin, Calandre, elle t'affranchira, elle a commencé de faire le truc à quatorze ans. Si tu es avec elle...

Marguerite s'était levée toute droite. Égarée, elle s'était mise à crier sourdement, serrant ses doigts contre sa bouche :

— Je suis avec personne ! Je suis avec personne ! Je veux pas partir !

— Tu es folle ! grondait Espérance. Qu'est-ce qu'y te prend ? Tu va nous faire mettre en taule !

— Je veux pas ! Je veux pas ! criait Marguerite.

La fille, affolée, avait monté l'escalier des chambres. Un homme entra. Marguerite se jeta sur lui :

— Monsieur ! Monsieur ! Sauvez-moi ! On veut me faire partir... Moi je veux pas ! C'est pour un bordel, vous comprenez ! Et c'est mon mari... Oh, monsieur, je vous en supplie !

— Allons, allons, dit l'homme, calmez-vous. Qu'est-ce qu'il y a ?

— Sortons d'abord ! pria Marguerite, y vont venir, y vont me trouver, y vont m'emmener...

— Venez, vous allez m'expliquer ça.

Et dans le café du Port où ils s'étaient réfugiés, Marguerite pleura en racontant son histoire.

— Allez chercher votre valise, dit l'homme après l'avoir écoutée.

— Mais s'il est là...

— Puisqu'il ne doit revenir qu'à cinq heures, vous avez le temps. Allez, prenez du courage ! Vous préférez Rio ?

Quand Marguerite revint avec son bagage, l'homme avait appelé un fiacre.

— A la gare ! ordonna-t-il.

Il se tourna vers sa compagne :

— Vous voulez partir pour où ?

— Je ne sais pas, dit-elle. J'ai pas d'argent.

— Je vous en donnerai. Vous n'avez personne chez qui aller ? Pas de parents ?

— J'ai ma belle-mère... Mais non, c'est pas possible, y viendrait me chercher.

— Alors ?

Marguerite réfléchissait péniblement :

— J'ai bien un autre endroit, oui. Écoutez, puisque vous

êtes si brave, prenez-moi un billet pour Toulon, après je me débrouillerai.

— Vous serez dans un abri sûr ?

— Oui, c'est la maison de ma mère.

A la gare, l'homme la fit entrer dans la salle d'attente des premières, disant :

— Ils ne se risqueront pas ici. Vous avez un train dans quinze minutes. C'est un heureux hasard. Il faut remercier Dieu.

Marguerite regardait en dessous ce visage calme et sévère, encadré de cheveux gris et dont les yeux, d'un bleu froid, la pénétraient plus loin que les yeux. Elle s'était attendue à ce qu'il l'emmène dans quelque chambre meublée et qu'il faille se défendre contre une convoitise charnelle. Mais maintenant, elle comprenait que non et que cet argent qu'il venait de lui mettre dans la main, il le lui donnait sans rien lui demander en échange. Alors, quand il l'avait eue installée dans un compartiment de drap beige, voilé par une dentelle au crochet, au moment où il allait descendre pour laisser partir le train, elle avait balbutié :

— je sais même pas votre nom...

— Ça n'a pas d'importance, avait répondu l'homme, je suis pasteur.

*

Et c'est ainsi que Marguerite est revenue dans sa maison de jeunesse.

Naturellement, elle n'a pas avoué la vérité. Sa mère est morte, Sébastien est mort. C'est Pierre qui mène la Guirande avec cette garce de Solange et Florestan, devenu leur domestique. Louise, pour s'éloigner de sa belle-sœur qui lui apparaît comme l'incarnation du diable, s'est fait arranger une petite cuisine et une chambre dans l'angle ouest, du côté des étables. Et c'est là que Marguerite vient se jeter dans ses bras, tandis que Pierre et Florestan sont dans le bien et Solange à Toulon, par hasard. Mais si Marguerite a cru retrouver, sous le corsage gris de Louise, le cœur sensible de leur mère, elle voit dès la première heure qu'elle se trompait et que sa sœur tout entière n'est que dessèchement.

La seule douceur qu'elle rencontre est trop inexistante. Elle lui vient des plus jeunes : Rosine et Florestan. Eux, ils sont gentils, mais sous la coupe de Solange Bannelier, devenue Desmichels, ils ne peuvent que se taire. Rosine fait sa part de travail, ne s'intéressant à rien de ce qui se passe à la maison, elle préfère Solange à Louise, parce que Louise grogne toujours, lui parle d'aller se confesser et de se faire religieuse quand elle sera grande. Par contre, elle aime Marguerite qui coiffait, sans les tirer, ses longs cheveux. Elle court l'embrasser quand Solange ne la voit pas et Marguerite aussi l'aime et voudrait bien prendre sa défense quand Solange la gifle, quoiqu'il faille reconnaître qu'elle est parfois indocile.

Florestan, lui, se lève dès cinq heures du matin et tout le jour il se penche sur la terre, sur les moutons, sur le cheval de labour, sur la mauvaise herbe. Il ne parle pas beaucoup, il rougit facilement. Marguerite croit s'apercevoir qu'il est amoureux de cette saleté de Solange, elle le plaint et elle sent qu'elle l'aimerait bien.

Le soir, après le travail, elle préférerait bavarder avec lui et Rosine, mais ils rentrent dans leur côté de maison et Marguerite va se coucher chez Louise qui lui inflige des heures de morale avant le sommeil :

— Tu as voulu faire ta tête ! gronde-t-elle. Tu vois où ça t'a conduite ? Ton mari t'a abandonnée.

— Y m'a pas abandonnée, précise-t-elle. C'est moi...

Que dire de plus ? Comment expliquer ? Elle essaye :

— Puisqu'y fallait qu'y parte sur les bateaux ?

— S'il avait su se tenir à son ouvrage, ce serait pas arrivé. C'est un bandit ! Il a volé, y volera toujours. Il a déshonoré notre famille. Qu'y revienne plus, c'est tout ce qu'on lui demande ! Toi, tu as qu'à travailler ici. Y en a pour tous ! Tu as mangé ta part, mais ça fait rien, si tu te tiens tranquille, je te garderai. On te pardonnera.

Et comme Marguerite se tait :

— Tu pourrais me remercier ? dit Louise.

— Je te remercie.

— Le morceau de potager qui touche le Gapeau et le poulailler, c'est moi qui en ai le profit par l'arrangement que j'ai fait avec Pierre. Y m'a roustie, je le sais : je l'offre au bon Dieu. Tu m'aideras à cultiver, à nettoyer les bêtes. Pierre me donne le blé, j'y fournis des œufs, mais le soir, Solange qui est toujours à courir, vient me voler dans les nids. Y faudrait que j'achète un bon chien qui morde. En attendant tu iras surveiller.

Marguerite écoute, gonflée de colère.

— Après, si tu veux, quand je verrai si je suis contente de toi, tu feras venir tes petits. Ta belle-mère, cette herboriste, j'ai guère confiance, on m'a dit qu'elle était visitée du démon, qu'elle jetait des sorts, qu'elle faisait avorter les filles.

— Ma belle-mère ? Ça n'est pas vrai ! Elle est brave comme tout !

— Elle emmasque les gens...

— C'est pas vrai ! Au contraire. Elle a levé le soleil à une qui venait folle de ses douleurs de tête, rien qu'en lui mettant une main sur le front, pendant qu'elle était allongée sur mon lit...

— Ah, tu vois que c'est une sorcière ! Et de sûr elle marmonnait des prières au diable, pendant ce temps, non ?

— Non, elle disait rien, répond Marguerite.

Elle ment. Elle écoute en elle, le souvenir lui rend la voix grave de la mère Falconnet, psalmodiant au-dessus de cette fille en proie à une insolation :

« Par la tête qui tient à la main
par la main qui tient au bras,

par le bras qui tient au corps,
par le corps qui tient au lit,
par le lit qui tient à la terre,
la terre te guérira. »

Et elle voit la sueur qui ruisselle sur le visage enflammé et la mère Falconnet l'essuyer d'une main douce et elle voit la fille qui porte les mains à sa tête, qui dit : « J'ai plus mal » et puis qui s'endort et, une heure plus tard, elle se lève, elle rit et elle dit encore : « Ça m'a passé. Qu'est-ce que je vous dois ? — Rien, répond l'herboriste, quand tu auras deux fromageons de reste de tes chèvres, tu me les porteras. »

Puis Marguerite abandonne cette évocation, elle revient à la Guirande et, ulcérée de la dureté de sa sœur, elle pense : « C'est impossible. Jamais je pourrai y rester. »

*

Ainsi, de vexation en vexation, de gronderie en travail pénible, elle arrive à supporter trois mois de cette vie, mais elle sent qu'elle ne pourra pas aller plus avant. Un jour, Pierre la traite de putain ; Solange renchérit, criant que cette traînée mange leur pain sans le gagner ; Florestan et Rosine la regardent avec des yeux pleins d'amitié, mais ils n'osent pas la défendre. Pierre est trop brutal. « Je partirai », se jure-t-elle, serrant les dents de rancune. Le soir elle demande à Louise :

— Donne-moi de l'argent.

Celle-là ressaute :

— Pour quoi faire ?

— Je veux m'en aller.

— Tu es mal ici ?

— Oui.

— Et où tu iras ?

— Travailler ailleurs !

— Ou faire encore la pute ?

— Justement, j'ai pas voulu la faire ! crie Marguerite.

— Tais-toi ! Où tu te crois pour élever la voix comme ça ? Tu te crois pas chez toi peut-être ? Ma fille, c'est fini le temps d'être maîtresse comme nous, ici !

— Je le sais, tu me l'as répépillé de reste ! J'ai pas assez nettoyé tes poules et tes oignons ? Tu peux bien me donner quelque chose.

— Tu as mangé, tu as reçu ton salaire, tu as rien à réclamer. Tais-toi.

— Bon ! dit Marguerite.

Elle crève de rage muette. Après tout tant pis, on la force.

Le lendemain, Florestan mène une chèvre au bouc à Belgentier. On en a parlé l'après-midi. Alors Marguerite chipe une feuille de papier et une enveloppe jaune. Louise les a achetées pour écrire à la mère Sainte-Ambrosine, supérieure d'un couvent près d'Hyères, où elle dit toujours qu'elle ira se retirer. Sur sa feuille, Marguerite écrit avec peine quelques lignes : « Vous m'avez dit quand j'aurais besoin, n'importe quand, que je vous écrive. Hé ben j'ai besoin, je sais plus que faire, alors je vous écris. Je me trouverai à la gare de Draguignan samedi à onze heures pour prendre la voiture de Salernes pour aller chez ma belle-mère. Je serai contente que vous y soyez. Onze heures, samedi, la gare de Draguignan, dans le petit jardin du Côté des dames. Marguerite Falconnet. » Et sur l'enveloppe, elle trace : « Monsieur Bâri Damien, Salernes (Var). »

Le matin suivant, elle saute tôt du lit :

— Je vais à l'herbe, dit-elle.

« Té, je l'ai domptée, cette arrogante ! » pense Louise.

Marguerite, en courant de biais par les cultures, rejoint Florestan juste comme il débouche sur le chemin de Gapeau.

— C'est toi ? demande-t-il surpris.

— Oui. Tu veux me mettre cette lettre à la poste ?
Il regarde l'adresse :
— Qu'est-ce que c'est ?
— C'est quelqu'un pour un travail.
— Tu te plais par ici ? dit-il.
— Non.
— Je l'avais compris. Moi non plus, tu sais. Un jour je partirai sur la mer...
— Seulement j'ai pas les cinq centimes.
— Je te mettrai le timbre, dit Florestan.
— Merci.
Ils échangent un bon regard.
— Adieu, dit-il.
Et il rejoint la route.
Le vendredi suivant, elle attend que la nuit tombe. Septembre l'amène vite, surtout par ce temps, pluvieux depuis quelques jours. Louise s'endort tôt. Marguerite veille, les yeux ouverts, couchée tout habillée sur son lit qui est dans la cuisine. Après dix heures, quand tous les bruits du Domaine se sont calmés, elle se lève, elle a su deviner l'endroit où Louise cache le vieux bas gris rayé de rouge, dans quoi elle empile les écus rapportés par la vente des légumes. Elle met la main dedans, elle en prend deux, puis encore un. Avec ça, elle a de quoi faire route. Elle ira à pied de la Guirande à Solliès-Pont, par le bord de rivière dont elle connaît les sentiers, elle se cachera dans les buissons de la rive jusqu'à l'aube. Y a un train qui passe à cinq heures. Elle le prendra. « Quand je serai à Salernes, pense-t-elle, ma belle-mère me donnera de l'argent et je ferai un saut jusqu'à Marseille pour reprendre Faustin Après je verrai. »

Elle a le cœur gros et commence à se sentir lasse de cette vie aventureuse qui lui a été dévolue. Elle se demande si elle a bien fait d'écrire à Damien ? Puis, plus tard, quand elle traverse sur ses pieds nus la grande terrasse, sombre cette nuit, de sa maison natale, et peureuse soudain parce qu'elle a cru entendre marcher, elle se dit : « C'est comme l'autre fois, pareil que l'autre fois. J'ai encore mes souliers attachés à l'épaule et dedans j'ai encore mis l'argent que j'ai volé. Comme l'autre fois... »

« C'est pas volé, ça, dirait Richard s'il était là. C'est chapardé, pas plus ! Tu exagères toujours. »

*

La gare de Toulon est tellement bruissante de cris, de locomotives et de chants de marins, qu'après la paix de la campagne, on en demeure étourdi. Dans celle de Draguignan, plus calme, assise sur un banc, avec sa valise à côté d'elle, Marguerite attend. Elle regrette d'avoir écrit et se dit que sûrement il ne viendra pas. Elle a tout son temps pour réfléchir et motif à réflexions. Elle pense que la vie est bien compliquée et elle se demande pourquoi ça a changé pour elle. « Y a dû avoir un moment où tout s'est déglingué ? C'est celui où j'ai suivi Richard dans le cabanon de roseaux, après le bal. C'est ce soir-là que tout s'est mis en désordre et m'est tombé dessus. J'en savais rien... Comment comprendre ? Peut-être que les gens qui ont étudié longtemps dans les écoles savent mieux se guider. Moi, quand j'ai eu appris mes quatre règles et les coutures rabattues, mon père s'est plaint que je faisais faute à la ferme. Je sais encore lire, mais j'écris beaucoup mal. Pablo, qui était instruit, disait que je faisais des fautes grosses comme des maisons. Qui sait Damien, s'y met bien l'orthographe ? Mais ça n'aurait rien empêché si j'avais suivi une route droite, comme ma mère. Du moins je le crois. Elle m'a bien raconté, dans sa maladie, qu'elle avait aimé un autre homme que mon père, mais pour moi c'est pas vrai. Je l'ai bien vue, moi, la vie qu'elle a menée ! Toute de travail et de sacrifice. Et jamais seulement sortir !

Oui, si j'avais marché droit comme elle... Enfin tout ça c'est du passé. Maintenant y faut se ranger une autre existence. Qui sait où il est Richard ? Y doit naviguer sur son bateau, je le verrai plus. Y doit m'avoir une rancune terrible d'être partie, à Bordeaux... Et Calandre ? Elle doit être à Rio, celle-là, dans son... (comme elle disait, l'autre ?) son *Alhambra* ou peut-être avec cette grosse fille, cette Espérance ? Et elles font leur métier, ce métier que j'en ai pas voulu. Des fois je me pense : « J'ai bien agi ? Qui sait si j'ai bien agi ? Qui m'en saura gré ? Mon frère m'a traitée de putain, ma sœur m'a refusé son aide, mon mari voulait me vendre, mes petits grandissent loin de moi... Qu'est-ce qu'y me reste pour avoir voulu faire bien et rester propre selon mon idée ? Rien, hé ! Peut-être qu'après tout c'est le sort des filles qui sont jeunes et pas trop vilaines, de mener ce genre d'existence ? Et peut-être qu'elles sont pas trop malheureuses ? Coucher avec un homme, moi c'est pas une chose qui me fait peine. Je couchais avec Richard, j'ai guère manqué de coucher avec d'autres... J'ai couché pour rien, pourquoi j'aurais pas couché pour de l'argent ? »

A cette seconde de son monologue intérieur, un garçon chargé d'un gros sac qu'il pose à terre s'assied sur le banc à côté d'elle. Il regarde la valise qui occupe une place :

— Pardon madame... dit-il.

Elle relève la tête. Elle étouffe son cri de contentement avec les doigts sur sa bouche :

— Damien !

Elle l'appelait toujours Damien quand elle pensait à lui dans ses rêves.

V

Le plaisir de ces deux êtres qui se désiraient depuis si longtemps fut tellement impérieux qu'il les retint éveillés tout le jour et la nuit passés ensemble. Ils avaient quitté la gare l'un après l'autre, en se cachant, Damien expliquant à Marguerite que, pour le rejoindre, elle n'aurait qu'à prendre la sortie à contre-voie et que là, presque tout de suite, dans la rue Hoche, elle trouverait un petit hôtel qui faisait café-restaurant et s'appelait : *Aux cheminots*. Elle n'aurait qu'à entrer.

Elle avait obéi. Personne ne la connaissait et ne lui demanda rien. Damien l'ayant reçue à la porte, ils burent et mangèrent presque sans se parler. Puis Damien s'étant dressé pour monter l'étroit escalier conduisant à l'étage, elle l'avait suivi silencieusement et dès qu'il l'avait prise dans ses bras, elle avait compris qu'elle était, d'avance, toute consentante à son désir.

Et ce matin, ils s'étaient vus, dès les premières clartés de l'aube, couchés dans ce même lit, dans cette chambre de hasard et à peine hors du solide sommeil de jeunesse qui les avait enfin surpris dans la passion, ils s'étaient repris et fondus à nouveau dans leur joie charnelle, toute neuve encore. Puis ils s'étaient levés et habillés.

— Qu'est-ce que tu vas faire ? avait demandé Damien.

— Rentrer à Salernes, avait répondu Marguerite.

— Et après ?
— Je veux voir ma fille, puis, quand ma belle-mère m'aura donné de l'argent, j'irai chercher mon fils. Je les emmènerai tous les deux avec moi, puis...
— Puis ?
— Je sais pas... avouait Marguerite.
— Et moi ? interrogeait Damien.
— Toi ?
— Oui ! Moi, là-dedans, qu'est-ce que je deviens ?
— Je sais pas... répétait Marguerite d'un ton humble.
— Tu te figures que je vais te laisser comme ça ? Maintenant je t'ai, je te garde !
Et Damien serrait sa maîtresse contre lui à l'écraser.
— Comment faire ? dit-elle tristement. Je suis mariée.
— Tu m'aimes ? interrogea-t-il, la repoussant de lui pour mieux plonger au fond de ses yeux. Oui, tu m'aimes, ça se voit. Alors laisse tout et partons tous les deux. Partout je suis capable de te gagner la vie...
— Et mes petits ? coupait Marguerite.
— Tu feras ton divorce. Après, tes petits, tu viendras les reprendre.
— Non. On me les donnera plus, disait-elle. Et je peux pas abandonner mes enfants comme ça.
— Moi, je compte pas alors ? jetait-il avec violence.
— Mon Dieu oui que tu comptes ! Mais eux, ce sont mes enfants. J'en ai été que trop privée avec toutes ces histoires, je peux plus supporter, tu comprends ?
Découragé par l'entêtement qu'il sentait en elle, il laissait glisser ses bras dénoués :
— Alors ?
— Je vais rentrer à Salernes. Peut-être ma belle-mère sait où est mon mari ? Je lui ferai connaître que je veux divorcer, puis je me chercherai un travail où je puisse rester avec mes petits. (Dans les grosses fermes, tu sais, des fois ils prennent comme ça une femme avec ses enfants.) Et après...

— Et nous ? Nous nous verrons plus ? Tu accepteras ça ?

— Nous nous verrons, promettait Marguerite. Pour le moment j'ai trop peur de Richard.

— Y doit être loin, va ! assurait Damien. En train de vendre une ou deux femmes quelque part. Oh ! Quand je pense qu'il aurait voulu que toi...

Damien gémissait de rage sur le visage ramené contre le sien. Elle le calmait :

— C'est fini tout ça, patiente un peu... Je ferai tout pour te retrouver et alors nous resterons ensemble.

— Pour toujours ?

— Pour toujours ! disait Marguerite.

Oui, elle lui faisait cette réponse-là et, pourtant, quelque chose en elle lui criait que ça n'arriverait jamais. Quelque chose... Quoi ? Elle ne savait pas. C'est comme lorsqu'elle projetait d'aller travailler dans une ferme. Elle savait combien ça lui avait déplu de travailler à la terre, que ce soit jeune fille à la Guirande, ou cette dernière fois quand elle s'y était réfugiée. C'était pénible et salissant, il fallait se résigner à avoir toujours les pieds poussiéreux sous les gros bas, les ongles noirs, les cheveux desséchés par le vent et se baisser et se relever cent fois par jour, jusqu'à avoir les reins rompus ! Non, ça ne lui plaisait pas, elle aimerait mieux trouver un autre gagne-pain. Mais lequel et où ? Pour le moment, elle désirait prendre conseil de la mère Falconnet qui, sûrement, dans son esprit de justice, donnerait tort à Richard et la débrouillerait.

Cependant, toute chaudement enivrée encore de son amour pour Damien, elle eut grand-peine à s'y arracher quand elle le quitta un peu avant le départ de l'omnibus de Salernes. Elle avait peur d'être vue et elle fut contente qu'ayant à faire à Draguignan des achats d'engrais, son ami ne rentrât pas avec elle.

Elle se fit arrêter à l'angle de la placette et courut lestement vers l'herboristerie. La pièce du fond était vide. Elle cria du bas de l'escalier :

— Mémé !

Puis aussitôt :

— Vincente ! C'est maman !

Une exclamation sourde répondit, puis il y eut un silence et la voix de Mme Falconnet cria à son tour :

— Monte ! On est ici...

Une étrange appréhension pénétra soudain Marguerite. Dès qu'elle fut en haut, elle vit Richard. Assis à côté de sa mère, il tenait Vincente sur les genoux.

*

Il y avait eu, et il y eut plus tard, dans la vie de celle qui avait été une fille Desmichels, des heures qu'elle prit plaisir à recréer par le souvenir, d'autres dont les contours flottaient et refusaient de se fixer dans une forme nette, mais cette minute où elle se trouva en face de Richard, dans les conditions morales où il s'est mis en tentant de la prostituer à Bordeaux, dans les conditions morales où elle s'était mise en s'abandonnant à son amour pour Damien, cette minute devait définitivement lui apparaître comme une heure fatidique, marquée par un destin impitoyable contre lequel il était vain de lutter.

— Je t'attendais, dit Richard. Je savais bien que tu finirais par venir ici.

— Mais... commence-t-elle.

— Oui, tu me croyais loin sur les mers ? C'était plus commode pour toi, hé ? Quand tu m'as eu lâché à Bordeaux...

— Si je suis partie, dit Marguerite, tu sais bien...

— Je sais bien que c'est à cause de ta feignantise.

— Ma feignantise ? Pour le genre de travail que tu voulais que je fasse...

— Qué travail ? crie Richard. Qu'est-ce que tu as cru comprendre, imbécile ?

— Taisez-vous, commande Mme Falconnet, les gens vont

vous entendre et Marguerite a pas seulement embrassé sa fille.

— Ma fille belle ! dit Marguerite tendrement.

Et elle tend les bras. Mais l'enfant, effrayée par ce brusque tapage, se serre contre sa grand-mère et bégaye des paroles larmoyantes :

— Je veux pas... Je veux pas... Je veux ma mémé !

— Ma Vincente ! supplie Marguerite.

Elle tente de saisir le petit corps, mais il lui résiste et se refuse.

— Laisse-la, dit Mme Falconnet, elle a eu peur. Je vais l'envoyer jouer chez la voisine. Ça la distraira. Après elle te verra plus calme et tu pourras l'embrasser.

Elle quitte la chambre avec Vincente. Marguerite est tombée assise sur une chaise. Elle pleure à petits sanglots nerveux : Richard s'approche d'elle et la prend aux épaules :

— Imbécile ! redit-il. Tu as pas compris où était ton intérêt. Et tu te figures pas que j'allais raconter ça à ma mère ? Oublie pas qu'y faut qu'elle nous aide. Tiens ta langue. Nous avons plus rien. Nous repartons à zéro, tu comprends ?

Marguerite se redresse et retrouve de l'audace :

— Moi, j'aime mieux te le dire, Richard, je veux plus rester avec toi. Mais, ces combinaisons, j'en ai assez ! Je suis capable de gagner ma vie et celle des enfants...

— Ah oui ? Et à quoi ? coupe Richard.

— Je peux rester ici avec ta mère, à vendre des herbes, nous nous entendons bien. Ou j'irai me placer à Draguignan...

Richard ne bouge pas. Elle s'enhardit.

— Toi tu as que de repartir où tu étais, avec ton Pablo, ta Calandre, ton Espérance. C'est des gens pour toi, c'est ce qu'y te faut ! Maintenant j'ai compris, comme tu dis. Mon genre, ça fait pas ton affaire, moi je veux pas qu'on me vende, moi, n'est-ce pas...

Elle s'arrête net. Le visage qui lui fait face est si affreux que sa voix lui reste dans la gorge. C'est celui d'une telle cruauté souriante, d'une telle certitude dans la mauvaise réussite que devant lui les paroles meurent d'elles-mêmes.

— Toi, dit Richard, d'une voix nonchalante, est-ce que je t'ai demandé ton avis ?

En même temps, il lui tord le poignet. Elle crie vers sa belle-mère qui rentre :

— Mémé !

— Te désole pas, ma fille ! conseille paisiblement Mme Falconnet, tout à l'heure tu auras ta Vincente et demain tu repartiras avec ton mari à Toulon. Rangez-vous tous les deux, va ! C'est ce qu'y a de mieux. Et puisque Richard a un bon travail…

— Ah oui ? demande machinalement Marguerite.

— Y t'a pas dit ? Son ancien contremaître a ouvert un atelier et y le prend avec lui : Nestor.

— Nestor ? répète Marguerite.

— Oui, confirme Richard, un genre de serrurerie où y travaille la tôle et la fonte. Alors y me prend comme ouvrier. Ça va aller fort. Et lui y sera pensionnaire chez nous, tout ça, c'est arrangé d'avance.

— Et où on habitera ? dit Marguerite abrutie.

— A Toulon. Où tu veux qu'on habite ? Du côté de Lagoubran. On sera bien tranquille.

— Tu vois, confirme Mme Falconnet, vous serez bien tranquilles. Richard se tiendra à son ouvrage, n'est-ce pas ?

— Bien sûr, dit Richard.

— Vous prendrez vos deux petits avec vous et tout marchera d'aplomb, pas vrai ?

— Oui, dit Richard. Seulement pour commencer, y nous faudra un peu d'argent. Après, Nestor en donnera, mais on peut pas le faire payer d'avance. Ce serait pas correct.

— Qu'est-ce qu'y vous faudrait ? demande sa mère.

— Dans les cent cinquante, compte Richard.

— Je te les prêterai, mais quand ça ira bien tu me les rendras, hé ?

— Naturellement ! dit Richard.

Mme Falconnet pousse Marguerite vers son mari.

— Allez, embrassez-vous, va ! Ça vaut mieux d'être d'accord.

On ramène Vincente qui les embrasse tous les deux. La roue a tourné, elle commence à écraser de la chair humaine.

*

« Cette fois, pas d'histoires ! » a dit Richard. Marguerite a compris. Ça ne sert à rien de faire des histoires. « Où que tu ailles, a encore dit Richard, je te retrouverai toujours. » « Où que tu ailles, pense-t-elle, c'est du pareil au même. Ce cœur, quelle chiennerie ! » Alors c'est inutile de se révolter, tout est inutile, il n'y a qu'à céder. Maintenant, elle habite rue des Rameurs, quartier de Lagoubran, à la sortie de la ville, dans une énorme maison poussiéreuse, à prétention élégante par sa porte d'entrée et ses balcons. Leur appartement est au rez-de-chaussée avec une sortie sur la cour. Il y a la cuisine, une chambre, un étroit salon et la chambre de Nestor Mangiagari. Les meubles sont à lui, il est fier d'avoir eu même de quoi garnir le salon d'un canapé ancien en velours rouge, avec les deux fauteuils assortis et d'une table ronde ornée d'un tapis à franges.

— Je sais que vous me soignerez tout ça, madame Marguerite !

— Appelle-la Margot, dit Richard, puisqu'on est pour habiter ensemble.

Mais Marguerite ne soigne rien, laisse la poussière au dossier rond du canapé et ne secoue pas le tapis à franges. Elle n'a plus de goût au ménage, elle est triste, elle se sent écrasée par la roue, elle a écrit à Damien : « Adieu, c'était trop beau, alors c'était pas possible. Cherche pas à me revoir. Y a plus rien à faire. » Elle s'assied contre la fenêtre de la cuisine d'où on voit passer les trains dans le fond du paysage. Elle pense qu'une fois elle en a pris un, au bout duquel il y avait Damien, mais maintenant jamais plus il y sera, alors les trains ça sert à rien de les regarder passer.

Richard, dès la première nuit, l'a reprise dans ses bras, l'a reprise contre son corps, l'a reprise enfin... Mais elle ne s'est pas donnée, la joie n'est pas venue, elle ne peut pas oublier. Après quinze jours de cohabitation, Richard retrouve l'habitude de sortir le soir, tandis que Nestor reste là et recommence sa traîtreuse emprise. Il semble à Marguerite qu'une de ces grasses et larges limaces sans coquille se traîne sur elle et l'englue de bave, comme elles font pour les herbes des prés. Mais ça finit par être doux parce qu'à part ça, il n'y a rien d'autre.

Quand elle donne la soupette à Faustin que la fermière a rendu en soupirant, tandis que Vincente a fait une scène pour rester chez sa grand-mère où finalement on l'a laissée, ce n'est pas Richard qui couche le petit dans son berceau, c'est Nestor. Il dit :

— Là... là... Maintenant y faut dormir, nistounet !

C'est lui qui reste assis ensuite auprès de Marguerite :

— Margot, tu es toujours plus que charmante...

Lui il est toujours aussi laid, mais généreux. Ne voulant pas accepter d'argent pour le loyer, payant sa pension, apportant des coquillages, des fruits ou des gâteaux. « Sinon, se demande Marguerite, comment on se débrouillerait ? » Elle n'a pas besoin que Nestor lui apprenne que Richard demeure un mauvais ouvrier, fainéant, bagarreur, un de ces « m'an fa tort ! » comme ont été baptisés ceux de l'Arsenal, parce qu'ils sont toujours à se plaindre aux uns et aux autres « qu'on leur a fait tort ». Après quoi, ils mettent la casquette en arrière sur la houppe de cheveux frisés et ils vident sec le verre de pastis. Oui, il n'y a pas de doute que c'est pour plaire à la femme que Nestor garde le mari et leur permet de vivre. Marguerite l'a compris et elle sait que toutes ces gentillesses il faudra les payer, que c'est avec son corps qu'elle les payera, qu'elle retarde le plus possible, mais qu'il faudra y arriver. Et Richard aussi doit le savoir, puisque c'est avec une sorte de discrétion respectueuse que, presque tous les soirs, il la laisse seule avec Nestor. Parfois, elle a une révolte contre la marche des événements. Elle se dit qu'elle devrait être plus courageuse, faire son paquet un moment où les deux hommes sont dehors, emporter son petit, prendre un train vers n'importe où, vers un endroit où Richard ne la trouverait plus. Mais d'avance, elle comprend qu'il n'y en a pas un, d'endroit, où elle aurait la paix... Chez la mère Falconnet, avec sa Vincente et son Faustin, dans cette odeur d'herbes sèches et cet air campagnard, là oui, elle serait bien. Et ce refuge lui est interdit. Le lendemain, Richard serait là et il la reprendrait. Avec des gifles ou avec des caresses, il la reprendrait... Et la belle-mère, à qui jamais elle n'osera avouer toute la vérité parce qu'elle est la mère et que ça lui crèverait le cœur, la belle-mère conseillera toujours de retourner avec le mari. Alors ? Ailleurs ? Où ça ailleurs ? On ne peut pas partir sur les routes comme ça au hasard, avec un petit qui tout juste envoie les pieds pour marcher. Qui les aiderait ? Qui ? Damien ? Où il est celui-là ? Qui sait ce qu'il est devenu ? La dernière fois où elle a eu des nouvelles, par un métayer de Salernes qui connaissait le château de Vallomber, ce garçon a dit : « Bâri ? Il est parti tout de suite après les vendanges. » Va chercher où ? C'est sa faute. Elle lui a donné, par cette lettre dure, un congé irrévocable. Y aurait eu cet homme à visage sérieux et bon qui l'a sauvée à Bordeaux, mais elle ne sait ni son nom ni son adresse. « Je suis pasteur », il a dit. Pasteur ? Y en a des pasteurs sur terre ! C'est comme des curés. Ce n'est pas suffisant pour le trouver. Alors ? Eh bien, alors il n'y a rien. Il n'y a personne. Il y a elle, en lutte avec ses instincts, elle toute seule et ses jeunes appétits.

Elle a envie d'une robe, elle n'ose pas en parler. Il n'y a

jamais d'argent à la maison, sauf celui que donne Nestor. Richard mange en ville à midi, dans un bar, rue de la Fraternité, prétendant que Lagoubran est trop éloigné de l'atelier pour y venir déjeuner. Mais s'il se tenait à l'atelier seulement ? Nestor ne dissimule pas à Marguerite qu'il n'est pas assidu à son travail.

— Tu as mal encapé, dit-il, c'est un pantayaïre !

Un pantayaïre, un de ces incapables qui pantayent, qui paressent toute la journée, qui fument et bâillent devant les outils au lieu de les prendre courageusement en main, voilà ce qu'il est, Richard Falconnet, son mari et père de ses deux enfants. « Dieu merci, arrive-t-elle à songer maintenant, que les autres n'aient pas vécu ! »

Elle a envie d'une robe. La saison a changé et la femme qui ne change pas de robe avec la saison se sent frustrée de quelque chose. Elle arrive à parler de ce tissu fond bleu vif, tout parsemé de corolles rouges, roses et jaunes... On croirait une prairie qui a fleuri dans le ciel.

— Je me la ferai moi-même, dit-elle. La voisine qui sait couper, m'aidera. Ça reviendrait pas cher...

— Pour ce que tu sors, répond Richard, tu as guère besoin de robe neuve.

Elle soupire. Quand ils sont seuls le soir, Nestor demande :

— Combien y coûte ce tissu ?

— Qué tissu ? réplique Marguerite qui ne pense qu'à ça.

— Ton machin bleu avec les fleurs ?

— Ah ? Y coûte deux francs quatre-vingt-quinze le mètre.

Elle soupire encore :

— Il est cher, mais il est beau !

— Y t'en faudrait combien ?

— Trois mètres au plus juste. Plutôt trois mètres cinquante si je fais les manches longues...

— Tiens, dit Nestor, voilà douze francs. Prends-toi les quatre mètres que tu la rates pas.

Marguerite reste saisie. Elle regarde dans le creux de sa main la petite pièce de dix francs en or et la pièce de quarante sous en argent.

— Je sais pas quand je pourrai vous le rendre.

— Jamais, dit Nestor en riant. Je te demande pas de me le rendre. Je t'en fais cadeau.

Il lui ferme les doigts sur l'argent pendant qu'elle hésite encore, déchirée entre son scrupule et son gros désir. Mais l'homme ne pousse pas plus loin sa victoire.

— Je te vois contente, conclut-il, ça me suffit. Je vais me coucher, à demain.

Il sort et elle l'entend fermer la porte de sa chambre. Elle se couche aussi, en pensant avec ivresse que le lendemain, dès qu'elle aura fini son ménage, elle ira acheter le tissu.

Et le jour où la robe est finie, où Marguerite la met, un dimanche, c'est encore de Nestor que lui vient le compliment :

— Hé, ma fille, tu as l'air d'une princesse ! Pas vrai, Richard ?

— Ça va, consent-il. Je trouve que la jupe est trop longue.

— Oh non ! dit Marguerite, on les fait comme ça.

— Les hommes aiment de voir les mollets.

— C'est pas tant nécessaire, dit Nestor. Je te paye le café et la fine aux Ambassadeurs. Tu seras la plus belle. Tu en es, Richard ?

— J'ai rendez-vous avec un collègue et je resterai avec lui tout le soir, dit Richard.

— Hé bien, nous se passerons de toi, dit Nestor.

Ils partent tous les deux. La voisine couturière garde Faustin. Nestor éclate d'orgueil :

— Nous semblons des nôvis !

Marguerite rit, fière de se sentir admirée. L'homme lui serre le bras et lui chauffe l'oreille d'une voix fiévreuse :

— Si tu voulais, ce soir, nous en serions, des nôvis...

Nous serons seuls et je viens fou à force d'avoir envie de toi...

— Soyez brave, dit Marguerite, tenez-vous tranquille...

— Comment tu veux que je sois tranquille près de toi, que tu es si belle et que je suis dans le feu...

Il y a le port où dansent les barques blanches, il y a les marins en bordée, il y a le café et le petit verre de fine qui chauffent le cerveau, il y a ce regard goulu, toujours fixé sur le même objet : ce corps féminin, doux et moite sous la jolie robe neuve. Marguerite sent que sa raison chavire :

— Viens, lui murmure l'homme, avec une ardeur têtue. Rentrons à la maison. Je t'en supplie...

— Pas encore... souffle-t-elle doucement.

— Si ! Si ! J'en peux plus...

Il paye, il fait signe à une voiture. A l'oreille du cocher, il commande :

— Et vite !

Le cheval traverse Toulon, prend l'avenue du Lagoubran, Nestor aide Marguerite à descendre. Dans le couloir déjà, il l'enlace. Il ouvre la porte sans lâcher sa conquête. Il la pousse et l'entraîne à travers l'obscurité de la cuisine jusqu'à sa chambre. Elle veut se défendre, mais déjà elle est tombée à la renverse sur le lit, avec tout le poids brûlant et dur de l'homme sur elle.

Elle tourne la tête pour ne pas sentir, dans sa bouche, le souffle chaud qui la parcourt. Elle met le bras sur son visage et elle se laisse faire, car toutes ces gentillesses, n'est-ce pas, elle savait bien qu'il faudrait finir par les payer...

*

Plus tard, elle ouvre les yeux. Nestor, vautré à côté d'elle, s'est endormi. Elle se laisse glisser du lit, posément, elle sort de la chambre, elle range ses jupes (et la jolie robe neuve est toute froissée, alors elle l'enlève et va la pendre dans le placard).

Elle prend de l'eau dans sa main à la cruche, mouille son visage enflammé, lisse ses cheveux, puis elle va frapper chez la voisine :

— Bonsoir, je suis rentrée, je viens vous reprendre le petit.

— Il dort, dit la femme. Il a mangé sa soupette.

— Je vais le coucher. Merci bien.

Elle entre dans sa chambre à elle et met l'enfant dans le berceau. Puis, doucement, en évitant tout choc, elle se déshabille dans le noir et se coule entre les draps frais à sa peau surchauffée. Elle entend sonner huit heures. Elle se demande quand est-ce que Richard rentrera ? Il a prévenu que ce serait tard... Soudain, Marguerite souffle comme si elle se trouvait devant un monstre. Elle est éclairée par une lumière rouge et brutale. Elle comprend : Richard l'a fait exprès ! Elle se laisse retomber sur son traversin et tout à coup, elle se sent glacée comme une morte : Richard l'a fait exprès ! Richard l'a laissée seule pour qu'elle couche avec Nestor ! Et de cette certitude une autre jaillit, se rapportant à cette première fois, déjà ancienne, où le contremaître était venu manger chez eux et où Richard les avait déjà laissés seuls ; cette fois où il l'avait traitée d'imbécile parce qu'elle se plaignait à lui, dans sa peur de ce Nestor qui s'était jeté sur elle. Du premier jour alors, il a voulu la vendre ? Du premier jour ? Et c'est pour ça qu'elle a tout sacrifié ? Père, mère, maison, honneur... C'est pour cette saleté d'homme qui lui faisait croire qu'il l'aimait ? C'est avec ça qu'elle a eu ces deux enfants, qui maintenant porteront son nom, le nom d'un menteur ! D'un voleur ! D'un type qui a fait de la prison et qui cherche à vendre sa femme ? « Vincente Falconnet, Faustin Falconnet », voilà le nom qu'ils traîneront toute leur vie. Et elle, Guitte Desmichels, la fille du maître de la Guirande, la fille de ce Firmin Desmichels dont le nom est honoré de Signes à la

Farlède, voilà ce qu'elle est devenue à présent : une femme qui se couche pour payer une robe ! Quatre mètres de tissu à deux francs quatre-vingt-quinze : « J'ai envie de toi, laisse-toi faire. » Le mari est au bar ou qui sait où, à jouer aux cartes, à se frotter après Gianella ou n'importe quelle putain ; le petit est chez la voisine, la petite chez la grand-mère et elle, Marguerite, elle est à la renverse sur le lit de Nestor Mangiagari, abandonnée à un désir qu'elle ne partage pas. « Comme avec Damien, elle pense. Ça m'en fait déjà deux. Avec mon mari, ça fait trois hommes avec qui je me suis laissée aller... Mais Damien, c'est pas pareil, lui je l'aimais. Oh mon Dieu, s'il avait répondu à ma lettre ! « Bâri ? a dit le métayer de Salernes, il est parti après les vendanges. » Après les vendanges et qui sait où ? Elle ne saura jamais où. Elle ne le verra jamais plus. Alors ? Alors ? Qu'est-ce qu'elle va faire maintenant ? Elle va continuer une vie comme ça ? Avec Nestor ? Avec Richard ? Avec n'importe qui, puisqu'elle en est capable ? Pour une gentillesse, pour une robe, pour douze francs ? Une petite pièce en or, une grosse en argent... Comme Calandre alors ? Comme Marie-José ? Comme Espérance ?

« Et pourquoi pas après tout ? Les autres le font bien ! C'est le plus facile pour les femmes. Ça vous use moins vite que les lessives, le ménage et soigner les petits. Avec Richard, j'arriverai jamais à rien. Nestor est sérieux, lui, généreux, il me laissera jamais dans l'ennui. Il est laid, mais j'ai qu'à fermer les yeux. Après tout, à ce moment-là, tous les hommes se ressemblent. Je l'aime pas, c'est vrai. J'ai aimé Richard à la folie, j'ai aimé Damien, mais lui... »

Un bruit derrière la porte coupe net sa pensée : « Ce serait Richard ? » Non, c'est Nestor. Il s'est réveillé, il s'est levé, il fait lentement tourner la poignée de porcelaine blanche :

— Tu dors ?

Elle ne bouge pas. Il s'approche :

— Tu dors ? Chérie, dit-il, chérie..

Il tire le drap qui couvre les épaules. Il envoie les mains vers les beaux fruits pleins de chair de la jeune poitrine, il roule dessus sa face qu'à nouveau le désir congestionne.

— Oh… grogne-t-elle en le repoussant, vous m'avez réveillée !

— Chérie… murmure-t-il encore en approchant sa bouche.

— Oh, écoutez, dit-elle, je suis fatiguée. Laissez-moi un peu tranquille.

— Dis-moi tu, soupire-t-il, dis-moi tu ! Je suis ton amant maintenant, tu dois me tutoyer. Laisse-moi me coucher avec toi…

— Vous êtes fou ! Et Richard, s'y rentre ?

Il la fixe en ricanant :

— Richard ! Tu y comptes toujours ? Laisse-moi rire ! Tu crois qu'y le sait pas, ton Richard, ce que nous faisons ensemble ? Tu comprends pas que c'est lui qui a tout combiné pour que ça marche ?

— Taisez-vous, taisez-vous… dit-elle d'une voix qui siffle entre ses lèvres.

— Tu comprends pas que c'est un fainéant, un bon à rien, un voyou ? Que c'est pour t'avoir toi, que je l'ai pris comme ouvrier ? Que sa semaine, il est incapable de la gagner ? Et toi tu es si jolie, tu me plais tant… Si tu veux, écoute, nous partirons ensemble, tu veux ? Nous prendrons tes petits, un jour nous nous marierons, tu veux, tu veux ?

Il l'a saisie aux épaules, elle sent contre sa peau ce nez à couleur d'aubergine, cette épaisse bouche humide, elle voit ces mains qui la tiennent prisonnière :

— Non non ! elle crie. Je veux pas ! Laissez-moi dormir.

Il se redresse, surpris de cette violence. Il grommelle d'un ton assourdi :

— Ça va, ça va, te mets pas en colère… Tu es fatiguée ce soir ?

— Oui, dit-elle.

— Demain, alors, hé ? Demain après-midi nous serons seuls, hé ?

— C'est ça... dit-elle libérée. Demain.

— Dis-moi que tu m'aimes !

— Oui.

— Non. Dis-moi : « Je t'aime. »

— Oh !

— Dis-moi « je t'aime » et je te laisserai tranquille.

— Je t'aime, là !

— Dis-moi « mon chéri ».

— Mon chéri.

— Serre-toi bien contre moi en me disant : « Mon chéri. »

— Oh... soupire-t-elle encore excédée.

— Serre-moi, dis-moi que tu me voudrais, que tu as envie de moi.

— Je suis fatiguée.

— Dis-moi : « Mon beau chéri je t'aime, mais je suis fatiguée. »

— Je t'aime mon beau chéri, mais je suis fatiguée.

— Ah, je suis fou de toi ! Alors demain, hé ?

— Oui, dit-elle, demain.

— Bonne nuit, souffle-t-il.

Elle sent, sur ses lèvres, s'appuyer cette grosse bouche molle, elle entend la porte se fermer, les pas décroître dans le couloir. Alors elle tourne d'un bond son corps à l'autre bout du lit, elle jette ses poings crispés en l'air, elle se cambre dans un énervement convulsif, elle bat son traversin, puis elle se laisse aller en avant, comme un bloc, sur le matelas et elle s'abandonne à ses sanglots : « C'est pas ça, gémit-elle en elle-même, c'est pas ça que j'aurais voulu... »

VI

Il faut croire qu'on prend l'habitude de tout. La belle pierre, dans la colline, est nue et lisse. Un jour, parce que plus haut, vers le sommet, on a arraché des arbres, parce que les gros orages de printemps ont détaché les roches de leurs alvéoles, faisant s'effondrer tout autour les talus naturels, détruisant le placage serré des racines de prêles et de coudriers, l'eau des pluies s'infiltre dans la terre ameublie, se fait un chemin têtu et vient se déverser, goutte à goutte, sur la pierre lisse. Et elle la creuse. Patiemment, patiemment, elle attaque la pierre granitique qui paraît tellement inattaquable, si dure, si homogène. Elle y fait d'abord une piqûre d'épingle avec le foret aigu de sa première goutte. La pierre doit sentir en elle le tremblement des grands cataclysmes. La seconde goutte tombe, l'autre, l'autre, puis c'est le ruissellement régulier et à chaque choc, la pierre s'effrite un peu plus, se défait, se désagrège. Cependant, elle continue à être une pierre, bien qu'elle soit en train de se détruire irrémédiablement.

Marguerite ne met plus son bras sur les yeux quand elle fait l'amour avec Nestor. Elle ne pleure plus ensuite. Et aussi bien, deux heures plus tard, et sans remords, elle fait l'amour avec Richard. Et voilà que quelque trois mois plus tard, elle fait l'amour avec le mari de sa voisine, cette couturière maigre et fanée qui lui garde souvent Faustin.

C'est arrivé assez simplement, un soir chez cette Mme Delanglade dont le mari, Léopold, était là, à cause d'un chômage dans son travail de mécanicien. Mme Delanglade ayant été obligée d'aller livrer une robe de mariée au diable, dans une villa du cap Brun, Marguerite, par réciprocité de gentillesse, lui a offert de surveiller le repas du mari. Et c'est en le servant qu'elle s'est aperçue que ce bel homme, solide et sanguin, la suivait des yeux avec convoitise. Et puis, tout à coup, il l'a attirée contre lui au passage et il lui a imposé sa bouche. Ensuite, tout le reste a été si vite fait qu'elle n'a pas eu le temps de refuser. Après quoi il l'a regardée avec un sourire gaillard, il a tiré de sa poche une pièce de cinq francs et il la lui a donnée. Elle a pris l'argent avec le reste, tandis qu'il lui soufflait à voix basse :

— Quand tu voudras, nous recommencerons.

Avec les cent sous, elle s'est acheté une paire de boucles d'oreilles en simili or avec trois petites pierres rouges qui dansent en pampilles au long de sa joue duvetée.

Richard n'a pas eu l'air de les voir, mais Nestor a demandé dès qu'ils ont été seuls :

— Où as-tu eu ça ?

— Je les ai trouvées dans la rue, a-t-elle dit.

— Ah oui ?

— Oui. Et regarde le hasard : j'ai vu la broche assortie au *Grand Bazar du port.* Elle est jolie. Elle coûte deux francs soixante et quinze. Elle a six petites pierres rouges autour d'une perle. Ça fait comme une fleur. Ça irait bien avec les boucles.

Nestor garde le silence. Alors elle jette ses doux bras blancs autour du cou sec et nerveux de coq maigre.

— Si tu étais brave…

Elle serre un peu ses bras, les deux têtes se touchent :

— Hé ben, quoi ? demande Nestor avec malice.

— Hé ben, tu me l'achèterais !

— Toi, dit-il, tu as vite fait ! Je t'ai payé la robe bleue, après ç'a été l'écharpe en mousseline blanche…

— Y fallait que je me gèle, le soir ?

— Non, mais enfin, maintenant, c'est la broche et tout ce que je te donne pour le ménage et quand nous sortons, tous les verres que je te paye ?

— Pour quatre quinquinas ! boude Marguerite.

— Quatre quinquinas ? Et le chêchou ! Toi, tu te rends pas compte.

— Si tu m'aimais…

— Ça a rien à faire avec. Y faut pas abuser.

Ils se taisaient tous deux. Marguerite a dénoué ses bras et va s'appuyer contre la fenêtre. Quelques minutes après ce silence qu'emplit seul le bruit d'une grosse mouche noire bourdonnant sur la vitre, Nestor se lève, s'approche, écrase la mouche du poids de son gros pouce où l'ongle est écaillé, puis risque une main vers la rondeur de hanche de Marguerite :

— Margot… dit-il.

— Oui ?

— Tu es fâchée ?

— Non.

— Viens alors.

— Où ?

— Dans ma chambre. On a le temps. Richard rentrera qu'à la nuit.

— Le temps de quoi ?

— Tu sais bien…

— Non.

— Allez ! Fais pas la nigaude. Viens vite.

— Oh ! dit-elle avec un claquement de lèvres nerveux.

— Oh quoi ?

— Toi, tu penses toujours qu'à cette chose ! Moi, je suis agacée.

— Agacée de quoi ?

— Hé, d'être là, de perdre mon temps, ma jeunesse,

tout ! D'être avec un homme qui m'aime plus, avec un autre qui me refuse tout...

— Moi ? Moi ? Je te refuse tout ?

— Oui. Pour une malheureuse broche, tu fais des histoires. Et moi si je voulais, j'en trouverais des autres pour me payer des robes et des bijoux avec des pierres rouges et des vertes et de toutes les couleurs ! Pour être trop sérieuse...

— C'est ça qui me plaît que tu sois sérieuse...

— Ah oui ? Hé ben, moi à la fin ça me plaît plus. J'en ai assez ! Je me rends compte que je suis une imbécile, c'est tout !

— Allez ! Dis pas des bêtises. Viens vite dans la chambre.

— Non.

— Tu veux pas venir ?

— Non ?

— Pourquoi ?

— Tu le sais.

Nestor réfléchit pesamment. Enfin il sort son vieux porte-monnaie de cuir sale et bouffi, il en tire trois francs :

— Tiens, achète-toi ta broche, dit-il.

Marguerite se retourne vers lui d'un seul coup, elle lui remet les bras sur les épaules, elle frotte sa bouche contre le nez en aubergine, elle sourit à sa victoire, elle s'exclame joyeusement :

— Ah, tu es gentil !

— Viens vite dans la chambre, redit Nestor.

Elle va dans la chambre, payer la broche sur le lit.

*

Ce Léopold Delanglade n'est pas un jaloux dans le genre de Nestor. Il a couché une dizaine de fois avec Marguerite, quand un jour il lui dit :

— Viens me rejoindre au *Bar de la Rade,* je te présenterai à un ami que tu lui as tapé dans l'œil.

Elle y va. D'abord on lui fait boire deux quinquinas et un pernod. Tout de suite ça égaie, ça vous présente les choses du bon côté. L'ami, c'est un gros bouclier, court sur pattes, écarlate de visage, avec des yeux porcins et d'énormes mains poilues.

— Voilà notre belle Margot ! dit Léopold.

— Je suis content de vous connaître, dit le boucher. Y a longtemps que je vous vois passer...

— Il a le magasin sur la place de la République, juste au coin, précisa Léopold. Tu sais, ce grand magasin peint en rouge ?

— Ah oui, je vois ! dit Marguerite.

— Il a des sous, tu sais ! Tu peux le faire cracher !

Léopold, le boucher et Marguerite rient ensemble tandis que la dure main poilue s'appuie sur une hanche ronde où plaque la robe.

— Tu m'as plu tout de suite, susurre le boucher. Je te donnerai un beau gigot, si tu viens me voir.

Marguerite rit, le boucher lui pince la cuisse :

— J'aime les filles un peu grasses, précise-t-il.

— Je vois que vous êtes d'accord, constate Léopold. Alors je vous laisse, qué Célestin ?

Il fait un salut familier avec quatre doigts en l'air et il s'en va.

— Je m'appelle Célestin, dit le boucher à Marguerite. Quand est-ce que tu viendras ?

— Quand vous voudrez.

— Viens ce soir, vers les huit heures. Le magasin est fermé, ma femme monte à la campagne avec mes petits, nous serons tranquilles. Tu as que de passer par la ruelle, tu entreras par la petite porte, droit dans la pièce de derrière. Je t'attendrai.

— Bon...

— Tu es bien foutue, ajouta-t-il. Tu es vive. Tu es vivette comme une anguille ! Tu me plais.

Marguerite rit de ces manières.

— Je te mettrai de côté un gros gigot, propose-t-il. Et une cervelle de bœuf, hé ? Tu les aimes, les cervelles ?

— J'aime mieux les jolies robes, dit Marguerite.

— L'un empêche pas l'autre, promet Célestin qui s'enflamme au contact de ce corps rond et frais. Tu prends encore un verre ? Allez ! Prends encore un verre.

— Un porto alors, dit Marguerite.

« Un porto », elle trouve que ça fait distingué. Puis ils parlent encore un peu et Célestin lui serre la cuisse entre ses jambes. Enfin ils se quittent en disant à ce soir.

Et le soir, elle connaît l'ardeur de ce gros homme haletant, dans l'arrière-boutique de la boucherie. La sciure est rouge par endroits d'absorber les flaques de sang, une moitié d'agneau laisse pendre lamentablement sa demi-tête où les dents ont entamé la langue dans le dernier respir de l'agonie ; un cœur de bœuf est une chose monstrueuse vernie d'écarlate, avec ses blancs tuyaux coupés où restent des caillots noirs. Célestin a calé Marguerite contre une table de marbre et il s'acharne sur elle comme si le plaisir lui était un énorme travail.

Marguerite se laisse faire, indifférente, sans joie ni peine, dégoûtée seulement de l'odeur fade de la viande autour d'elle. Ensuite, Célestin essuie son visage suant et dit : « Attends. » Il passe dans un couloir au fond. Elle comprend qu'il va chercher le gigot. Elle se redresse, rabat ses jupes et entre dans le magasin. A la lueur d'une ampoule jaune, elle voit sur la caisse un épais portefeuille tout ouvert. Des billets bleus en sortent, elle en tire un de cinquante francs et le glisse vite dans son corsage. Elle est revenue près de la table de marbre quand Célestin apporte le gigot.

— Tiens, je le tenais dans la glacière. Il est beau, qué ? Tu es contente ?

— Merci bien, dit Marguerite.
— Et té, pour te prouver comme tu me plais, voilà dix francs ! Achète-toi ce qui te fera plaisir.
— Merci bien, dit Marguerite.
— Tu as été heureuse ? lui souffle l'homme contre la figure.
— Oui... dit-elle à voix basse, comme si elle avait honte.
Mais elle n'a pas honte. Elle pense seulement : « Quel avarasse ! Dix francs... Alors si j'y avais pas chapardé le reste, c'est tout ce que j'aurais eu, avec le gigot ? Hé ben, merci ! »
— Tu reviendras ? demande-t-il, en la cognant contre la porte, tandis qu'elle se débat en roulant des hanches.
— Bien sûr, dit-elle.
— Vivette, va ! Tu es toute vive ! Toute vive ! Quand, tu reviendras ?
— Quand tu voudras.
— Je te ferai signe. Demain, si ça t'a plu ?
— C'est ça, dit-elle.
Et elle se sauve en riant de son triomphe.

*

Le gigot était excellent :
— Ça oui, c'est de la viande ! apprécie Richard.
— Il est tendre, dit Nestor, je reconnais.
Nestor est triste. Il sent que Marguerite change. Un jour en rentrant, il l'a trouvée dans le recoin de l'escalier, avec le voisin collé contre elle. Il a fait des reproches :
— C'est un genre que ça me plaît pas beaucoup.
— Oh pour ça ? riposte Marguerite. On rigolait, on est collègues !
— C'est pas une raison. Et pourquoi tous les soirs, tu vas à la boucherie, maintenant ?
— Pour chercher de la viande.
— Tu peux pas y aller comme tout le monde, le matin ?

— Y me choisit les meilleurs morceaux.

— C'est pas clair, dit Nestor. Il a l'air d'un salaud, ce Célestin. Tu sais me trompe pas, parce que autrement...

— Oh, tu m'embêtes ! dit Marguerite. Si je t'écoutais, tu me tiendrais sous clé.

— Je t'aime moi, tu comprends ?

— Oui. En attendant y a quinze jours que tu dois m'acheter les bottines jaunes et tu me les fais soupirer !

— Elles sont chères... réfléchit Nestor.

— Écoute, donne-moi dix francs, ça me suffira. Dix francs, c'est pas beaucoup ?

— Tu m'as dit qu'elles en coûtaient vingt-cinq.

— Hé non, pas vingt-cinq. Dix ! Quinze, tiens, voilà la vérité ! Mais pour les cent sous, je me débrouillerai.

— Comment ?

— Je les ai mis de côté, dit-elle.

Il lui donne dix francs. Le soir, elle demande de l'argent à Léopold.

— Hé ben ! remarque-t-il, tu trouves pas moyen de faire cracher Célestin ? Il est rat ?

— Il est rat, mais quand même y les lâche. Je me suis acheté le manteau en satin noir.

— Y te va bien.

— Oui, mais j'ai plus le sou. Et les bottines, c'est trente francs qu'elles coûtent, pas quinze !

Léopold calcule :

— Moi je suis fauché, mais attends... Tu es libre ce soir ? Seulement, vers le tard. Je sais un vieux, un ancien notaire, un client, qui m'a invité à boire au *Café français* et que toujours y me demande si je connais pas des belles filles ? Si tu veux y aller, y te lâchera au moins vingt francs...

— Tu crois ? réfléchit Marguerite.

— Oui.

— Rien que pour une fois ?

— Oui ? Et je crois pas qu'y te fasse beaucoup de mal ! rit Léopold.

Le lendemain, Marguerite dit à Nestor :

— Tu vois les bottines que tu m'as payées ? Elles sont bien, hé ?

— Oui, répond Nestor qui demeure sombre. Mais où tu étais hier au soir ? Je suis entré dans ta chambre, Faustin pleurait. Il était tout seul, il aurait pu tomber de son petit lit...

— Oh non ! proteste Marguerite. Tu as pas vu que je l'avais attaché aux barreaux, avec sa sangle ?

— Où tu étais ?

— Oh ben... nulle part ! J'étais allée me promener jusqu'à la route, puis je suis rentrée chez la pantalonnière du cent vingt-trois. Elle veillait sur son travail, je suis restée avec elle jusqu'à onze heures. Et voilà, c'est tout !

— Je t'ai cherchée...

— Tu deviens embêtant, tu sais ? Pire qu'un mari ! reproche Marguerite.

— Oh, ton mari... commence Nestor.

Puis il se tait et parce qu'il a dit ça, Marguerite se met à penser à Richard. C'est vrai que c'est mon mari et que c'est un drôle de mari ! Un si drôle de mari, qu'il a pour ainsi dire disparu de son existence. « Qu'est-ce qu'il fait ? se demande Marguerite. Qu'est-ce qu'il peut bien faire de tout ce temps qu'il passe hors de la maison ? Du matin au soir, et souvent la nuit. Et de sa femme, de son fils, il ne s'occupe pas plus que s'ils n'existaient pas. » Et tout à coup, comme si on venait de déchirer un voile devant elle, Marguerite voit ce qu'est devenu ce grand, ce bel amour, cet amour impérieux qui commandait tout, devant lequel tout disparaissait ! Elle regarde dans le passé de quelques années, cette jeune fille ardente et neuve qu'on appelait Guitte Desmichels, qui habitait au domaine de la Guirande, dans la vallée du Gapeau, qui avait un père, une mère, des frères, des sœurs, tandis qu'elle n'a plus de famille : des amies, alors qu'elle n'a plus d'amies : à laquelle un garçon faisait peur avant qu'elle ait rencontré

Richard... Que c'est loin tout ça ! Ce bal de Solliès où il l'enlevait joyeusement en l'air dans ses bras... Ce cannier au bord de l'eau où ils allaient cacher leurs caresses, où folle, elle écoutait leur sang battre aux artères... Que c'est loin ! Et puis est venue cette crainte terrible d'être enceinte et puis elle l'a été et, une nuit, elle a fui sa maison d'enfance, avec l'argent dans le mouchoir, pour courir vers Richard : « Y m'aimait, j'en suis sûre ! Y m'aimait, je me suis pas trompée. J'ai encore été heureuse quand j'ai eu Vincente, puis encore après, même après cette histoire de Gianella que je pouvais pas croire vraie. Jusqu'à la prison j'ai été heureuse ! Et même encore après, aux « Troènes », quand j'attendais Faustin.

C'est plus tard que tout a été fichu par terre... Maintenant, Richard s'est complètement détourné de moi. Et moi, qu'est-ce que j'ai ? Ce Nestor que je peux pas le souffrir, malgré son genre de générosité ; ce Delanglade qui me méprise et me passe à d'autres, ce boucher avec son odeur de viande crue et maintenant ce dernier, ce vieux notaire qui a un râtelier, qui m'a donné vingt francs comme un trésor et qui m'a dit : « Surtout, si tu me rencontres dans la rue, n'aie pas l'air de me reconnaître. Tu comprends, ma situation... »

Oui, j'ai pour ainsi dire pas de mari. Et des enfants, est-ce que j'en ai ? Ma fille me connaît presque plus. Je vais pas assez souvent la voir. J'ai peur des yeux de ma belle-mère... Et Faustin ? Y m'aimerait celui-là, mais avec cette vie que je mène à présent, y m'embarrasse. La couturière vient : « Mon Dieu, vous l'avez pas encore changé ? » Elle l'emporte. Elle a raison, je m'occupe plus de lui comme avant. Comment je suis devenue ? J'étais pas comme ça pourtant, au commencement de mon mariage. Plus rien m'intéresse. Mon ménage, je le néglige. La lessive, la cuisine, le marché, tout ça, ça vous fait les mains rêches, les ongles noirs. Ça me plaît plus. J'aurais des mains fines si je voulais et je saurais être élégante. J'en vois des moins jolies que moi qui font les dames. Alors, pourquoi je la ferais pas ? Richard, depuis l'histoire de Bordeaux, je l'aime plus. Et pourtant ? C'est peut-être lui qui avait raison quand il disait que j'étais une imbécile ? Pour être dame, y faut de l'argent. C'est pas en faisant des ménages à cinq sous de l'heure que j'achèterai toutes les jolies choses que j'en crève d'envie. Nestor les lâche au compte-gouttes. Au début, quand y voulait m'avoir, c'était des « Tiens ! » et des « Tiens ! ». Y sortait les pièces de cent sous quatre à la fois, maintenant qu'y m'a, c'est difficile à lui arracher comme une dent de l'œil. Alors y faut avoir les autres, tous ces autres, tous ces hommes, tous ces cochons… »

— Ton mari, dit Nestor, tu dois voir qu'y se soucie guère de toi ?

Marguerite avait oublié la présence de son interlocuteur, elle est tirée à nouveau près de lui comme par une ficelle :

— Oui, dit-elle. Justement dans moi, je me demandais qu'est-ce qu'y peut faire tout le jour ?

— Ah, soupire Nestor, j'ai bien peur que ce soit rien de bon ! Un de ces matins, nous allons nous voir arriver la police.

— Tu crois ? sursaute Marguerite. Et pourquoi ?

— Hé, tu sais, y vend, il achète, y signe des traites, y fait des affaires dangereuses. C'est mon premier ouvrier qui me l'a raconté. Avant-hier au soir, ton mari a voulu l'embarquer dans ses histoires.

— Y risque gros ?

— Un peu qu'y risque gros ! Surtout qu'il a déjà fait une fois de la préventive et une fois de la prison. Ce coup, y s'en colle pour au moins cinq ans.

Nestor hésite :

— Et moi… Y faut que je te le dise, je peux plus faire autrement : pour l'honneur de mon atelier, je dois le mettre à la porte.

Marguerite reste saisie. Malgré ses appréhensions, elle ne croyait pas que Richard en était là.

— Et que faire ? demande-t-elle.

— Y a rien à faire. Y veut pas comprendre. Tant pis, que veux-tu ! On le coffrera, tu feras ton divorce et nous nous marierons.

Un ton d'allégresse pointe dans la voix de Nestor.

— Ça non ! coupe Marguerite. Je t'ai toujours dit non.

— Et pourquoi ?

— Parce que..

Elle se reprend à penser : « Hé ben, merci ! Épouser celui-là, jaloux comme un Arabe ! Qui me ferait un petit tous les douze mois ! Qui me laisserait pas mettre le pied dehors sans lui ! Tyran, avare, casanier, tu peux bien aller au diable, mon vieux ! »

— Parce que je veux pas me remarier, achève-t-elle.

Nestor accuse le coup par un lourd silence.

— Et qu'est-ce que tu feras ?

— Rien. Je resterai seule. Je reprendrai mes petits.

— Tu vivras de quoi ?

— Oh, dit-elle en levant les épaules, on se débrouille toujours !

Le visage de Nestor se congestionne soudain à en devenir violet comme son nez. Il brandit en l'air ses larges mains aux veines saillantes. Il crie :

— Oui ! En faisant la pute, on se débrouille ! Tu crois que je te vois pas partir de travers ? Tu fais pas encore le mal peut-être, mais tu es prête à le faire, toute prête !

— Oh, tu m'embêtes ! dit tranquillement Marguerite. Je fais ce qui me plaît. C'est pas toi qui m'empêcheras.

— Ah non ? jette-t-il. Ah non ? Et si je te fous dehors de ma maison avec ton maquereau de mari et ton petit ? Hé ? Où tu iras alors, où tu iras ?

— J'en trouverai bien d'autres pour me prendre, répond Marguerite. Et d'abord s'il arrivait n'importe quoi à Richard, je m'en irais de chez vous, tout de suite... J'en ai pas besoin de vous, vous savez ?

Nestor demeure gelé avec ses grosses lèvres ouvertes sur ses dents cariées. Et il est si ému qu'il bégaye :

— Tu... tu... Alors tu m'ai-mai... mes pas plus que ça ?

— Je vous ai jamais dit que je vous aimais, sauf quand vous m'y avez obligée par force.

Ouf ! Il semble à Marguerite qu'elle a débarrassé sa poitrine d'un poids de cent kilos. Elle rit toute seule de la déception de l'homme. Elle sait bien qu'il est collé après elle par toute sa chair et qu'il ne se délivrera pas aussi facilement. Elle abuse de sa victoire :

— Qu'est-ce que vous voulez, continue-t-elle, pour obtenir quatre sous de vous, c'est la croix et la bannière ! Pour ces malheureuses bottines, tenez...

— Dis-moi tu ! ordonne Nestor.

— ... il a fallu que j'emprunte les sous ! Tu as cru faire le gros généreux de me donner dix francs sur vingt-cinq qu'elles m'ont coûté.

— Tu m'as dit quinze ?

— Bien forcée de mentir ! La vérité, elles m'ont coûté trente.

— Comment tu as fait ?

— Je te le dis ! J'ai emprunté vingt francs à la pantalonnière qui justement venait d'être payée. Et maintenant y faut les rendre. Tu crois que c'est agréable ?

— Trente francs ! Mais c'est bien cher ?

— C'était des bottines sur commande, tu comprends ? Tu as pas vu le laçage sur le côté ? Ça se fait que sur commande. C'est une cocotte de l'avenue des Palmiers, qu'après elle est tombée en deuil de sa mère. Alors, tu comprends, elle pouvait plus porter les bottines jaunes, alors elle a demandé au cordonnier de les lui vendre, parce que avec le voile de crêpe, tu comprends, les bottines jaunes...

— Tiens, dit Nestor. Voilà vingt francs, rembourse la pantalonnière.

— Oh non, puisque ça t'embête...

— Allez ! Prends ! Prends ! insiste Nestor.

Marguerite serre les doigts sur la belle pièce en or. « Qué couillon ! pense-t-elle. Y faut que j'aille vite voir à la rue d'Alger ce que je peux m'acheter avec ça. Y a bien le jupon de broché vieil or à grands volants, mais y coûte vingt-sept francs qui me manquent ? Y faudra que je vois quelqu'un autre… »

— Tu es contente cette fois ? demande Nestor.

— Oui, je vois que ça te fait plaisir que je paye ma dette.

— Sûrement. Et puis tu sais…

Il reprend à pleins bras le rond et tiède corps féminin et le serre contre lui :

— Tu sais, ce que je te disais, c'est la colère qui me faisait déparler. Jamais je te foutrai à la porte !

— Je le sais bien, dit Marguerite.

*

Deux semaines plus tard, Marguerite est dans sa cuisine, en train de se laver. C'est un dimanche matin. Elle a fait chauffer une grosse marmite d'eau et, l'ayant mélangée bouillante à de l'eau froide, elle s'est mise debout dans la lessiveuse et elle frotte à pleines mains savonneuses, son beau corps à peau blanche qui se marbre de rouge. Les seins ronds à pointes sensibles, toujours en avant quoi qu'on fasse, les bras ouatés à l'épaule de chair tendre et s'affinant en poignets minces jusqu'aux petites mains actives, les reins cambrés au-dessous de la taille bien creuse et les cuisses solidement campées sur les mollets durs et les pieds de rien du tout au bout de toutes ces courbes, les pieds d'enfant, aux doigts écartés les uns des autres ornés d'ongles roses et dont le talon se plante résolument au cœur même de la vie, tout ce corps de femme est une admirable réussite de la nature. Marguerite le sent, elle jouit de se trouver belle, de faire couler sur sa chair la caresse de l'eau et elle chante à plein gosier :

« C'est sous le ciel de l'Argentine,
Où la femme est toujours câline,
Qu'au son des musiques divines,
On danse le tan-go ! »

A cette minute, on frappe trois coups à la porte : par grosse habitude et distraction, elle crie :

— Entrez ! Puis : Non ! Non ! Entrez pas que je suis toute nue !

Et en même temps, elle pense : « C'est pas Nestor, ni Richard, y frappent pas. C'est la couturière alors. Qu'elle est embêtante ! ».

Elle crie de nouveau :

— Qui est-ce ?

On ne répond pas. Une main au-dehors soulève le loquet.

— Attendez un moment que je vous ouvre ! Je suis en train de me laver.

Elle sort de l'eau, s'essuie rapidement avec le torchon de grosse toile, se passe vite sa robe sans avoir le temps de rien se mettre dessous. Et, encore pieds nus, levant ses deux bras en l'air pour tordre son épaisse chevelure humide, elle crie :

— Entrez maintenant !

La porte s'est déjà ouverte et elle voit deux gendarmes devant elle. Son cœur saute dans sa poitrine :

— Qu'est-ce que c'est ? demande-t-elle.

— Bonjour, dit l'un, c'est bien ici qu'habite le nommé Falconnet Richard ?

— Oui, répond-elle, mais il n'est pas là.

— Où est-il ?

— Je sais pas.

— Vous êtes sa femme ?

— Oui.

Le gendarme lit sur le papier qu'il tient à la main :

— « Laurence — Félicie — Marguerite Falconnet, née Desmichels ? »

— Oui, c'est bien moi, dit-elle.

— Vous savez pas où est votre mari ?

— Non.

— Il n'est pas rentré hier au soir, hé ?

— Non. Je sais pas où il a couché.

— Nous, nous le savons, dit le second gendarme avec un fin sourire. Et l'autre ? questionne-t-il.

— Quel autre ?

— Mangiagari ?

— Lui ? Il est descendu au bar, je crois. Mais pourquoi...

— C'est ton amant ?

— Oh mais dites !

— Allez va, pas de manières ! Tu fais la vie, je crois ?

— Moi ? proteste Marguerite.

Elle se sent toute tremblante et nue avec la dernière moiteur de son bain qui fond le long de ses jambes, devant ces deux hommes, grands, robustes, revêtus d'importance par leurs uniformes et leurs revolvers à la ceinture dans des gaines de cuir. Et le brigadier, qu'elle reconnaît à son galon, rejette son képi en arrière et rit grossièrement :

— Tu es belle fille, dit-il. C'est dommage.

— Dommage de quoi ?

— Dommage que je viens t'arrêter, dit-il posément.

La porte s'ouvre de nouveau. Nestor apparaît.

— Et voilà l'autre, ajoute-t-il.

— Messieurs... salue Nestor.

Il comprend tout de suite : « Ça y est, y viennent chercher Richard. C'est l'enquête. »

— Ferme la porte, ordonne le brigadier au gendarme qui met la clé dans sa poche. Approchez, dit-il à Nestor. C'est vous « Jean-François-Nestor Mangiagari ? »

— Oui.

— « Né le trois décembre mil huit cent soixante et un à Savone (Italie) ? »

« Oh, pense Marguerite, qué menteur ! Y me faisait croire qu'il était français et qu'il avait trente-cinq ans ! »

— C'est ça, dit Nestor.

— Vous êtes le patron de Falconnet Richard et le propriétaire de la tôlerie, Traverse de la Seyne ?

— Oui.

— J'ai ordre de vous arrêter.

— Moi. Mais pourquoi ?

— Falconnet a été arrêté hier au soir pour faux, usage de faux et carambouille. Vous êtes accusé de complicité.

— Moi ? proteste encore Nestor

Il est devenu violet de tout son épais visage et ses mains questionneuses agitent l'air.

— Vous et la femme Falconnet Marguerite.

Marguerite pousse un cri derrière sa main, puis un lourd silence tombe.

— Allons-y ! conclut le brigadier. Si vous avez des bonnes raisons, vous les donnerez au commissaire.

— Mais attendez ! Attendez ! crie Marguerite. Moi j'ai mon petit ! Je peux pas le laisser comme ça !

— Arrangez-vous... dit le brigadier.

— Y faut que je parle à ma voisine. Ouvrez-moi !

— Quelle voisine ?

— La couturière, là, sur le palier.

— Vas-y, toi ! ordonne le brigadier.

Le gendarme ouvre la porte et frappe en face.

— Pardon madame, l'entend-on dire, voulez-vous venir s'il vous plaît ?

Celle-là entre à sa suite avec un air de désolation. De chez elle, avec son mari, elle a tout guetté, mais Léopold a filé dès qu'il a vu les uniformes.

— Bonjour messieurs, qu'est-ce qu'il y a ? dit-elle.

— Madame Delanglade, s'il vous plaît, vous voulez pas me garder un peu Faustin ? Une heure, deux heures, je reviendrai vite : Vous y faites sa petite soupe avec le jaune d'œuf comme d'habitude…

— Bien sûr, bien sûr, dit la couturière, mais…

Marguerite est envahie de honte :

— Il est arrivé quelque chose à mon mari. Oh rien vous savez, un ennui dans le travail, ça va s'arranger. Alors tenez.

Elle passe dans sa chambre sous l'œil incisif du brigadier, elle tire le berceau-voiture d'osier à roulettes où dort paisiblement le bébé. Et soudain, cet embryon d'être humain, ignorant encore tout de la vie, sauf la nourriture et le sommeil, a sur lui les regards convergents de cinq paires d'yeux. Mais rien de leurs expressions pareillement attendries ne saurait pénétrer le merveilleux univers d'innocence qui le protège.

Mme Delanglade emmène le berceau. Marguerite étrangle un petit sanglot convulsif. Nestor plisse son front soucieux. Le brigadier sort le premier, le gendarme le dernier et referme la porte avec la clé qu'il remet à son chef.

Dehors, Léopold parle avec le fils de la pantalonnière. Marguerite ébauche vers eux un sourire insolent, mais Léopold détourne la tête comme s'il ne la connaissait pas.

*

Marguerite n'a fait que trois jours de préventive. Assez pour connaître la paillasse farcie de punaises, l'eau saumâtre de la cruche, la soupe écœurante, le pot de chambre commun. Elle a pleuré, elle a gémi, elle s'est consolée, elle a encore pleuré, elle a dormi, elle a langui, enfin on l'a interrogée et on a dû reconnaître qu'elle ne savait rien de toute cette histoire et que pas un sou des vols ne rentrait à la maison.

Car Richard a volé encore une fois. Pas de la même façon. Il n'a pas chapardé du fer dans des entrepôts, ni pris de l'argent dans une caisse. Ce coup-ci, c'est toute une bande qui s'est organisée sous ses ordres. Et ça doit partir de loin, car Gianella, Mandoline et Marie-José ont été arrêtés eux aussi. Marguerite, questionnée, a dû avouer qu'elle les connaissait et elle s'est trouvée également en présence du propriétaire de cette magnifique campagne du « pin couché » qu'elle a habitée une nuit : M. Faustin de Rouvre, l'officier de marine qui ne se doute pas qu'elle a donné son prénom à son fils. Il a été cité comme témoin, parce que son gardien, « Finesse », est impliqué de recel. Dans sa villa, où il n'habite que lorsque son bateau touche le port de Toulon, on a découvert toutes sortes de marchandises, depuis des pièces de satin jusqu'à des batteries de cuisine en aluminium, et même de l'argenterie et des meubles.

Il est bien beau, ce M. Faustin de Rouvre, Marguerite pense que c'est un type comme ça, joli, distingué et riche, qu'elle aurait aimé. Seulement, lui, la regarde à peine d'un air hautain.

Enfin, le quatrième jour, on la relâche. Mais Nestor demeure en prison. En faisant remonter l'enquête dans le passé, on a découvert les traces du premier vol à l'Arsenal où étaient mêlés Mandoline, Gianella et aussi, constate-t-on, le contremaître Mangiagari, dont la déposition a innocenté, à cette époque, Richard Falconnet.

Alors, il attendra avec les autres que l'affaire vienne en jugement devant le tribunal correctionnel et Marguerite rentre seule au faubourg de Lagoubran. Elle reprend son petit chez Mme Delanglade. Elle le fait manger, elle le couche. Ensuite, elle revient dans sa cuisine, elle secoue son porte-monnaie au-dessus de la toile cirée, elle compte ce qui lui reste : en tout onze francs soixante et quinze. Elle se demande ce qu'elle va devenir ?

Trois nouveaux jours passent dans ces réflexions. Léopold, le second soir, gratte à sa porte :

— Ma femme est allée livrer. Alors je suis venu.

— Tu es un beau lâche ! dit-elle. Tu t'es bien gardé de me reconnaître, hé, le matin de l'arrestation ?

— Que veux-tu.. bégaie- t-il, gêné, que veux-tu...

— Je veux rien, justement. Fous moi la paix. Ta femme elle est brave, mais toi...

— Alors tu m'embrasses pas ?

— Non ! dit-elle.

Et elle le repousse d'une main rancunière.

Une heure plus tard, elle descend chez le boucher. Comme d'habitude, il est dans son arrière-boutique en train de dépecer un veau avec un long couteau aigu. Il se détourne de son travail pour la voir arriver :

— Vous êtes de retour ? demande-t-il d'un ton froid.

— Oui, dit-elle, c'est fini, alors je suis venue te voir...

— Faites attention, ma femme est pas loin. Qu'est-ce que vous vouliez ?

— Ben... hésite-t-elle surprise.

— Tiens, écoute, dit-il très vite, j'ai un bon bouilli, là. De la culotte avec un os de veau. Prends-le, c'était pour un client, mais ça fait rien, prends-le. Seulement va-t'en vite parce que, tu comprends, avec ces histoires de ton mari, on sait jamais...

Il s'est redressé et lui a mis aux mains un paquet déjà tout prêt, dans le papier jaune. Et elle reste immobile et regarde l'homme, tandis que, fermement, de sa grosse main où les poils sont englués de sang, il tâche de la pousser vers la porte.

— Salaud ! gronde-t-elle, salaud ! Tu peux te le coller ton bouilli...

Et elle lui jette à la figure le paquet qu'il rattrape adroitement en hochant la tête, tout ragaillardi :

— Que tu es vive ! dit-il. Vivette, va ! Tu es tout en salpêtre ! C'est ennuyeux cette histoire, tu me plaisais bien...

Il s'essuie les doigts à son tablier et il veut les glisser sous la jupe de Marguerite. Elle lui rabat le poignet d'un geste sec. Il se relève :

— Tu me plaisais bien... soupire-t-il. Rapport à mon commerce, je peux pas me risquer... Prends-le ton bouilli, va, que la viande, on la donne pas de ce moment. Seulement reviens plus, ça vaut mieux... Tu comprends mes raisons, qué ? Rapport à mon commerce...

Il lui remet le paquet sur le bras et, cette fois, elle se voit dehors.

— Je regrette bien, murmure-t-il à la porte, mais qu'est-ce que tu veux ?

Le pot-au-feu a fait trois repas. Maintenant, le placard est vide. Impossible de communiquer avec Nestor pour se faire donner de l'argent. « Delanglade ? Célestin ? Tout salaud et compagnie ! Le vieux notaire ? Je pourrais peut-être aller voir au *Café français*, si d'hasard il y était ? »

Elle coiffe avec soin ses cheveux épais, sombres, elle met sa robe bleue à petites fleurs et elle descend dans la rue. Zut ! On verra bien.

VII

Le *Café français* a trois salles séparées par de hautes colonnades blanches que soutiennent des corps de femmes sans bras, aux seins jaillissant hors des draperies. Marguerite est un peu intimidée, elle n'était jamais encore venue seule dans un endroit pareil. Elle n'ose pas s'asseoir pour boire et elle ne veut pas se faire trop remarquer. Alors, comme elle reste debout, hésitante, sous l'entrée de la seconde salle, un garçon qui emporte un plateau chargé de verres vides, l'apostrophe :

— Vous cherchez quelqu'un, mademoiselle ?

— Oui, dit-elle très vite, j'ai rendez-vous avec Me Saint-Ambroix.

C'est sous ce nom que Léopold lui a présenté son client.

— Le notaire ? précise le garçon.

— Oui.

— Le père ou le fils ?

— Le père. C'est un vieux.

Le garçon sourit à cette jolie femme qu'il devine légère.

— Il est pas venu depuis quelques jours, dit-il. Il a son rhumatisme, mais voilà son fils.

— Son fils, mais je...

Avant qu'elle ait pu dire non, le garçon appelle familièrement :

— M'sieu Francis ? Y a une fine poulette pour vous.

Il rit. Un grand jeune homme habillé en soldat se détache d'une table et s'approche :

— Pour moi ? C'est une affaire ! Bonjour, mademoiselle... commence-t-il.

Marguerite est gênée : ce garçon de café, c'est un bel idiot ! Que dire maintenant ?

Francis Saint-Ambroix fait d'un seul coup d'œil le tour de Marguerite et propose tout de suite :

— Venez prendre quelque chose avec moi.

Quand ils sont assis, il interroge :

— C'est indiscret de vous demander votre nom ?

— Margot.

— Vous vouliez voir mon père ?

— C'est-à-dire... hésite Marguerite.

Les yeux brillants du jeune homme la caressent de nouveau avec complaisance. Il se penche vers elle :

— Vous préféreriez pas le fils, non ?

Ils se regardent en plein visage et ils éclatent de rire tous les deux. Le garçon, qui passe avec sa serviette sur l'épaule, les considère d'un air indulgent. Francis a vite compris quel genre de relations cette fille jeune et belle, un peu vulgaire et si charnelle, pouvait entretenir avec son père : « Hé, hé, l'ancêtre est encore vert ! » se dit-il et il imagine automatiquement quelle plus grande somme de plaisir il pourra donner à cette magnifique créature, beaucoup plus faite pour se pâmer contre ses biceps robustes que dans les bras faibles d'un vieillard.

Il prépare ses batteries en faisant parler Marguerite. Et celle-ci, un peu échauffée par l'alcool, ne manque pas de se présenter sous un jour avantageux :

—Oui, mon mari m'a abandonnée avec mes deux enfants. Alors je suis seule et je voulais un peu demander à votre père qui est de bon conseil... Y faut que je me mette à travailler pour élever mes petits. Je suis d'une bonne famille, des gros cultivateurs, je peux pas vous dire le nom, mais c'est des gens que mon mariage a fâchés. Je me suis fermé leur porte et maintenant…

— Qu'est-ce que vous savez faire ? demande Francis.

— Oh, un peu tout !

— Dans un bureau vous pourriez… tenir la comptabilité ?

— Ça non, dit Marguerite. A l'école, j'étais la dernière en calcul.

— Dans un magasin ? La vente, ça vous plairait ?

— Hou, je pourrai jamais supporter de rester enfermée tout le jour, moi, vous savez.

— J'ai une amie qui fait de la représentation de lingerie, à domicile, c'est intéressant. Je connais la fabrique qui l'emploie, elle a dix pour cent sur les affaires et…

— Il faut monter dans les maisons, je crois ?

— Oui, mais la marchandise est légère.

— Merci ! dit Marguerite. Pour se faire remballer par les gens après avoir grimpé quatre étages…

— Alors je ne vois pas trop ?

— Oh, je sais bien allez ! Y a pas grand-chose à faire pour les femmes. Bonne peut-être ? C'est tout : à quinze francs par mois, nourrie avec les restes et juste le dimanche après-midi de congé.

— Et puis, dit Francis, serrant sous la table de marbre les jambes dodues, c'est trop dommage, une jolie fille comme vous, faire la bonne ! Vous n'avez pas des mains à les tremper dans l'eau grasse, à tripoter la poussière ; vos petites mains, si mignonnes, elles sont plutôt faites pour porter des bagues de brillants et vous, pour avoir des robes de soie et de velours… Ah, si j'étais riche !

— Vous l'êtes pas ? demande Marguerite.

— C'est-à-dire, je le suis si vous voulez, mais mon père possède tout… Moi, je suis tout juste majeur. En ce moment, je fais mon service militaire, après je continuerai mes études pour être avocat. Mon père m'achètera un cabinet, et c'est seulement à ce moment… Ah, soupire-t-il, c'est toujours quand on est vieux qu'on devient riche, quand on n'en a plus besoin !

— Oui, confirme Marguerite, ma mère le disait : « Quand on a les dents, on a pas les noisettes et quand on a les noisettes...

— ... on a plus de dents ! » termine Francis dans un rire. Mais nous deux, dites, ma belle Margot, nous avons les dents et les noisettes en même temps, pas vrai ? Hou, ma belle noisette ! Souffle-t-il tout bas, je voudrais te mordre...

— Soyez sage, dit Marguerite, d'une voix qui s'alanguit.

Elle cherche à détacher de ses reins la main nerveuse qui s'y appuie. Elle se sent troublée et s'en veut de ce trouble. Elle regarde en dessous ce fils de notaire et elle le découvre bien séduisant par son visage coloré, ses yeux bruns, pétillant de flamme juvénile, sa bouche fraîche, ses dents éclatantes de blancheur et toute l'ardeur qui émane de lui. Elle soupire, se sentant vaincue d'avance et songeant que ce serait une juste revanche sur la laideur de Nestor, du boucher Célestin, du notaire adipeux. Oui, ce serait bien bon de se laisser serrer contre ce corps mince et cette jolie figure. Une minute, ça aiderait à oublier tous les ennuis qui pèsent sur vous. Une minute... on peut bien se permettre après tout ? Elle relève ses yeux, rencontre ceux du jeune homme fixés sur elle et sent comme un stylet brûlant qui la pénètre, dans un choc de passions.

— Viens, lui dit Francis à l'oreille. Y a *l'Hôtel du Lycée*, tout près, là. C'est un ami. Tu n'as qu'à me suivre.

— Non... non... murmure-t-elle, haletante.

— Hé oui... poursuit-il de la même voix chaude et hachée. Allez, ne fais pas d'histoires, viens vite. Tu en as autant envie que moi...

D'un geste décidé, il paye, se lève et sort. Elle se lève après lui, elle sort, elle le suit dans l'avenue bruyante et encombrée ; il tourne l'angle d'une rue, elle tourne l'angle. Il s'arrête devant une grande plaque : *Hôtel du Lycée.* Il regarde si Marguerite est toujours derrière lui. Elle y est. Il entre. Il lui fait signe d'attendre. Elle attend. Il reparaît, il lui fait signe de le suivre. Elle le suit le long de l'escalier, elle le suit dans le couloir à demi obscur, elle le suit dans la chambre où le lit a une couverture en coton jaune d'or, avec une corbeille de roses bleues.

*

Il ne lui a rien donné, il est trop sûr que son charme suffit avec les femmes. Ensuite, il a renoué avec soin sa cravate réglementaire, bien arrangé son képi au bord de son front et il a dit en riant :

— On se reverra, qué Margot ? Ça a pas été trop pénible. Tu sauras te débrouiller pour partir ? Moi, y faut que je file à la caserne.

Pour Marguerite, il s'est passé cette chose étrange que cet amour, fait si volontiers avec ce garçon jeune et plaisant, lui a rendu vivant le souvenir de Damien : « Qui sait s'il n'est pas revenu à Vallomber ? J'ai envie de lui écrire. Il me donnerait un conseil. » Et, au fond d'elle-même, elle pense que peut-être il l'aime toujours et la prendrait avec lui.

Elle écrit. Pendant une semaine, elle attend la réponse. Rien ne vient. Le sixième jour, le facteur appelle de l'entrée :

— Un retour ! crie-t-il.

Elle revoit son enveloppe. Dessus, quelqu'un a tracé en rouge : « Inconnu. Parti sans laisser d'adresse. »

Elle déchire le tout à petits morceaux, se disant qu'il va falloir se débrouiller toute seule. A ce moment, sa voisine, la couturière, frappe à sa porte :

— Bonjour, dit-elle, je viens vous voir... Vous voudriez pas faire un ménage ? C'est une de mes clientes qui demande : de huit à onze heures tous les jours. Quinze sous et le café.

— Où ça ?

— Sur le boulevard de Lagoubran, au coin de notre rue, c'est une dame pas embêtante. Ça vous irait ?

— Je veux bien, accepte Marguerite.

— Je peux promettre que vous commencerez quand ?

— Demain.

— Bon, dit la couturière, entendu !

— Merci, ajoute Marguerite.

— Oh, y a pas de quoi, j'ai compris que vous étiez embêtée.

Elle sort. « Oui, je suis embêtée, pense Marguerite, pour ça je suis embêtée ! C'est drôle comme ma vie a changé... Tant d'hommes : Richard, Nestor, Célestin et puis d'un coup je me trouve seule. C'est rigolo ! Un ménage... Trois heures à cinq sous, c'est pas ce qui me nourrira avec mon petit. Y faudra que je me place en plein, y a que ça. Je laisserai Faustin chez la Delanglade puisqu'elle le veut tant et moi... Quelle scie ! Aller laver les pots de chambre des autres, pauvre Guitte, si ton père te voyait... Monsieur l'orgueilleux ! Lui qui se vantait : « Les Filles Desmichels, ce sera des demoiselles ! » Pauvre de moi. C'est ma faute, je suis mal partie. Oh puis, après tout je m'en fous, je vais pas me mettre martel en tête, je verrai bien... »

Le lendemain, et pendant une semaine, elle va à ce ménage. Ça se passe bien. La dame n'est pas plus désagréable que toutes les dames, c'est-à-dire qu'elle lui offre du café rebouilli, que sa pendule retarde toujours de dix minutes sur l'heure véritable et qu'elle met le sucre sous clé.

Un jour, en revenant à onze heures, elle trouve un papier sous sa porte :

« Prière de passer au commissariat de police, boulevard de Lagoubran, pour un fait vous concernant. » « Bon, se dit-elle, ça c'est encore pour l'enquête. Pourtant, moi, j'ai rien à voir dans les affaires de Richard. Pour ce que ça m'a profité ! »

L'après-midi, elle y va. L'interrogatoire d'identité recommence :

— Vous êtes bien la femme Laurence-Félicie-Marguerite Desmichels, épouse Falconnet, dite « Margot » ?

— Oui. Pourquoi « dite Margot » ?

— Ton mari est en taule ? demande le commissaire.

— Oui. Mais moi...

— Et toi tu te livres à la prostitution.

— Moi ? Celle-là par exemple ! s'exclame Marguerite.

— Tu raccroches pas dans les cafés, non ?

— Jamais de la vie ! Qui a dit ça ?

— Tu es connue, dit le commissaire lisant sur un rapport : « Racolage sur la voie publique... Périple habituel : *Bar de la Rade, Café français.* »

— *Café français ?* J'y suis été une fois ! dit Marguerite.

— Une fois qu'on t'a vue, mais toutes les autres tu t'en es pas vantée. C'est là que tu as racolé le type qui a porté plainte.

— Qui a porté plainte... Qui ça ?

— Tu le sais bien ; M. Francis Saint-Ambroix.

— Le fils du notaire de l'avenue Alsace-Lorraine, insinue le secrétaire.

— Alors on peut plus aller dans les cafés, maintenant ?

— Pour faire la retape, non. Tu le savais pas ?

— Mais j'ai rien fait ! proteste Marguerite. Je venais voir un monsieur que je connais et ce jeune homme que vous parlez, Francis, c'est lui qui m'a fait asseoir, qui m'a fait boire à sa table et puis après... Mais dites, ça regarde quelqu'un ce que nous avons fait après ? C'est pas notre affaire rien qu'à nous deux ? Qui ça gêne ? qui c'est qui a porté plainte ?

— Lui, on te dit !

— Lui ? Francis ?

— Oui. M. Francis Saint-Ambroix.

— Mais pourquoi ? Qu'est-ce que j'y ai fait ?

Marguerite se sent éclater de colère :

— Qu'est-ce que j'y ai fait ? Je l'ai pas volé. Je l'ai pas assassiné, non ? Ça lui plaisait et à moi aussi, d'aller ensemble, c'est notre affaire peut-être ? Qui ça regarde ?

— Ne crie pas tant, conseille le commissaire d'une voix froide. Il t'accuse de lui avoir passé la vérole.

— Moi ! Moi ! hurle Marguerite. Ah, celle-là ! Mais y faudrait que je l'aie, d'abord !

— Sans doute que tu dois bien le savoir...

— Justement ! Je le sais, moi ! J'ai rien, moi ! Je suis saine, moi, monsieur le commissaire.

Et Marguerite, à bout de forces, s'écroule au bord de la table. Les trois hommes regardent ses épaules secouées de sanglots.

— Menez-la à la visite, dit le commissaire. On la mettra en carte si elle ment.

*

A présent tout ça est fini. La visite a prouvé que Marguerite n'avait pas menti. Par contre, Francis Saint-Ambroix a été obligé d'avouer que le même soir, ayant eu la permission de la nuit, il était allé faire la bringue avec des copains et qu'il avait ramené chez lui une autre fille, rencontrée sur le boulevard de Strasbourg, celle qui l'a contaminé. Il regrette... Le commissaire l'a excusé. Quand on est jeune et qu'on est en nouba, ce sont des erreurs qui arrivent. Il a recommandé à Marguerite de faire attention, « de se tenir à carreau, parce qu'à partir de maintenant, elle est surveillée et sera mise en carte à la première histoire ».

Puis, en la regardant quitter son bureau, il a pensé qu'elle était rudement bien balancée et que sans les circonstances, il lui aurait volontiers dit deux mots. Mais dans le métier, il faut savoir se tenir. Il a soupiré et s'est remis à écrire Justice avec un J majuscule.

Pour Marguerite, elle a eu grand-peur. Dès le lendemain, elle lit les annonces du *Petit Var* et elle se décide à rentrer comme bonne chez un ménage bourgeois du quartier Saint-Roch. Et dans ce morne travail, passent encore quelques nouvelles semaines. Richard, Nestor, Mandoline, Finesse et les filles Gianella Faleri et Marie-Joséphine Maraglio sont toujours en prison. Marguerite n'est pas allée une seule fois voir les uns ou les autres. Elle les déteste de lui avoir abîmé sa vie avec leurs imbécillités. Si Richard avait été ce qu'il aurait dû être : un bon mari, elle, elle serait restée une bonne épouse, une brave mère de famille, elle aurait élevé sa Vincente et son Faustin dans un foyer comme tous les foyers, elle n'aurait pas connu ces mauvaises fréquentations : Calandre, Espérance, ni pris le goût de la toilette et de la vie paresseuse... Ah, si seulement Damien Bâri lui avait répondu ! Elle aurait eu confiance pour repartir avec lui, il était honnête et courageux, il l'aimait... Seulement voilà, il n'a pas répondu. Qui sait, peut-être que c'est lui-même qui a écrit derrière l'enveloppe : « Parti sans laisser d'adresse », parce qu'il ne voulait plus la revoir ?

Et lavant la vaisselle de ces Thibaudet dont elle est la domestique, Marguerite se dit qu'elle est tombée au plus bas de l'échelle et que jamais plus il ne lui sera possible de se relever.

Pourtant, elle ne pourra pas toujours supporter cette vie. Elle ne gagne pas de quoi payer la pension de Faustin chez les Delanglade. Ça ne peut pas durer. Et si elle recommence la vie qu'elle menait, elle aura les mêmes ennuis qu'avec le fils du notaire. Ce qui lui aurait plu le mieux en somme, c'est de retourner chez sa belle-mère. Mais ce n'est pas possible d'y rester trois. Elle n'est pas riche, et depuis la dernière faute de son fils, elle a déclaré qu'elle ne voulait plus voir personne, qu'elle garderait Vincente et c'était tout, qu'on ne lui en demande pas davantage.

La Guirande ? N'en parlons pas. Louise a dû s'apercevoir qu'il lui avait disparu des écus. Pierre est méchant.

Non, elle ne peut pas aller à la Guirande. Alors ? Alors rien. Elle reste les mains inertes dans l'eau grasse.

— Alors, ma fille, dit Mme Thibaudet, vous êtes dans les limbes ?

— Je réfléchissais... répond-elle machinalement.

— Je ne vous paye pas pour réfléchir, gronde la patronne.

« Chameau... Tu crèveras pas ? » pense Marguerite et elle frotte avec rage les assiettes souillées.

Un dimanche après-midi, ayant fini le ménage, elle se dirige vers la maison. A côté de la porte, un homme est appuyé au mur. Il la regarde venir. On croirait qu'il l'attend. Elle avance, il dit :

— Bonjour, Margot !

Elle s'exclame :

— Ça, par exemple !

C'est pablo. Elle l'a reconnu tout de suite. Il lui sourit aimablement.

— Bonjour, redit-il. Depuis Bordeaux qu'on s'était plus vu ! Ça va ? Tu es magnifique !

— Oh... dit-elle. Et qui vous a donné mon adresse ?

— C'est Richard. J'ai su ce qui lui était arrivé encore. Il a eu tort de s'embarquer là-dedans. C'est dangereux. Tu viens boire quelque chose ?

— Montez chez moi, offre-t-elle, on sera tranquille pour parler.

— Alors, ça va ? demande-t-il quand ils sont assis dans la cuisine. Et Vincente ?

— Toujours à Salernes chez ma belle-mère.

— Et Faustin ?

— Y se fait beau. Y dort chez la voisine qui me le garde.

— Et toi ?

— Moi ? dit-elle. Voilà !

— Qu'est-ce que tu fais ?

— Je suis placée.

— Bonne ?

— Oui.
— C'est pas rigolo, hé ?
— Non. Mais que voulez-vous... Richard m'a laissée sans un.
— C'est dommage, dit-il, tu mérites mieux. Tu as trouvé personne, roulée comme tu es ?
— Ah, dit-elle, c'est trop compliqué ! J'ai eu des ennuis par-dessus la tête... Une femme seule, vous savez !
— Quoi ? Raconte-moi, je pourrai t'être de bon conseil.
Marguerite parle. Elle est lasse. Hier et avant-hier, elle a fait une lessive qui lui a cassé les bras. Puis comme elle était en train d'étendre dans le jardin, le fils Thibaudet, qui reste à la maison parce qu'il tombe du haut mal, lui a mis le bras autour des hanches et lui a bavé dans le cou :
— Si tu cries, je te fais foutre à la porte.
Elle n'a pas crié, mais elle lui a monté sur les pieds de tout son poids et il s'est reculé en la traitant de garce. Ça recommencera. Mon Dieu, que c'est difficile toutes ces choses... Pourtant, il y en a des gens braves ?
— Pas beaucoup, dit Pablo, pas beaucoup...
Et Marguerite lui raconte l'histoire de Francis Saint-Ambroix et il l'écoute sans l'interrompre et à la fin il propose :
— Écoute, tu veux que je t'emmène ?
— Où ?
— A Barcelone, dit-il. Je pars dans quatre jours.
— Je sais pas, dit Marguerite.
— Tu t'en rends compte comment y t'ont traitée, ton mari, ton boucher, ton notaire ? Tous des salauds ! Tu es trop seule, tu comprends, tu es pas défendue. Viens là-bas. Qu'est-ce que tu risques ? Moi, je te dis ça... Tu m'as toujours été sympathique. Si ça te plaît pas, tu te retournes ! Ça te fait un petit voyage. Tu vois l'Espagne. Elle est belle l'Espagne. Gaie autrement qu'ici. Tout le monde chante avec la guitare. Les femmes ont des œillets rouges dans les cheveux avec des grands peignes pour tenir leurs

mantilles ; les hommes portent le pantalon de velours collant, ils jettent les pesetas à pleines mains. Tu auras vite fait de te ramasser des sous. Après, je te dis, si tu en as assez, qui t'empêche de revenir ? Tu seras pas prisonnière. Si tu voyais Calandre, comme elle est heureuse...

Marguerite lui coupe enfin la parole :

— Elle le sait, Calandre, que tu es venu me voir ?

— Sûrement !

— Et qu'est-ce qu'elle t'a dit pour moi ?

— Elle m'a dit : « Ramène-la avec toi, cette fadade, qu'ici elle sera bien. »

— Quand est-ce que tu pars ? demande Marguerite.

— Dans quatre jours, ce sera jeudi.

— En bateau ou par le train ?

— En bateau. Y fait beau temps, la traversée sera superbe. Je te prends ta place ?

— J'ai pas d'argent.

— Je t'avancerai tout. Après nous nous arrangerons. Je te prends ta place ? Écoute, je la prends. Si tu te décides pas, je trouverai toujours à la céder à quelqu'un.

— Ce sera pour faire quoi ? demande-t-elle.

Elle lève les yeux et plonge ses regards dans ceux de Pablo.

— Tu comprends bien, dit-il, tu es pas une enfant.

Elle se tait.

— Tu préfères nager seule ? reprend-il. Tu le vois pas que tu es vouée à te noyer ? Qu'est-ce que tu feras ? La bonne ? Pour tes quinze francs par mois ? Tu sais combien elle se fait, Calandre ?

— Calandre ? Où est-elle ?

— A Barcelone, dit-il. C'est bon. Elle se fait cent cinquante dans les jours creux.

— Je peux pas laisser mes petits...

— Ah non ? Et tu les laisses pas, ici ? Une à Salernes, l'autre chez ta voisine, toi à laver les saletés des autres... Dis-moi la vérité : Richard, tu y tiens toujours ?

— Oh non ! s'exclame-t-elle. Après tout ce qu'y m'a fait !

— Tu as un autre homme ?

— Non. Personne.

— Pas de petit amant de cœur ?

— Non.

— Alors ?

— Alors quoi ?

— Alors, qu'est-ce qui te retient ? Je pense que tu es trop intelligente pour tomber dans tous leurs bobards...

— Quels bobards ?

— Ben, des péchés, de la morale... La morale, tu sais, c'est ceux qui ont le ventre plein.

— Mais pourquoi tu tiens tant à m'emmener ?

— Parce que tu me fais de la peine ! dit Pablo. Je te vois, là, toute perdue, sans personne qui s'occupe de toi... Tu as personne, hé ?

— Non, répond Marguerite, j'ai personne.

Elle est debout, les bras tombant au long de son corps, dans l'attitude du désespoir. Pablo est assis devant elle, il la regarde, il la jauge, il en fait le tour, puis il lui prend les deux mains, il l'attire à lui, il la fait ployer et la couche en travers de ses genoux. Elle cède, graduellement, sans une parole, elle s'abandonne de tout son corps obéissant. Son visage se rapproche de celui de Pablo jusqu'à le toucher. Ses prunelles agrandies voient de tout près le feu noir des yeux de Pablo, qui pénètrent impérieusement les siens. Elle se sent glisser, glisser sur une pente douce, sans heurt, sans effort... Une bouche dominatrice écrase la sienne et c'est entre ses lèvres ouvertes que la voix lui murmure :

— Tu veux bien que je sois ton homme, dis ?

VIII

Ce champ est un champ comme tous les autres, ces arbres sont des arbres, nés d'une graine. Ce sont des arbres des pays chauds parce que ce champ est en Palestine. Dans les jardins, derrière des murettes dorées de soleil, il y a sans doute des poivriers, des eucalyptus, des grenadiers ; ici dans le champ, il y a seulement des figuiers.

« Un homme avait un figuier planté dans sa vigne. Il alla y chercher du fruit et n'en trouva point. Alors il dit au vigneron :

— Voilà trois ans que je viens chercher du fruit à ce figuier et n'en trouve point. Coupe-le ! Pourquoi occupe-t-il la terre inutilement ?

— Seigneur, laisse-le-moi encore cette année. Je creuserai tout autour, j'y mettrai du fumier. Peut-être qu'à l'avenir il portera du fruit. Sinon, tu le feras couper[1]. »

Eh quoi, métayer ! Eh quoi, mauvais homme ! Est-ce ainsi que tu gouvernes ton bien ? As-tu besoin d'attendre que le maître du domaine passe et te fasse remarquer que l'arbre ne porte point de fruits ? N'est-ce pas à toi de le rendre fécond par tes soins ? « Laisse-le-moi encore une année, dis-tu, j'y mettrai du fumier. » Que ne lui en as-tu mis l'année précédente ? Qu'as-tu attendu pour creuser la

1. Évangile selon saint Luc.

terre tout autour et l'ameublir pour permettre à la chaleur solaire et à l'humidité des pluies de pénétrer jusqu'aux racines ? N'y voyais-tu pas qu'il s'étiolait sur place ? Que ses nervures vertes devenaient jaunes ? Que ses feuilles anémiées jonchaient le sol ? Mauvais homme qui se donne l'air d'être pitoyable, tu es bien venu maintenant de vouloir sauver cette existence ! Comment te jugera Celui qui, installé en haut du ciel, tient une Cour de Justice avec un J majuscule, sous l'arbre du Bien et du Mal ?

Tu dis que « peut-être, à l'avenir, il portera du fruit ? ». Oui, peut-être ! Si ta négligence n'a pas réussi à faire tarir sa sève têtue. « Sinon, tu le feras couper », consens-tu servilement à ton maître. Il le fera couper, le punissant de la punition que tu mérites et il brûlera dans les flammes du foyer, alors que tu ne brûleras pas dans les flammes de l'enfer !

Cependant, toi, métayer coupable, tu tentas quelque effort pour sauver l'innocent et peut-être pour l'intention — qui pourtant ne vaut pas l'action — obtiendras-tu ta grâce devant l'Éternel ? Mais il est écrit aussi : « Comme Jésus retournait à la ville il eut faim. Voyant un figuier sur le chemin, il s'en approcha, mais il n'y trouva que des feuilles et il dit au figuier :

— Que jamais plus il ne naisse de toi aucun fruit !

Aussitôt l'arbre sécha[1]. »

Et aussitôt l'arbre sécha ! Peut-être gardait-il, au fond d'un aubier souffreteux, l'espérance qu'un jour enfin, à force d'endurance et de courage, il fructifierait, mais cet homme qui passait avec une auréole autour de la tête ne lui a pas demandé s'il comptait arriver à la victoire. Il a étendu sur sa faiblesse une impitoyable main, la même d'où sortaient les rayons qui guérissaient les paralytiques et rendaient leurs yeux aux aveugles. Et il a décrété :

— Que jamais plus il ne naisse de toi aucun fruit !

1. Évangile selon saint Matthieu.

Alors aussitôt l'arbre sécha. Et le paysan qui vit cet arbre mort le découpa en bûches triangulaires, pour le fourneau de sa cuisine, tandis que Celui qui faisait des miracles allait faire ses miracles ailleurs.

Mais comme le pain fut multiplié, comme de l'eau jaillit le vin aux noces de Cana, comme Lazare sortit ressuscité du tombeau, le figuier stérile fut simultanément vivant en plusieurs champs. Saint Marc l'a rencontré aux confins de la Béthanie et les petits enfants devaient s'asseoir autour de lui sur leurs pieds nus, tandis qu'il racontait de sa voix grave :

— Quand ils eurent quitté la Béthanie, Jésus eut faim. Apercevant de loin un figuier, il alla voir s'il y trouverait des fruits. Mais, s'en étant approché, il n'y trouva que des feuilles, car ce n'était pas la saison des figues. Alors, prenant la parole, il dit au figuier : « Que jamais personne ne mange de ton fruit. » Et aussitôt l'arbre sécha[1].

Ici pas de promesses ! Pas de pitié ! Pas de rond à la bêche autour des racines ! Pas de fumier ! Rien !

— Tu n'as pas de fruits ? Sèche !

— Mais comment voulez-vous ? Ce n'est pas la saison !

— Je n'ai pas à m'occuper de cela. Sèche !

L'arbre se tord les bras :

— Jésus ! Jésus ! Prophète d'équité ! Vous qui relevez la femme adultère ! Vous qui chassez du Temple les vendeurs éhontés ! Comment pouvez-vous être aussi injuste envers moi ? Jésus, attendez la saison ! Laissez passer sur moi le gel nécessaire des hivers, la douceur tourmentée des printemps, la brûlure essentielle des étés, les calmantes pluies des automnes ! Donnez-moi toutes mes saisons, que j'aie le temps de faire ma feuillaison, ma floraison, ma fructification ! Alors, vous reviendrez vers moi et de moi vous emporterez pleines corbeilles et joie dans votre bouche par tous mes sucs !

1. Évangile selon saint Marc.

« Jésus, voyons ! Soyez raisonnable ! Comment pourrais-je faire pour vous contenter ? Car non seulement vous exigez que sans eau, sans fumier, sans binage, sans soins, je donne des fruits ! Mais encore, vous voulez que je les donne quand ce n'est pas la saison ?

« Et aussitôt l'arbre sécha », disent les trois Évangiles.

TROISIÈME PARTIE

I

Florestan entra avec Ercole et Zanetti. L'établissement se nommait : *Las Delicias.* La pièce était comme un vaste hangar avec, tout autour, des tables et, au centre, un large espace libre où on dansait.

Zanetti, un grand garçon aux muscles de Nègre et au visage troué de petite vérole, commanda à boire. Il y avait un tel brouillard de fumée et de poussière qu'on n'y voyait presque rien. Après l'obscurité de la nuit pure, où les ruelles droites, montant depuis le port, s'emplissaient d'un fleuve de ciel charriant d'énormes étoiles, leurs yeux étaient blessés par cette brume rougeâtre, étendue sur tout. A travers la bataille têtue contre le vent furieux qui plaquait les cols marins sur leurs nuques et auquel il fallait disputer à deux mains les bérets à pompon, ils avaient entendu grincer l'enseigne métallique, suspendue devant la façade blanche éclairée d'une grosse lanterne. Ils avaient lu : *Las Delicias* et ils étaient entrés.

— J'ai eu tort de venir, dit Florestan, j'ai mal à la tête. Je ferais mieux de m'en aller.

— Bois d'abord, dit Ercole, l'alcool te fera du bien.

— Toi, dit Zanetti, tu as attrapé ça le jour où le charbon a pris feu dans la cale ! Entre le chaud des flammes et le froid des seaux d'eau…

— C'est possible, dit Florestan.

— Et la mort du second mécanicien, ça t'a donné un coup.

— Pauvre Amable ! dit Florestan. J'aurais jamais cru.

— Mais tu te rends compte, la manière que le câble lui a arraché le bras ? Le sang pissait comme d'un tonneau...

— Oh, si la gangrène s'y était pas mise...

— C'était fatal, dit Ercole. Y devait y passer.

— Pauvre Amable.

— Dites, s'exclama Zanetti, vous avez rien de plus gai à vous entretenir ? C'est pas la peine de tirer une bordée pour parler de macchab.

— Je suis malade, répéta Florestan, je me sens la fièvre, je préfère aller me coucher avec un livre.

— Ça a jamais remplacé une bonne garce, dit Ercole.

— Ce sera la prochaine fois, dit Florestan.

Il se leva et sortit.

— Faudrait voir à danser, dit Zanetti.

Il vida son verre d'un coup et se jeta au centre de la brume rouge, rêvant d'empoigner la première fille qu'il rencontrerait. Il restait là, debout, ébloui par les lampes énormes tombant du plafond sous des enguirlandements de fleurs en papier. Les couples, virevoltant, l'accrochaient au passage. Les odeurs mêlées de la sueur, des parfums, de l'alcool, lui sautaient au visage après la fraîcheur nocturne, lavée par le vent. Il voyait tournoyer devant lui des femmes dont les jupes courtes, dansantes au-dessus du genou, recouvraient des cuisses grasses débordant de bas noirs tirés par des jarretelles roses ou bleues. Ses regards remontaient jusqu'à la pesanteur des seins, trouvaient la chair offerte, à la gorge, au cou, aux bras nus, cherchaient la blessure écarlate des bouches, l'appel impudent des yeux. Et il se sentait envahi de désir.

— On y va ? dit Ercole qui l'avait rejoint.

— J'en ai vu une... bégaya Zanetti, une que... mon vieux... chaude comme l'enfer, avec des yeux... Y me la faut ! A tout à l'heure.

De l'angle dur de son épaule, il fendit la foule avec brutalité, poussant devant lui avant de demander pardon. De couple en couple enfin, il arriva à la rejoindre. C'était une femme pas trop grande, avec une gorge et des hanches rondes, une taille bien cambrée, des cheveux d'un roux brun et luisant, des yeux sombres et gais dans des golfes de bistre. Elle dansait avec un petit homme maigre qui la lâcha tout de suite quand il devina l'intention de Zanetti. Le marin la saisit alors à pleins bras et continua à la faire tourner sans une parole. Elle l'arrêta presque tout de suite :

— J'ai soif.

— Comment tu t'appelles ?

— Vivette.

Elle avait une voix sourde, pas du tout assortie à toute son audace. Il la conduisit vers une table :

— Qu'est-ce que ça sera ?

— Du champagne, dit-elle, si tu peux le payer.

— Je peux, rit-il.

— Tu débarques ?

— Oui.

— Quel bateau ?

— Le *Dupleix*.

— Tu restes longtemps ?

— Sais pas. On a eu toutes sortes d'emmerdements. Nous trimbalions du charbon, y s'est enflammé dans la cale. En aidant à éteindre, le second mécanicien s'est fait arracher un bras par un câble ; le temps était bouché, ça nous a retardés, enfin on a mouillé à la Horta, le type est juste arrivé à l'hôpital pour clamecer.

Comme sa compagne ne parlait pas, il dit encore :

— Mon autre copain aussi s'est trouvé malade, sinon tu l'aurais vu. Et voilà le troisième. Tu sais, nous nous quittons pas.

Il appela :

— Ercole ! Viens boire.

Ercole s'approcha, mordant déjà à la nuque une longue fille qui riait hystériquement, une pas très fraîche, mais souple et onduleuse dans un fourreau de satin noir. Les seins, écartés l'un de l'autre, pointaient sous le tissu luisant, son ventre gonflait la jupe étroite, elle renversait son visage en arrière contre la bouche d'Ercole et l'inondait de ses cheveux noirs tout frisés. « Y s'est pas mal servi », pensa Zanetti.

A leur troisième coupe, le bal s'arrêta de tourner. Les tables voisines se garnirent de consommateurs.

— Il est pas mauvais, dit Zanetti en vidant son verre.

— Une autre, commanda Ercole.

Les deux femmes, mises en joie par l'alcool, se serraient contre les matelots et riaient en montrant des dents luisantes de jeunes chiennes. La brune demanda à Ercole en lui caressant le cou, dégagé par le grand col marin :

— Tu veux monter ?

— Je crois ! dit-il.

— Dansons-en encore une avant. C'est la valse !

Elle se mit à chanter :

> « *C'était une valse de Vienne,*
> *une valse au rythme berceur...* »

— Tu as une belle voix, dit Zanetti.

— Pardi ! C'est pas pour rien qu'on m'appelle Calandre.

— Calandre ? Qu'est-ce que ça veut dire ?

— C'est un nom. Mais ici on me connaît sous celui de Mimi.

— C'est bien plus joli, dit Ercole. Viens danser, après on montera.

— Tu fais pas la valse, Vivette ? demanda Mimi.

La femme rousse regarda Zanetti :

— On a mieux à s'occuper, dit-il languissamment. On se retrouvera.

Il se dressa et posa sa large main sur la hanche de

Vivette. Sans parler, ils traversèrent la pièce et arrivèrent ainsi, étroitement liés, vers la base d'un escalier orné d'un majestueux bouquet de palmes. Derrière, il y avait une caisse où trônait la patronne, au sourire commercial, qui interrogea :

— Tu montes, Vivette ?

— Oui, madame.

— Le cabinet vert d'eau. Et, regardant le marin, elle précisa : On paye d'avance.

Zanetti aligna la monnaie et suivit sa compagne. La femme de la caisse se tourna vers un homme qui, accoudé auprès d'elle, n'avait pas bougé.

— Vivette plaît toujours au client, dit-elle. Tu as eu la bonne main.

*

Florestan était rentré à bord et s'était couché. Il se sentait la tête lourde. Il regarda son neveu Ollivier qui dormait comme on dort à dix-huit ans, c'est-à-dire avec une espèce de volonté farouche, à bouche ouverte et poings fermés. Il regardait son visage qui demeurait un visage enfantin et se demandait s'il avait bien fait de l'entraîner dans cette aventure sur mer ? Si jamais ça finissait mal, Arnaude, la veuve de son frère Antoine, le traiterait de criminel, mais cependant pouvait-il laisser le garçon continuer cette manière de vivre avilissante, aux crochets de sa cousine Nine et de ses amants d'une heure ?

Il le regardait et le trouvait beau. C'eût été dommage d'abandonner tant de force saine à l'alcool, aux jeux de cartes, à ce milieu taré. Il lui semblait soudain qu'il avait été mis sur la route de ce petit, exprès pour lui venir en aide. Cependant, il l'avait sauvé d'un danger moral pour le conduire vers un danger matériel. Le dernier voyage n'avait pas été de tout repos, les mines infestaient l'océan et il s'en était fallu de bien peu dernièrement... En plus de cela, un mauvais esprit avait régné à bord. Après la bataille entre le cuisinier et le charpentier, il y avait eu le mousse ébouillanté, puis la tempête, les cochons passant par-dessus le bastingage, emportés par les vagues ; le charbon qui s'enflamme, la mutinerie de l'équipage, ce malheureux Amable qui se laisse arracher le bras dans une manœuvre, tout s'en est mêlé ! Enfin on a pu mouiller à l'île Fayal et retrouver des eaux calmes dans la baie profonde et sûre, en abordant au port de la Horta. Ce n'était pas trop tôt ! Au-dessus des quais chargés de barriques et de cageots, cette ville, vivant de l'exportation de ses vins et de ses fruits, étale un enchevêtrement de façades ensoleillées avec les taches vives de volets bleus ou verts. Ses huit mille habitants s'y enrichissent au trafic maritime qui transporte en d'autres pays, sur les bateaux, la gloire des vergers et des vignobles florissants de cet archipel des Açores. Il est regrettable que la nature vienne souvent troubler cette euphorie par des cyclones et des séismes. « Sinon, pensait Florestan, on doit être bien heureux ! On devine que l'argent coule à flots. » Cette maison publique, où il était tout à l'heure avec Ercole et Zanetti, regorgeait de clients. Les filles y paraissaient de bonne humeur. C'est donc qu'elles font des affaires... Sans doute, tandis que lui-même, écoutant battre à ses tempes la pulsation d'un sang fiévreux, ne songe qu'au repos, ses amis ont déjà dû calmer, aux bras d'une de ces femmes, les chaleurs sexuelles si pesantes d'un voyage trop long. « Et moi, s'interroge-t-il, moi, comme les autres, j'aurais bien voulu... Mais pas ce soir, non, ce soir je suis claqué. Ah, cette vie, pensait-il encore, cette vie que j'ai... Je sais bien que ce n'est pas celle que j'aurais choisie, si on choisissait. C'est la terre que j'aime, pas plus, et je suis sur la mer ! C'est à la Guirande que je me plaisais. La Guirande... »

Et dans l'obscurité, trouée d'un calel à huile et dans la moiteur de cette chambrée maritime où se distinguaient les hamacs parallèles contenant chacun un corps endormi,

Florestan Desmichels évoquait la grande ferme, jadis riche et heureuse, abandonnée à présent à la demi-folie de son frère Pierre, au ruineux gaspillage de sa belle-sœur Solange. Dans son insomnie, le souvenir le hantait de son enfance, aux mains des grandes sœurs Louise et Marguerite, de ses jeux avec Rosine à présent mariée et mère de famille, de ses travaux en compagnie d'Antoine et de Sébastien, ses frères préférés.

Tout cela était tombé dans le passé. Tout cela avait été détruit depuis ce jour où, petit garçon terrorisé par les disputes des grands, il avait vu leur père, Firmin Desmichels, chasser de chez lui Antoine révolté. Ç'avait été le commencement de tout le mal qui devait détruire la puissance du Domaine. Après le départ de l'aîné et de ce vieux berger Nans qui savait si bien fabriquer des flûtes en roseau, il avait semblé qu'on allait pouvoir continuer à vivre, mais c'était faux. Et un matin le drame avait éclaté de nouveau : cette fois c'était Marguerite qui avait fui la maison : « Nom de Dieu de nom de Dieu ! criait le père. Qu'est-ce qu'ils ont tous dans le ventre ? » On n'osait plus parler qu'à voix basse, la mère se cachait dans les coins pour pleurer, Louise marmonnait des prières et aspergeait toutes les pièces avec du buis bénit, pour en déloger le démon. Puis le père était mort. Il était tombé en avant comme ces arbres qu'on abat dans les coupes, qui semblent encore vivants alors qu'ils ne tiennent plus que par la faible partie que la scie n'a pas encore tranchée. Sébastien avait pris sa place. Sébastien, Madeleine Roussel, dont la petite Nine devait devenir cette mauvaise fille qui avait commencé à pourrir Ollivier. Ils étaient braves, mais Sébastien était mort à son tour, écrasé par le chargement de sa charrette, sous ce trop vieux mur qu'on devait toujours réparer. Le père, la mère, Sébastien, trois morts. Antoine tout à sa nouvelle famille. Marguerite partie avec ce voleur et disparue maintenant, qui sait où ? Pierre fou, Louise abrutie de dévotion, Solange, plus garce que les garces de la rue, voilà ce qui restait pour mener la Guirande ! Et lui, qui sentait dans ses reins la force juvénile nécessaire pour féconder la terre et la faire fructifier, il l'employait, cette force, à haler des cordages pour faire avancer un bateau sur la mer. Et là-bas, sa terre l'appelait ! Avec ses champs de blé, ses vergers, ses bords de rivière, ses vignes qui voulaient être sulfatées, ses pommiers qu'il fallait décharger de leurs pommes, ses amandiers dont on devait tailler des moignons morts, tout cela criait vers lui le besoin de ses bras, puisque Antoine était parti, puisque Sébastien était mort, puisque Pierre négligeait ces travaux, puisque la Guirande était seule, abandonnée de ses enfants.

« Je reviendrai, se promettait-il, les dents claquantes de sa fièvre et de son désir. J'emmènerai Ollivier avec moi. Nous travaillerons tous les deux. Puis je me chercherai une bonne femme. Il y en a, des bonnes femmes. Je peux trouver après tout. Ou alors, j'attendrai qu'Ollivier soit en âge d'en prendre une. Et le domaine se relèvera.

« Oui, mais il y a Pierre, il y a toujours Pierre, toujours ce fou, ce mauvais qui fait tout marcher de travers, mais veut garder le commandement... C'est pour ça que je suis sur la mer. La mer... Ils me font rire avec leur mer ! On la voit bien mieux de la terre et elle est bien plus belle. C'est ce que je lui ai dit à ce petit, ce petit qui dort, là, mon neveu, que je voudrais tant voir un jour, lui ou son fils, maître de la Guirande. »

Et Florestan, dans la fatigue de toutes ces pensées, sous l'empire de cette congestion pulmonaire dont il ignorait qu'elle allait le terrasser, tomba dans un pesant sommeil.

*

Le lendemain, il ne se leva pas. Le médecin du bord vint le visiter, lui donna un calmant et lui ordonna de se tenir au chaud. Vers le soir, ses copains, Ercole et Zanetti, lui ayant apporté une soupe qu'il dédaigna, s'assirent au pied du châlit où on l'avait installé et se mirent à bavarder pour le distraire :

— Dommage que tu soies pas resté hier au soir, commença Ercole, on a bien rigolé ! Je me suis trouvé une brune charmante. Gaie comme un pinson ! Toute nue, elle m'a chanté la romance !

— Tu avais pas mieux à faire ? plaisanta Zanetti. Moi, avec ma rousse...

— Elle dit qu'on l'a appelée Calandre parce qu'elle a une jolie voix. J'ai pas compris !

— Moi non plus, avoua Zanetti.

— C'est parce que vous êtes italiens, dit Florestan. Une calandre, justement c'est un oiseau. C'est un oiseau de mon pays qui chante tout le temps.

— Ah voilà !

— C'est une Provençale, cette fille ?

— Ma foi, je lui en ai pas tant demandé, dit Zanetti.

— Moi, la mienne, elle est de Marseille. Sa mère était veuve d'un officier, elle m'a raconté qu'on l'a vendue, à seize ans, à un vieil usurier pour payer les dettes de son père qui était joueur et avait tout perdu à Monte-Carlo.

— Tu as marché ? se moqua Florestan.

— Comment ?

— Ben oui, tu l'as crue, cette histoire ?

— Pourquoi pas ? s'étonna Ercole.

— Parce que, dit Florestan. Parce que ces filles tu peux être sûr que c'est tout menteur et compagnie. Tu penses bien qu'elle va pas te raconter qu'elle a préféré, au sortir de l'école, s'envoyer à la renverse avec des types, que de se mettre au travail ? Cependant, les trois quarts, c'est ça ? La coquetterie, la paresse, le goût de la noce et voilà, elles sont fichues ! Mais elles n'avouent pas ça et préfèrent raconter des histoires.

— Pourtant, protesta Zanetti, elle avait l'air bien sincère !

Florestan rit :

— Et la tienne ? demande-t-il à Zanetti, elle t'a fait un roman, elle aussi ?

— Oh, moi non. Nous avons guère parlé. Quand même, je l'ai questionnée, parce que tu sais c'est plus fort que nous, de savoir ce qui a pu les mener là ? Tu vois ta mère, tes sœurs, tu te dis : « Elles sont si tranquilles avec leurs maris, leurs enfants, elles vont à la messe... » Moi, mes deux sœurs vont à la messe. Les tiennes non ?

— Elles y allaient, dit Florestan. Rosine y va encore. Louise est tout le temps à l'église, Marguerite, je n'en sais rien...

— Moi, j'en ai qu'une, dit Ercole. Elle reste à Gênes, dans la maison de mes parents. Elle est vieille fille, elle porte des robes noires qui lui montent jusqu'au cou.

— Et celles-là que pourtant, continue Zanetti, ç'a été des braves filles pareil que tes mères et tes sœurs, elles se jettent à ton cou, elles t'embrassent, elles se mettent nues devant toi, elles font tout ce que tu leur demandes, pour tes vingt francs ! C'est drôle.

— Ce sont des malheureuses, dit Florestan.

— Non, moi, reprend Zanetti, nous avons plutôt parlé de la campagne, du Var, de Toulon. Elle a l'air de bien connaître ces côtés. Elle s'appelle Vivette, elle est plus jolie que la tienne, si ça te fait rien ! ajoute-t-il en regardant Ercole. Elle a des yeux magnifiques !

— Oui, mais la mienne est plus jeune, dis ?

— Possible ! Mais ça fait rien. Dommage qu'on déhale, j'y serais bien retourné.

Florestan avait fermé les paupières. Il se sentait comme détaché de la terre. Des vertiges tournaient dans sa tête.

— Tu veux dormir ? demanda Ercole. On te laisse ?

— Oui, souffla-t-il.

Les deux garçons sortirent de la petite chambre.

— Il est pas bien, constata Zanetti. De sûr, on va l'envoyer à l'hôpital.

Ils entrèrent dans la carrée et s'approchèrent du hamac d'Ollivier :

— Ton oncle va mal, lui dit Ercole.

Ollivier se souleva pour voir leurs visages.

— Plus mal que tout à l'heure ? Je l'ai vu, je suis resté près de lui, puis il a voulu que j'aille me coucher.

— Il est beaucoup rouge, il a la fièvre, dit Zanetti. Pour moi tu sais, y couve une maladie. On va te le mettre à l'hôpital.

— Mais on part demain ? s'étonna Ollivier.

— Lui y partira pas, tu verras. On va le laisser pour le faire soigner.

— Et moi ?

— Toi ? Hé ben, toi, tu partiras avec nous autres.

— Et puis ? Qu'est-ce que vous voulez que je fasse ? Qu'est-ce que vous voulez que je devienne, moi, sans mon oncle ?

— Tu es pas un bébé ? dit Zanetti. Tu feras ton travail jusqu'à Sète.

— Et à Sète ?

— Hé ben, à Sète, tu t'embarqueras pour où le bateau repartira. Tu te figures pas être libre, non ?

Les deux garçons riaient devant la figure assombrie. Puis ils allèrent se coucher, tandis que le souci tenait Ollivier éveillé.

Trois jours plus tard, le navire repartait, chargé de barriques de vin, à destination de Sète et Florestan était transporté à l'hôpital.

*

Il devait y demeurer près de deux mois, se sentir près de la mort et pourtant se sauver. Pendant sa convalescence, il ne cessait de penser à son neveu Ollivier, de s'inquiéter pour lui et de se demander quand est-ce qu'il le reverrait ? « Pourvu, se disait-il, que le petit se soit pas fait embarquer à Sète, pour de là rejoindre Toulon, retrouver Nine, recommencer cette vie de maquereau ? Pourtant, non non, c'est pas possible, c'est un garçon qui a du sang dans les veines. C'est un Desmichels après tout ! Alors il ne peut pas retomber où il était ! Y a quelque chose qui a voulu que je le rencontre dans ce cabaret des *Deux-Bretonnes,* que nous nous reconnaissions, lui à ma voix, moi à ses yeux. C'est pas pour rien que c'est arrivé ! Je suis sûr que c'est pour que je le sorte, à la force du poignet, de ce sale guêpier où il s'était fourré, par ardeur de jeunesse. Je ne sais pas quand est-ce que nous nous retrouverons, mais je retrouverai un brave garçon, ça j'en suis plus que certain. Qu'il fasse sa route avec moi ou sans moi, il la fera bonne. C'est une sûreté que je sens au creux de l'estomac. »

Florestan, guéri, commençait à trouver le temps long quand le *Dupleix* fut annoncé. Ayant fait le même voyage, il ramenait de Sète de nouveaux fûts à remplir et diverses marchandises. Il ramenait aussi Ercole et Ollivier, Zanetti ayant été changé de bateau. Ce fut un joyeux jour que celui où Florestan revit ce neveu fort et bruni dont il avait fait un homme de mer.

Ollivier racontait que le voyage avait été dur, et que le retour allait être sans doute la dernière traversée du vieux *Dupleix,* qu'on parlait d'envoyer en radoub dans les bassins de Marseille.

— Eh bien, disait Florestan, nous embarquerons sur un autre, puis dès que nous serons libérés, si tu veux nous irons ensemble à Grand-Cap ? Ta mère est vieille, la pauvre, elle est seule, quatre bons bras comme les nôtres lui rendront service. Nous ferons les charbonniers comme ton père, tu veux ?

— J'aimerais mieux aller à la Guirande, disait Ollivier.

— Et pourquoi pas ? réfléchissait Florestan. J'en suis parti de rage et de colère parce que ton oncle Pierre et ta tante m'ont volé ma terre des Trois-Chênes en me faisant signer des papiers auxquels je ne comprenais rien. J'étais naïf alors, je ne savais pas me défendre. Solange m'avait ensorcelé, mais à présent c'est fini. Surtout, si je te sentais avec moi, derrière moi, il me semble que j'aurais le courage de lutter.

— Nous irons, promettait Ollivier.

— Après tout, c'est ton bien de famille, tu es chez toi comme nous autres.

— Bien sûr, disait Ollivier.

Il se sentait plein de bravoure et de volonté.

Avec Ercole, Florestan retrouvait les insouciantes conversations du bord : service, nourriture, distractions et brimades. Et dès le premier soir, la proposition d'Ercole fut de sortir et d'aller à *Las Delicias.* Il voulait emmener Ollivier.

— Non, dit Florestan, je trouve qu'il est trop jeune pour aller dans ces endroits et en tout cas, c'est pas moi qui l'y conduirai.

— Bon, consentit Ercole. Mais moi, je veux revoir ma brune chanteuse. J'aime les filles de bonne humeur et celle-là en est une. Tu viendras avec moi, hé ?

— Je n'ai pas encore la permission de sortir le soir.

Florestan hésite. Il sent bien cependant qu'en tant qu'homme et après ce retour à la vie, il a besoin de femme.

— Il faudra que tu commences, dit Ercole. Allez, c'est entendu.

Et la soupe mangée, ils partent ensemble.

La nuit est aussi magnifiquement belle, riche d'étoiles, mêlant les odeurs marines à des odeurs d'oranges, dans le léger vent qui fait danser au même rythme, les palmes des chamærops et les vagues de l'océan. En haut de l'étroite rue qui monte entre les maisons aux murs incurvés, la lueur rouge de *Las Delicias* attire le regard. Les marins vont vers elle, comme ils sont allés au hasard de leurs voyages vers les petits magasins du Coin-de-Reboul à Marseille, vers les casitas de Buenos Aires, vers les boui-bouis de Santiago, de Bordeaux ou du Havre, partout où leurs chaleurs d'hommes trouvent des femmes prêtes à leur plaisir.

Là comme ailleurs, ils entrent, s'asseyent, commandent à boire et presque tout de suite ils ont chacun une poupée sur les genoux :

— Qu'est-ce que tu payes ?

— Comment tu t'appelles ?

— Paquita. Je suis née à Mexico.

— Et toi ?

— Moi, je suis de Paris. Je m'appelle Hortense.

C'est Florestan qui a la Parisienne. Elle a un visage ravissant de guenon fardée, avec la frange des cheveux à la chien, des yeux canailles, une bouche luisante de rouge gras. Elle fume et lance en riant un nuage dans le nez du marin.

Ercole a fait servir du champagne. Paquita et lui boivent à la même coupe et les dures mains masculines cherchent la peau douce des seins. Mais il pense à une autre :

— Et ta collègue, la brune frisée ? demande-t-il. Tu sais, celle qui chante toujours ?

— Calandre ?

— Oui. Je l'ai pas vue encore.

— La pauvre, dit Hortense, tu la verras plus de longtemps.

— Qu'est-ce qu'il lui est arrivé ?

— Elle a reçu un coup de couteau. Elle est à l'hôpital.

— Oh ! dit Florestan.

— Elle a pas eu de veine. Qu'est-ce que tu veux, est-ce qu'on peut deviner ? Elle a dansé avec un type comme d'habitude, tu sais, un nommé Manolo qui était venu et l'avait choisie. Ils ont monté dans le cabinet pourpre. Elle avait beaucoup bu, elle riait. Sur les marches, elle chantait encore…

— Oui, interrompit Paquita, y me semble que je l'entends ! Elle chantait ça :

« Passez gais amoureux, vous qui vivez d'ivresse ! Ne vous arrêtez pas sous le pont des soupirs… »

— Et alors ? interroge avidement Ercole.

— Alors, un moment après, on a entendu un grand cri, puis on l'a vue en haut des marches, elle avait les bras levés, elle est tombée en avant, on l'a ramassée en bas, elle avait encore le couteau planté au-dessous des côtes, un chose long et mince, comme une aiguille. Nous on a crié, on était folles ! Pablo a tiré sur le manche, alors le sang a fait un jet en l'air comme d'un robinet et tout de suite on a vu que c'était grave. Elle a juste pu dire : « Il m'a tuée. » On lui a fait la transfusion du sang. On sait pas encore le résultat.

— Et le type ?

— Il avait sauté par la fenêtre de l'étage. Le lendemain on l'a trouvé à la mer. Il était tout mangé en bas du corps par les poissons. On croit qu'il était devenu fou de jalousie.

— Pauvre Calandre, elle était si gaie ! dit Ercole.

— Oui, ça vous donne le frisson ! dit Hortense. Les premiers soirs nous n'osions plus monter avec personne. Tu sais, on en voit dans notre métier…

— Les hommes sont des chiens ! dit Paquita. Ils ont que leur truc à la place du cœur. Quand ils l'ont dur, y tueraient père et mère pour se soulager !

— Les femmes pareil, dit Ercole.

— Non ! Non ! Jamais de la vie ! La preuve, tu en vois des femmes qui violent des petites filles ? Tu en vois, des maisons publiques où les femmes vont contenter leur envie ? Non, c'est pas vrai. La femme ça a plus de raison, ça sait mieux se contenir. Et si nous sommes devenues des putains, c'est pas notre faute, c'est la vôtre.

— Paquita, dit Hortense, si Madame t'entend, tu vas te faire mettre à l'amende.

— Je m'en fous, je m'en fous ! crie Paquita à voix basse. Moi, Calandre, je l'aimais.

— Moi aussi, dit Hortense, et y en a une qui l'aimait encore plus que nous, c'est Vivette.

— Ah c'est vrai, dit Ercole, Vivette ? C'est celle de Zanetti, explique-t-il à Florestan. Y t'en avait parlé.

— Celle qui connaît la campagne du Var ?

— Oui, une rousse, pas jeune, mais encore bien.

— Oh ! sûr qu'elle commence d'être vieille ! confirme Paquita.

— Et elle fait encore le métier ? s'étonne Ercole, moi je croyais qu'y avait que les toutes jeunes.

— Penses-tu ! A Marseille, chez Aline, j'en ai connu une de pas loin de cinquante ans : Diana d'Alger. Eh bien, elle chômait pas, je te prie de le croire !

Florestan ne répond plus. Une sorte de mélancolie tombe sur lui. Il ne sait s'il la doit à l'affaiblissement de sa maladie, ou à cette conversation déprimante. « Dans ces endroits, pense-t-il, il vaut mieux ne pas parler. Ça ne sert à rien. Ce qu'on apporte ici pour que ce soit calmé, ça n'a pas besoin de paroles, au contraire ; « Vous êtes des chiens », elle dit. Les chiens ne parlent pas. Ils font ce qu'ils ont à faire quand leur sang les pousse. Après, ils s'en vont chacun de leur côté. »

Il laisse mollir ses bras qui s'étaient serrés autour d'Hortense la Parisienne. D'abord ce n'est pas le genre de fille qu'il aime, avec ce teint de papier mâché, ces cheveux fous frisés en boule sur le front, ce nez retroussé, cette bouche canaille. Il la fait glisser de dessus ses genoux et lance son regard dans le centre de la salle où le bal a repris, où les couples se mêlent et se heurtent dans le tournoiement, tandis qu'Ercole, bouillant de nature et facilement amoureux, écrase les lèvres de Paquita.

Hortense, mise debout et vexée de cet abandon, regarde du même côté. Au passage, elle accroche par le bras une femme dont on ne voit que le dos, ondulant dans la fin d'une danse :

— Vivette ? dit-elle.

La femme se détourne, abandonne son cavalier et s'approche du groupe :

— Tu m'appelles ?

— Marguerite ! crie Florestan.

Il est debout, dressé soudain, jeté en avant avec son cri. La femme est aussitôt livide comme la mort. Florestan lui a pris le bras et, dans la figure, il lui crie à nouveau :

— Marguerite !

— Je m'appelle Vivette, dit-elle d'un ton sourd.

Il s'est jeté sur elle et la secoue :

— Nom de Dieu ! Tu t'appelles Marguerite Desmichels !

— C'est pas vrai ! C'est pas vrai ! crie-t-elle à son tour.

— Qu'est-ce que c'est, ces histoires ? gronde l'homme avec qui elle dansait.

Florestan d'un revers de main, a balayé la table, les coupes demi pleines sont projetées contre le sol avec les bouteilles ; le col de l'une, brisé dans ses doigts, lui entaille le poignet qui saigne sur tout. Il continue cependant à tenir Vivette. Et de sa main coulante de sang, il la gifle violemment à deux reprises et d'un autre coup, la fait rouler à terre. Elle crie :

— Florestan !

Tout le monde s'est massé autour d'eux : il y a chaque soir des bagarres, mais celle-ci, tout de même, a été tellement soudaine et sans raison apparente que les assistants en demeurent saisis. L'homme qui dansait se jette sur Florestan. Il tire une arme de sa poche de derrière. Marguerite, dont la lèvre fendue dégoutte de sang clair, s'élance sur lui :

— Pablo, laisse-le ! C'est mon frère.

Elle retombe à terre sur ses genoux et la face contre le sol, elle sanglote.

Florestan, au milieu d'un silence glacé, se passe la main sur le front :

— Je suis devenu fou... dit-il.

II

Depuis bien des années, quand Marguerite pensait à sa vie, c'est qu'elle s'y trouvait forcée. Elle s'empêchait autant qu'elle le pouvait, de remâcher ses souvenirs et le faisait seulement lorsqu'ils lui remontaient en bouche comme un relent qu'il faut assimiler ou cracher. Elle constatait alors qu'elle avait eu trois vies en une, trois vies bien différentes par toutes ces années passées sur la terre. On l'avait nommée à son baptême « Laurence-Félicie-Marguerite ». « Laurence » en hommage à son grand-père, « Félicie » comme sa mère, « Marguerite » parce que sa marraine s'appelait Marguerite. Ensuite, enfant, elle avait été « Guitte » pour toute sa famille ; puis « Margot » pour Richard et ses amis ; maintenant, pour ses amants de passage, elle était devenue « Vivette ». « Tu es vive, tu es vivette ! » lui disait autrefois le boucher qui la payait avec ses gigots. Elle avait retenu le nom lui ayant plu, nom qu'elle avait insolemment jeté au visage de Florestan, ce frère perdu et retrouvé qui l'avait souffletée en retour, de son vrai nom de « Marguerite Desmichels ».

Oui, d'abord, elle avait été cette jeune fille fraîche, saine, à visage franc, à chair dure, cette fille de paysans qui se levait à cinq heures du matin pour sarcler les salades, qui se tenait debout sur ses jambes solides dans les ruisseaux d'arrosage, qui renfonçait, d'un même geste garçonnier, ses cheveux sous le fichu de tête et ses seins drus dans le corsage de cretonne à fleurs ; celle qui grimpe aux arbres, vole les fruits, s'écorche les jambes aux haies d'aubépine, déniche des oiseaux, griffe ses sœurs, se bat avec ses frères, va pleurer dans un coin parce qu'on l'a grondée ; puis celle qui se regarde dans le morceau de miroir pendu à la cuisine, à côté des torchons ; qui se regarde et se trouve de jolis yeux, de jolis cheveux, une jolie bouche ; qui, la nuit, touche ses seins et comprend qu'elle a de jolis seins, puis celle qui découvre qu'il y a des garçons et des filles et que ce n'est pas pareil et que beaucoup de choses, bonnes et mauvaises, arrivent dans le monde parce que ce n'est pas pareil... Et alors, vient le moment des bals : sur les places de village, les dimanches on danse, on danse aux noces des amies, on danse pour la Sainte-Marie, pour la Saint-Jean, autour des feux ; les garçons vous tiennent solidement par la main pour les farandoles ; ou pour la mazurka ils vous entourent la taille et vous sentez votre chair devenir moite et vous commencez à comprendre pourquoi. Et après ces moments où tous les garçons vous troublaient, vient celui où un seul garçon vous trouble et celui-là devient un homme et vous une femme... Un soir, dans les canniers, au bord d'une rivière, tandis que les parents vous croient au bal avec vos frères et vos compagnes d'école, vous êtes là-bas, dans un vieux cabanon et, tout abandonnée sur des gerbes d'herbes sèches odorant la colline, vous êtes allongée, endolorie, à côté de cet homme et vous pensez que votre vie de fille, la première partie de votre vie, vient de finir.

Et voilà celle de femme qui commence : seconde partie. « Guitte » devient « Margot ». Finies les innocences et les rougeurs. Chaque soir dans le lit, un mari qui est un amant. Et les lassitudes heureuses des reins et les cernes glorieux sous les paupières. Et la bouche de ces premiers temps de passion, toujours baisée, mordue, sucée, toujours brûlante et brûlée. Puis voilà le premier enfant, une fille : Vincente, trésor, chérie, beauté, ma merveille ! « Personne au monde n'a une aussi jolie petite fille, n'est-ce pas, chéri ? — Non, personne, rien que nous. — Tu l'aimes ? — Je l'adore. — Et moi ? — Toi aussi. Et toi ? — Moi aussi. » Tout le monde s'embrasse, le mari, la jeune mère, le bébé. C'est magnifique, c'est touchant, c'est déjà usé. Richard veut sortir le soir avec sa femme, il n'aime pas entendre pleurer, il en a assez de voir les seins de Margot servir de boîte à lait. Il le déclare brutalement. Sa mère gardera la petite. « Nous on est jeunes, tu comprends ! Y faut profiter de s'amuser. » On s'amuse, on va danser en bande le dimanche. Richard danse bien, il est beau, il fait danser d'autres femmes, mais on n'est pas jalouse, on est sûre d'être aimée. Et un jour, voilà cette Gianella. La tenait-il par l'épaule, oui ou non ? Lui dit non, moi je dis oui. Doutes, soupçons, larmes secrètes : « Mon Richard, me tromper ? C'est impossible. Mais déjà passé le temps de soucis d'amour ! On en a de plus graves : le vol. Lui un voleur ? Mais non, vous voyez bien ! Le voilà libre. Non, le voilà arrêté. Cette fois, c'est vrai, Richard est un voleur et Nestor veut me consoler. »

Nestor ? Baï quelle horreur ! Il a un vilain nez, des dents horribles. Comme on se sent vertueuse quand on est menacée d'être embrassée par un laideron pareil ! Elle se sauve de lui, elle court à Salernes, elle y laisse sa fille, elle revient. Elle pense à Richard qui a pris la fuite, elle s'inquiète, mais celui-là, comme un imbécile qu'il est, vient se mettre en boule dans le lit-cage, sous le tapis rouge, orné du vase à fleurs ! Il est pris, elle est seule avec un enfant à nourrir. Elle retourne à Salernes et c'est le calme accueil de la belle-mère Falconnet, c'est le rire aux éclats de Vincente, ce rire mouillé, ivre de plaisir, brillant sur les petites ratounes blanches, sur les rondes lèvres ouvertes, sur la langue en pétale de rose, ce rire en salive argentée coulant sur le menton menu, le cou soyeux : « Maman, plus de chatouilles ! » C'est la chasse aux bonnes herbes, à travers vallons et collines : ici la pariétaire dont les feuilles collantes font sur la jupe des broderies vert pâle, ici la rue qui vous inonde de son âcre odeur, ici la lavande qu'il faut disputer aux abeilles, ici l'origan, la salsepareille, la racine nouée et renouée du chiendent, la graine craquante et parfumée du fenouil, la feuille en fer noir du laurier et sur ce même terroir béni, la feuille tendre de l'oranger. Et l'on revient, le soir, à la maison avec un gros sac léger sur le dos, les cheveux épars, le visage fardé de sueur, les sandales perdant leur semelle de corde, le corsage ayant fait sauter ses boutons. On est devenue une fille sauvage et ce mari qu'on a trop aimé, on oublierait presque qu'il est en prison et on serait heureuse si ce n'était ces nuits où le jeune corps échauffé par les courses au grand air et privé des caresses habituelles se tourne et se retourne fiévreusement dans un lit solitaire.

Et un jour, sous le hangar où l'on brasse l'amère senteur des feuilles de noyer, on rencontre un garçon : « Je m'appelle Damien Bâri. » Celui-là est beau, on ne peut pas s'empêcher de le voir. « Damien... la fleur de magnolia, cette sorte d'œuf magnifique et si fragile : « N'y touchez pas, ça vient noir tout de suite. » Je voyais bien où ça me mènerait. Je voulais pas, j'ai froissé l'œuf entre mes mains, exprès ! J'ai griffé le daim blanc des pétales avec mes ongles, exprès ! Puis j'ai jeté cette fleur devenue toute noire, sur le fumier, à côté des poussins noyés par l'orage. » Elle croyait avoir jeté aussi dans le trou à ordures, l'envie qu'elle avait de Damien. Elle croyait. Elle avait triomphé du souvenir et de la fleur, elle n'a pas su vaincre l'hirondelle tuée par la faux, ni la présence. De loin le courage est facile, mais de près... Les mains chaudes, unies sur la tombe de l'hirondelle, les regards, les corps qui déjà se touchent en rêve, le désir harassant de toutes les nuits...

Mais Richard a fini son temps, il revient, il reprend sa femme dès sa sortie de prison. « C'est ce jour-là que j'ai connu Pablo. Comment me serais-je doutée ? » Pablo. Et quand il a dit en parlant de Gianella. « Il n'y a pas de comparaison. » Et c'est depuis là que le tourbillon s'est jeté sur elle ainsi que le mistral à l'angle d'une rue. Il l'a prise, tournée, envahie, secouée, lancée à terre et ramassée dans une bourrasque. Elle a été poussée en avant, tâchant de retenir sa raison comme on retient à deux mains la jupe que le vent vous emporte et elle est restée, le cœur nu et glacé, comme on reste les cuisses nues, glacées de froid. Ç'a été le cabanon de Pablo, sur la côte rocheuse et sèche du Mourillon, le départ hâtif un soir de pluie et Faustin, pour la première fois, a bougé dans son ventre. Ç'a été la halte du « pin couché », la belle chambre, le lit luxueux, l'armoire pleine de magnificences et cet essayage de la tunique chinoise en brocart rouge brodé d'or, cette tunique et ce pantalon de lamé qu'elle a emportés partout avec elle, même ici et que plus jamais elle n'a voulu remettre. Ç'a été les syllabes prestigieuses de ce nom : « Faustin de Rouvre » lues sur une carte de visite. Et comme justement à cette minute, son fils a signalé pour la seconde fois qu'il était vivant en elle, elle a décidé qu'elle l'appellerait Faustin.

Elle était bien dans cette maison, mais le tourbillon est venu l'y ramasser comme une feuille arrachée de son arbre natal et l'a jetée à la « Villa des Troènes ». Là, ce fut une sorte de prison consentie, un semblant de vie honnête, occupée au ménage, au lavage, au soin des enfants. Là seulement, elle eut ses deux petits ensemble, à elle, et put croire que son existence, coupée à morceaux, se coagulait. Ses enfants, son mari, des amis. Mais Pablo amena Calandre, Mandoline ensuite amena Marie-José. A toutes deux, elles firent comprendre à Margot ce que pouvait être exactement une putain. C'était tout neuf pour elle et l'indignation, le mépris, d'abord la suffoquèrent. Puis elle s'habitua. Pas assez cependant pour consentir à la combinaison de Bordeaux. Elle revoit ce pasteur... Un pasteur !

Comment le retrouver parmi tant de pasteurs ? Le tourbillon la reprend et la jette à la Guirande... La méchanceté de Pierre, le dédain de Solange, la dévotion hargneuse de Louise, la solitude du cœur, la hantise de la chair. « Damien ! » Et voilà la gare de Draguignan et l'hôtel *Aux Cheminots* et le tourbillon la jette dans les bras de Damien : « Garde-moi, je n'ai que toi. — Je te garde, je ne te laisserai pas partir. — Non, il faut que je parte. Tu comprends, j'ai mes petits, mais je reviendrai. — Tu ne reviendras plus ! — Si, je te jure, laisse-moi aller reprendre mes enfants. — Ma chérie, reviens-moi, nous serons heureux. — Mon beau chéri... » Elle part, elle s'arrache, elle arrive à Salernes. Richard est là qui tient Vincente sur ses genoux. Richard qu'elle n'aime plus, Richard qui est toujours son mari.

Et danse la feuille volée à l'arbre ! Danse la danse de mort qui la roulera, la déchirera, l'effritera, pour la totale destruction ! Nestor Mangiagari sans amour, après Damien avec amour. Damien, c'était la fleur de magnolia, l'hirondelle et sa goutte de sang comme un rubis au bout du bec ; Nestor, c'est le loyer payé, les gâteaux du dimanche, le tissu de la robe bleue. Delanglade, c'est le contact brutal dans l'escalier obscur, le bar de la Rade, le porto. Célestin, le boucher, c'est la cuisse pincée par les doigts gras, l'arrière-boutique, l'accouplement obscène contre la table de marbre, le pot-au-feu avec l'os à moelle, le gigot et ce premier billet bleu qu'elle vole. Elle s'habitue, elle trouve que ça n'est pas désagréable. Mais soudain, la barre de mesure tombe sur sa tête. D'un coup. Assené par une main invisible : Richard, Nestor, Mandoline, Gianella, Marie-José sont arrêtés. Et elle, Margot, qui se souvient de s'être appelée Marguerite Desmichels, elle est emmenée en prison avec ces voleurs et ces prostituées. Mais n'est-elle pas devenue une voleuse ? N'est-elle pas déjà devenue une prostituée ? On la libère. Il va falloir se débrouiller sans les générosités de Nestor. L'habitude est prise de gagner de l'argent avec facilité. Elle est belle, elle est devenue paresseuse. Elle descend dans la rue.

La rue, c'est le *Café français,* c'est le vieux notaire, c'est la vente charnelle froidement acceptée, pour de l'argent : Donnant donnant et « si je te rencontre, n'aie pas l'air de me reconnaître ». Le mépris total. Mais elle peut acheter les bottines jaunes dont elle crevait d'envie, le prochain paiera les bas ou le manteau. Ce n'est pas difficile, il n'y a qu'à se coucher sur le dos et attendre. Attendre le vieux notaire qui la paye pour croire lui donner du plaisir, puis son fils, à sa place, s'en charge, mais lui ne paye pas. Et même il porte plainte. Elle, malade ? Contaminée ? Allons donc ! Elle se soumet à la visite honteuse. Elle revient chez elle, elle écrit à Damien, il ne répond pas. Pourquoi ? Ah, maintenant elle le sait. Elle l'a su longtemps après, par le bavardage d'une fille de Draguignan : Damien, à ce moment-là, était déjà mort. Un accident stupide : en labourant un vignoble au domaine Delacroze, où il s'était placé après Vallomber, il a buté sur une motte et a reçu le pied ferré du cheval dans la poitrine, il est mort en crachant le sang. Voilà pourquoi il n'a plus répondu.

Elle se place bonne. Une vie morne et paisible pourrait recommencer pour elle. Le soir, lasse d'avoir frotté les parquets, elle prend Faustin dans ses bras et l'embrasse tristement. Ce n'est plus la grosse joie des rires chatouillés de Vincente, son fils la regarde avec de magnifiques yeux graves qui semblent comprendre déjà et dire : « Pauvre maman ! » Et un jour, devant la porte, elle trouve Pablo qui l'attendait.

*

Pablo l'attendait depuis longtemps. Depuis toujours. Depuis la première heure où il l'avait connue, il avait pensé qu'elle ferait son affaire, mais il avait compris aussi que c'était une femme à ne pas brusquer, qu'il fallait laisser agir l'existence, que les ennuis la dresseraient. Marguerite se souvient de leurs conversations et surtout de celle qu'ils eurent par un de ces tendres crépuscules sur la mer où le ciel est une mousseline de soie rose et vert. Le bateau traversait la Méditerranée. Pablo avait décidé d'emmener Marguerite aux Baléares. Auparavant, dans l'étroite cuisine de l'avenue de Lagoubran, il lui avait mis sous les yeux la situation dans laquelle elle se trouvait et par comparaison, celle qu'il prétendait lui offrir. Elle avait écouté longtemps, elle était lasse, elle regardait des marques d'eau graisseuse qui salissaient ses bras, il lui expliquait qu'il lui apportait trois mois de luxe, de belles robes, une vie insouciante et beaucoup d'argent à mettre de côté :

— Six mois peut-être, disait-il, au plus, si tu es dégourdie. Après tu reviens, tu reprends tes petits et si je te plais toujours, nous nous mettons ensemble. Nestor, je pense bien que tu t'en fous ?

— Oh oui ! répondit-elle. Mais Richard ? C'est mon mari, Richard.

— Ne t'inquiète pas de lui, avait conseillé Pablo, ce n'est pas demain qu'on le libérera. Tu seras revenue.

Ils étaient partis, il lui avait acheté deux robes neuves, des escarpins à hauts talons, des bas de soie, une parure de lingerie en pongé rose. Elle avait dit à Mme Delanglade :

— Je vous confie mon petit.

Pablo avait versé trois mois de pension :

— On vous enverra le reste avec notre adresse.

— Je vais travailler à Paris. J'ai une bonne place.

Le même jour, elle avait écrit à sa belle-mère : « Chère maman Falconnet, vous connaissez ma situation, je ne peux plus rester comme ça, quelqu'un m'a trouvé une bonne place. J'y vais, je vous enverrai mon adresse. Soignez bien ma Vincente et parlez-lui beaucoup de moi. Je vous embrasse toutes les deux. Margot. »

Et en bas, en biais, elle avait ajouté : « Je reviendrai bientôt ! » avec un point d'exclamation.

« Je reviendrai bientôt ? » Il y avait quinze ans qu'elle était partie.

Donc, ce soir-là, ce soir de beau temps et de paix sur le monde, à bord de ce bateau, Pablo lui avait dit :

— Il y a quelque chose que je dois t'apprendre.

— Quoi ?

— C'est à propos de Richard.

— De Richard ?

— Oui. Quand tu reviendras en France, tu comptes retourner avec lui ?

— Je ne sais pas...

— Tu m'as avoué que tu ne l'aimais plus ?

— Non, mais nous avons deux enfants.

— Et alors ?

— C'est leur père.

— Un père comme ça !

— Si je peux, dit-elle, je ne retournerai jamais plus avec lui, mais ce sera difficile, je ne sais pas comment je m'arrangerai...

— Tu t'es rendu compte qu'il a tout fait pour que tu couches avec Nestor ?

— Oui. Je l'ai compris à la fin.

— Et Delanglade ? Il paraît que tous les deux riaient de toi au bar.

— Qui te l'a dit ?

— Delanglade lui-même. Et il traitait ton mari de salaud.

Marguerite s'était tue.

— Et ton boucher ? Tu crois que Richard ignorait que tu le payais en nature ? Et pour le vieux notaire, il le savait aussi. Il donnait des cigarettes volées à Delanglade pour qu'il te procure des amants. Tu vois ? Pourquoi tu aurais continué à te donner à des types pareils pour un gigot, une paire de chaussures, un billet de dix francs ? C'était du gaspillage !

— Et alors qu'est-ce que tu dois m'apprendre à propos de mon mari ?

— Eh bien, que c'est lui qui t'a vendue.

— Qui m'a vendue ? avait répété Marguerite. Je ne comprends pas.

Pablo l'avait prise aux épaules :

— Tu crois que tu ne m'as rien coûté ?

— Comment ?

— Tu crois que j'ai rien payé pour m'occuper de toi ?

— Tu as payé combien ?

— Deux mille francs.

— Deux mi... mais à qui ?

— Justement, à Richard.

— Explique-moi, dit Marguerite.

— Eh bien, voilà : j'étais loin, tu le sais. Je suis revenu à Toulon pour affaires. Je dois te dire, j'avais une sale histoire, on avait embarqué un faux poids.

— Un faux poids ?

— Une mineure. Ça s'est su, on l'a réexpédiée en vitesse et je l'ai suivie jusqu'à Toulon pour la surveiller.

— Après ?

— Je savais pas où tu étais, mais je savais où était Richard. J'avais lu sur les journaux son arrestation et tout. Alors, je suis allé le voir à sa prison.

— Ah ?

Un torrent glacé avait coulé entre les épaules de Marguerite.

— Oui... Et il m'a dit qu'il voulait s'évader, qu'il avait une combine avec un gardien, mais que ça lui coûterait deux billets et qu'il ne les avait pas. Et il me les a demandés. Moi, tu comprends bien, j'ai dit que je pouvais pas, que ce que j'avais, il me le fallait pour mon travail. Et c'est là qu'il m'a offert de t'acheter.

Marguerite était demeurée sans paroles.

— Oui, il m'a expliqué : « Tu comprends, ni plus ni moins, c'est une femme qui est perdue pour moi. Ça cadre pas ensemble. Elle a jamais suivi mes idées. Quand nous nous sommes mariés, je l'ai vue fraîche, neuve, j'ai cru que je la formerais. Y a rien eu à faire. Alors si tu veux, je te la passe : deux mille francs. »

Marguerite avait continué à se taire. Sa bouche lui semblait être de ciment et ne pouvoir jamais plus s'ouvrir. Pablo avait continué :

— J'ai compris que ces deux mille francs, il les voulait pour s'évader : « Je vous embêterai pas, sois tranquille, il m'a dit encore. Toi, emmène-la, loin, elle te compensera toujours ton argent. » Je suis revenu le lendemain lui apporter les billets, roulés dans une cigarette que je lui ai passée à travers la grille et c'est ce même jour que je suis allé chez toi.

— Cette fois, je comprends, avait dit Marguerite.

Et elle s'était cramponnée au bastingage parce qu'elle sentait qu'elle allait tomber.

— Pousse-toi, pousse-toi ! avait-elle crié sourdement. Je vais rendre…

Tout le lendemain, elle était restée couchée dans sa cabine, malade, traversée de coliques et de vomissements, puis le jour suivant, elle s'était levée, elle avait mis la plus jolie de ses deux robes et elle avait commencé à travailler un négociant en huiles d'arachides, qui, depuis le départ, la poursuivait de regards incendiaires.

Et elle avait accepté, à partir de cette minute, de devenir officiellement une prostituée.

*

Maintenant, aujourd'hui, elle est allongée sur son lit. Elle a demandé du repos. Pablo, qui a épousé depuis cinq ans la patronne de l'établissement *Las Delicias,* le lui a facilement accordé et il a ajouté :

— J'irai te voir.

Il entre, il s'assied sur le matelas :

— Tu ne peux plus rester ici, annonce-t-il tout de suite. Tu penses bien, ni Mme Éliane ni moi ne pouvons encourir cette responsabilité de te garder contre la volonté de ton frère.

— D'ailleurs, je veux plus rester, dit Marguerite.

— Bon. Ton frère va venir, nous nous expliquerons. J'espère que tu ne lui diras pas de mal de moi ? Je ne t'ai forcée en rien. Ton mari voulait te vendre, je t'ai achetée, je lui ai donné ses deux billets, l'affaire a été correcte. Tu ne peux me faire aucun reproche, n'est-ce pas ?

Comme elle se tait, il répète :

— N'est-ce pas ?

— Bien sûr, dit Marguerite.

— Tu comprends, il faut que tout ça soit bien établi ? Quand je t'ai prise avec moi, tu étais plus que majeure. Maintenant, tu sais encore mieux ce que tu fais. Si tu veux, tu pars. Moi, je te regretterai, parce qu'on a toujours été bien d'accord, avant que j'épouse Mme Éliane. Tu te souviens, hé ? A Las Palmas, tu étais pas malheureuse ? Après non plus, à Lisbonne, au *Flamant rose,* ça a bien marché. Tu as pu envoyer des sous à Mme Delanglade pour garder ton fils et à ta belle-mère pour Vincente ? Même tu as pu payer pour faire soigner Richard à son hôpital de Lille, quand il a reçu cette mauvaise balle que Mandoline lui a envoyée dans le poumon et qu'il a mis six mois à en mourir. Tu n'as manqué de rien, tout ce temps ? Tu n'as pas été malheureuse ?

— Non, dit Marguerite.

— Après, quand on est venu ici, dès que j'ai vu que Mme Éliane avait des idées sur moi, tu te rappelles que tout de suite, je te l'ai confié. Je t'ai expliqué comme ça me faisait une belle situation de taulier, et tu as compris, tu m'as conseillé : « Marie-toi. » C'est bien vrai ?

— Qui, dit Marguerite.

— Et ici non plus, tu as pas été à plaindre. J'ai jamais joué au patron avec toi. Je reconnais que tu es régulière au travail, mais enfin tu sais, y a des jalousies. Les filles autour de toi venaient rouspéter que tu prenais la place des jeunes, que les clients te préféraient, j'ai jamais voulu rien entendre, j'ai dit : « Ça prouve qu'elle se débrouille bien. Faites comme elle. » Mme Éliane aussi, elle t'aimait bien. Tu le sais. Alors je regrette… Seulement que veux-tu, c'est plus pareil. Tu as vu, quand tu m'as eu crié : « C'est mon frère », je l'ai lâché tout de suite et après, quand tu t'es trouvée mal et qu'on t'a montée à ta chambre, quand il m'a dit : « Je viendrai vous voir demain », j'ai répondu : « Bon. » Et maintenant je l'attends.

Il s'arrête de parler et d'une voix grave, il ajoute :

— Ton frère, je le respecte.

*

Marguerite ne sut jamais ce que s'étaient dit Florestan et Pablo, en présence de Mme Éliane. Ce même soir, Paquita lui fut envoyée pour l'aider à mettre dans sa malle en osier son linge et ses robes et la prévenir qu'un de ces légers carrosses portugais, conduits pas deux mules harnachées de filets à flots rouges et de grelots tintinnabulants, viendrait la prendre dans une heure.

— Tu pars ? demanda Paquita. Où vas-tu aller ?

— Je n'en sais rien, répondit Marguerite. Où mon frère voudra.

— Il paraît qu'il a payé toute ta dette. M. Pablo dit que c'est un type régulier et qu'il l'estime beaucoup. Tu nous écriras ?

— Je sais pas, dit Marguerite.

Paquita se laissa glisser contre le lit :

— Tu t'en sors, tu as de la chance !

— Non, dit Marguerite.

— Tu trouves ? Moi, j'en ai jamais rencontré un pour m'enlever du turbin.

— Y a trop longtemps…

Marguerite leva les épaules :

— C'est moi qu'il faudrait que je change, pas l'endroit. Comment faire pour mener une autre vie, maintenant que j'ai pris l'habitude ?

— Tu vas retrouver tes enfants d'abord.

— Oh non ! cria sourdement Marguerite. Tu y penses... Ma fille est grande maintenant. Je pourrai pas supporter ses yeux sur moi. Ceux de Faustin non plus... J'aimerais mieux jamais plus les revoir !

Elle baissa la tête et soupira :

— Ici, j'étais tranquille, tu comprends ? J'avais tout oublié.

Ercole n'osait plus parler à Florestan. Après la scène de *Las Delicias* il était rentré de son côté. Un peu plus tard, faisant semblant de dormir, il avait vu arriver son ami qui s'était penché sur le hamac d'Ollivier, puis avait rejoint le sien, car il était considéré comme guéri et pouvait revenir coucher à bord.

Le lendemain matin, Florestan, à peine levé, s'en fut vers la cabine du capitaine. Quand il en fut revenu, après le repas de onze heures, il s'approcha d'Ercole qui, muni d'une grosse aiguille, reprisait sa vareuse numéro un. La veille, quand Pablo avait menacé Florestan, il s'était jeté en avant, mais un danseur de la maison l'avait brutalement accroché à l'épaule et sa manche avait craqué. Il regarda approcher son camarade.

— Je viens te faire mes adieux, dit Florestan.

— Comment ? dit-il en levant un œil interrogateur.

— Oui, le *Dupleix* part la nuit prochaine. Et je ne partirai pas avec lui. J'ai demandé à être débarqué. Je l'ai obtenu.

— Tu te sens toujours malade ?

— Non. Mais je veux rester ici. Tu as vu, hier au soir ?

— Oui, dit Ercole.

— Alors tu dois comprendre. Je peux pas la laisser. Il faut que je la sorte de là. C'est ma sœur.

— Je comprends.

— Écoute, reprit Florestan, je voudrais que tu me promettes de surveiller un peu le petit.

— Ollivier ?

— Oui. Je ne sais quand ni comment je rentrerai. D'ici là, je ne serai pas tranquille sur lui. Je t'ai raconté ce qu'il commençait de faire et comment il se pourrissait quand je l'ai ramassé à Toulon...

Il ébaucha un sourire amer :

— J'ai tout du chien de Terre-Neuve ! dit-il. On croirait que je suis créé et mis au monde pour sauver les noyés... Enfin c'est comme ça ! Et pour renflouer l'une, je voudrais pas enfoncer l'autre. Alors écoute, le *Dupleix* va être conduit en radoub et tu vas être forcé de changer de bord.

— Tu veux que je le prenne avec moi ?

— Oui. Et que tu le gardes.

— Nous allons être quelques jours à terre. Moi je compte rendre visite à mes parents, je peux me charger de lui, le mener à la maison ?

— Ça non. Quand vous arriverez à Marseille, c'est convenu qu'il ira tout de suite au Grand-Cap voir sa mère et rester un peu avec elle. Il me l'a promis, espérons qu'il tiendra parole. Mais quand tu t'embarqueras à nouveau, je voudrais que tu ailles le chercher et que tu le fasses partir avec toi. Je te donnerai de mes nouvelles et je te dirai où je compte aller en quittant d'ici.

— Tu veux emmener ta sœur ?

— Bien sûr, dit Florestan. Tu voudrais pas que je la laisse ? Alors voilà, termina-t-il. J'ai déjà embrassé Ollivier, je veux pas le revoir, pas la peine de s'attendrir.

— Qu'est-ce que tu lui as dit ? La vérité ?

— Tu voudrais pas ? C'est la sœur de son père. C'est une Desmichels quand même. Non, je lui ai laissé croire que j'avais rencontré quelqu'un ici, une personne qui me retenait... mais que je partirai par le premier transport et vous rejoindrai à Marseille. Alors je compte sur toi.

— Entendu, dit Ercole.

Il s'était mis debout, il posa une main sur l'épaule de son ami qui fit le même geste, puis ils se séparèrent et Florestan se dirigea rapidement vers la passerelle. Depuis le quai, il fit un dernier salut auquel Ercole vit Ollivier répondre du pont supérieur. L'oncle et le neveu devaient rester des années sans se revoir, mais ni l'un ni l'autre, à ce moment, n'en savaient rien.

*

C'est en quittant le bateau, ayant obtenu sa liberté que Florestan Desmichels se présenta à *Las Delicias.* Dans la journée, c'était un café comme tant d'autres qui ne devenait dancing que le soir. Cependant il était assez morne à cause de sa clientèle particulière. Florestan trouva un sale et maigre garçon qui balayait les mégots, les bouchons de champagne et les débris de verres, il le pria de prévenir le patron qu'il était là. Pablo ne le fit pas attendre et l'introduisit dans un petit salon drapé de peluche rouge poussiéreuse, où Mme Éliane, trônant sur un canapé monumental, l'accueillit d'un sourire.

L'explication fut simple. Pablo détailla à Florestan dans quelles conditions il avait acheté à Richard Falconnet, quinze ans plus tôt, sa femme devenue Vivette et pensionnaire de *Las Delicias.* Il lui présenta une note de ce que, comme toutes ses compagnes, elle restait devoir à la maison pour divers soins, lingerie, robes, bas et fards. Florestan paya sans discuter, puis pria sa sœur d'être prête à monter dans la voiture qu'il allait ramener dans une heure. Là-dessus il prit congé et se mit à la recherche d'un hôtel. Il le trouva dans une ruelle du port, y retint deux chambres contiguës et revint à *Las Delicias* reprendre Marguerite qui l'attendait, assise dans le petit salon, entre Mme Éliane et Pablo.

A peine dans la voiture elle se mit à pleurer, cachant son visage sous son bras comme une petite fille punie.

— Ne pleure plus, dit-il. Tu verras, tout ira bien.

— Tu dois tellement... tellement... balbutiait-elle, m'en vouloir...

— Mais non ! C'est moi qui ai eu tort de me mettre en colère comme ça, hier au soir. Tu me pardonnes ? Tu veux bien venir avec moi, Guitte ?

— Oh oui ! jeta-t-elle avec un élan. J'ai besoin, tant besoin de toi !

— Nous allons arranger ça, dit-il avec douceur. Tu vas te retrouver chez toi, dans ta famille, avec tes enfants.

— Oh... oh... sanglotait-elle.

— Ton mari est mort, tu es veuve, tu rentres dans ta maison de jeune fille avec tes deux petits, c'est tout naturel.

— Personne va me supporter là-bas ! Pierre est si dur ! Louise si sévère !

— Elle est entrée au Couvent des Sœurs grises d'Hyères, tu ne le savais pas ?

— Je n'ai jamais plus rien su, dit-elle. C'était comme si je n'avais plus de famille.

— Nous voici arrivés, dit-il.

Ils montèrent dans leurs chambres, où Florestan fit apporter à manger. Il la servit, car elle était brisée d'une émotion qui la faisait trembler nerveusement de la tête aux pieds. Quand la main de son frère passait à sa portée, elle la baisait et les larmes lui rejaillissaient aux yeux.

— Repose-toi, lui dit Florestan. Tu n'en peux plus. Ce soir nous établirons nos projets.

*

Le tourbillon qui avait emporté Marguerite quinze ans plus tôt et l'avait déposée comme une feuille morte sur le bord d'une route; dans cette maison de plaisir d'une ville des Açores, ce tourbillon, soudain, venait de se ressaisir d'elle. C'est l'impression qu'elle eut en se réveillant deux heures plus tard. La chambre où elle était couchée était d'une nudité de cellule monastique. Contre le mur crépi de blanc cru, un crucifix noir supportant un rameau fané. Dans un angle, l'armoire ; dans l'autre, le lit étroit avec le gonflement d'un édredon rouge. C'était presque la chambre de sa mère à la Guirande et elle s'y trouva aussitôt ramenée.

Sa cruauté envers ses parents, la bêtise de sa fuite avec un homme comme Richard, tout ce qu'elle avait stupidement, inutilement gâché pendant ces vaines années de son existence, lui parut d'un poids de pierre tombale qu'elle ne réussirait jamais à soulever. Allait-elle pouvoir redevenir une femme, une simple femme de tous les jours qui garde sous des robes montantes un corps secret, qui se fait la servante d'un homme au travail du ménage et des champs ? Saurait-elle se retrouver mère, auprès d'une fille de quinze ans aux yeux déjà clairvoyants, auprès d'un petit garçon de dix ans qui ne se souviendrait même plus d'elle ?

Une envie démoniaque la prit de se lever tout doucement, en cachette, de mettre sans bruit ses vêtements, d'ouvrir la porte et de descendre et de courir à *Las Delicias* et de dire à Pablo : « Reprends-moi, cache-moi, je ne sais plus vivre dans le monde de ces gens. Mon frère m'est un étranger et toi tu es mon frère et toutes ces filles d'ici mes amies, mes semblables, Calandre, Paquita, Hortense, Mme Éliane, c'est auprès d'elles que je me sens bien... L'autre vie, ah maintenant j'en ai peur ! »

Elle était assise au bord de son lit, laissant pendre un pied prêt à être chaussé quand on frappa à sa porte et elle dit : « Entre » parce qu'elle savait que c'était Florestan. D'avoir été séparé d'elle et d'avoir brassé seul sa grande exaltation du matin, il se trouvait tout timide et comme découragé :

— Tu as dormi ? demanda-t-il.

— Très bien, et toi ?

— J'ai réfléchi.

Ils comprirent qu'ils ne savaient pas se dire autre chose et se turent en même temps. Cependant ils sentaient qu'il fallait aborder la question :

— Alors, dit Florestan, qu'est-ce qu'on va faire ? Veux-tu revenir à la Guirande ?

— J'ai bien peur, dit-elle.

— Non, dit-il, il n'y a pas de raison. C'est moi qui t'y ramènerai. Moi, ils ne m'effrayent plus tu sais ? Ils m'ont forcé d'en partir par leur injustice, ils m'ont volé ma terre et j'étais jeune et je n'ai pas su me défendre ! Mais aujourd'hui, avec toi auprès de moi, je parlerai haut. Et puis tu sais, il y a quelqu'un aussi qui nous aidera : Ollivier. Tu ne connais pas Ollivier ?

— Non, dit Marguerite.

— Tu ne sais peut-être même pas qu'il existe ! Notre pauvre frère Antoine, que la guerre a tué, a eu trois garçons. Les deux aînés sont morts de la guerre, eux aussi, mais le troisième reste et c'est un fier gaillard, je te prie de le croire !

— Où est-il ?

— Ici ! Ou plutôt il était ici hier encore avec moi, sur mon bateau. A présent il est parti, mais on le retrouvera. Lui, toi et moi, nous représentons trois branches maîtresses des Desmichels qui ont droit à leur place au soleil. Alors, tu sais, je me vois très bien, passant le portail de la Guirande avec toi d'un côté et lui de l'autre. Et il ne manquerait plus que ça qu'on nous ferme la porte au nez !

— Après ce que j'ai fait... dit Marguerite.

— Quel besoin de le crier sur les toits ?... Et pour nous donner l'audace, il faudra aussi emmener avec nous ton fils et ta fille. Je voudrais bien le voir, ton fils...

— Il s'appelle Faustin. Il est à Toulon.

— Je sais. Quand tu habitais l'avenue de Lagoubran, je voulais toujours entrer chez toi, mais je n'osais pas. Pourtant je passais devant ta maison...

— Oh, dit Marguerite, si tu étais venu au moins !

— Oui, peut-être j'aurais bien fait. Mais tu vois, à la fin, quand même je suis venu ?

Il prit la main de sa sœur et la serra avec tendresse :

— C'est tard, c'est beaucoup tard, dit-elle.

Et sa voix s'enroua comme si elle allait pleurer.

— Et ta fille ? demanda Florestan. Ta Vincente ? Celle-là je la revois encore, toute ronde, toute boule, quand tu l'avais mise à dormir sur le lit de maman. Tu te rappelles ?

— C'était quelque temps avant sa mort. Pauvre maman ! Elle était si heureuse de la voir.

— Oui... Ce doit être une jeune fille, à présent.

— Elle doit être belle...

— Ça pourrait faire un mariage avec Ollivier, tu sais ?

Il rit et fait sourire Marguerite. Puis il redevient sérieux :

— Mais avant de rentrer à la Guirande, dit-il, il faut ranger les affaires. Nous prendrons le premier bateau pour Marseille. Nous irons à Toulon, chercher Faustin, puis de là à Salernes, chez ta belle-mère, prendre Vincente. Après, je te laisserai avec eux et j'irai préparer notre entrée à la Guirande, tâter un peu le sol, voir si Pierre est toujours aussi fou et Solange aussi méchante. Qui sait ? Peut-être qu'ils ont changé ? Et qu'ils sont généreux et qu'ils nous donneront un bout de terre où nous bâtir une maison : « Les Trois-Chênes », par exemple ? Ou, « Plan-Bernard » qui appartient à Ollivier ? Oui, le père le lui a enlevé par testament, je sais, mais ça lui appartient quand même s'il y a une justice, parce que c'était le bien d'Antoine et aurait dû être celui d'Arnaude.

Le tourbillon soulève et rejette et roule Marguerite. Tout ça, tout ça qu'elle avait oublié... Le père, fou de colère au départ d'Antoine et de Nans et puis le père mourant de son départ à elle et puis la mère morte et puis Sébastien mort et puis Antoine et les deux fils d'Antoine et Richard son mari et Damien son amant, tous ces gens passés du côté des morts et elle ici, avec ce matelot au bon visage d'amitié qui est son frère Florestan.

Il continue à parler :

— Après, je reviendrai te prendre et de toute manière, va, qu'ils nous veuillent ou non, nous serons plusieurs pour vivre avec toi ! Il y aura Arnaude et Ollivier et Vincente et Faustin et moi. Tu ne crois pas qu'on pourra être heureux ?

Elle se tait. Hier, elle était seule et esclave de tous les hommes qui la payaient. Aujourd'hui, il lui semble qu'elle vient de s'attacher un tablier propre de ménagère, un tablier de toile bleue, tout repassé de frais, marquant les plis, sur sa robe de soie qui odore aux aisselles, sa robe de putain, fendue sur la jambe et découvrant les seins. Et que son visage est redevenu et que ses cheveux sont redevenus et que tout son corps est redevenu frais, lisses, neufs et que toute sa jeunesse, miraculeusement, va renaître.

« On pourra encore être heureux ? Oh, dis, Florestan, mon Florestan, mon frère chéri, c'est vrai ? Il y aura tous ceux-là autour de moi, pour me garder : Arnaude, Ollivier, ma fille, mon fils, toi ? Et jamais plus Richard et ses mensonges ? Et jamais plus Nestor Mangiagari avec son amour ? Et le boucher et le notaire et le fils du notaire et Pablo et tous ceux qui sont venus ensuite, comme viennent les chiens en file derrière la chienne en chaleur ? Je retrouverai le carré des oignons dont il faut nouer les tiges, le sol de la cuisine à frotter, la lessive où ma mère mettait, sur la cendre, de petites tranches de racines d'iris pour faire sentir bon ? J'irai encore couper les cardelles grasses pour les lapins ? Et je toucherai encore les petitous de soie sous le ventre des mères ? Et je regarderai les œufs sous la poule gloussante, pour voir s'ils sont becqués ? Je vais bien travailler, tu sais ! Et mon fils, tu peux croire que je l'élèverai bien ! Et ma fille, je la tiendrai serrée ! Je la laisserai pas aller courir les bals, comme moi. Je veux pas qu'il lui arrive ce qu'y m'est arrivé, à ma Vincente ! Je veux la marier, moi, comme ma mère l'a été, à l'honneur du monde. »

— A quoi tu penses ? demande Florestan.

— A tout ce que tu as dit... Tu sais pas, Florestan ?

— Non ?

— Je voudrais que tu m'embrasses. Tu veux ?

— Si je veux ? Qu'elle est bête !

Il se penche et elle met ses deux bras, bien serrés, autour du cou de son frère.

— Allez, dit-il, ne pleure pas que tu me mouilles...

— J'en peux plus, j'en peux plus... dit-elle. Oh, merci Florestan !

Il se relève pour cacher son émotion :

— Tu ne veux pas manger ? demande-t-il.

— Non. Je n'ai pas faim.

— Alors bonne nuit, tâche de ne pas trop penser et de beaucoup dormir. J'irai demain matin à quai, voir le départ du premier bateau pour Marseille. Repose-toi d'avance, que la traversée sera longue et fatigante. Tu as le mal de mer ?

— Non, dit-elle.

— Bon. Comme ça, ça ira bien !

A la porte, il se retourne pour répéter :

— Bonne nuit.

Elle tend les bras vers lui :

— Embrasse-moi encore une fois !

— Ah, dit-il en lui tirant une poignée de cheveux, mauvaise tête bon cœur !

Et ils se font un sourire, comme quand ils étaient un frère et une sœur qui jouaient ensemble dans la maison des Desmichels.

*

Marguerite s'éveille dans la nuit. Elle a, depuis bien longtemps, perdu l'habitude de s'endormir si tôt. Depuis *le*

Colibri, de Las Palmas, *le Flamant rose,* de Lisbonne, jusqu'à ce qu'elle entre à *Las Delicias,* de Horta, elle a appris au contraire à faire du jour la nuit et de la nuit le jour. L'aube est devenue pour elle un signal de repos et elle se prépare quotidiennement à se mettre au lit quand le soleil se lève. Donc, depuis dix années, à onze heures du matin, elle dort encore. C'est seulement vers midi que la servante passe dans toutes les chambres, éveiller ces dames. Elle leur apporte un café bien fort et leur allume la première cigarette. Elles se dressent sur leur lit, frottent leurs seins fripés des marques de la veille, grattent à ongles aigus leurs chevelures embrouillées, bâillent, s'étirent, enfin se lèvent et courent se faire ranimer par la douche. Là, les bavardages commencent, quand la peau rougie par le jet laisse transparaître un sang ravivé. Ensuite, drapées dans la robe de chambre lâche, elles prennent leur repas en compagnie de Mme Éliane et de M. Pablo. Puis c'est encore le café fort et les cigarettes, la flânerie, les essayages de lingerie fine, de savants déshabillés que les voyageurs de commerce sortent pour elles des grandes valises plates. Les pantalons froufroutent de tous leurs volants endentellés, les chemises s'ouvrent en cœur sur la promesse des chairs nues, les corsets de satin noir arrondissent leurs goussets baleinés, comme des doigts prêts à recevoir les fruits du corps. Ces dames choisissent la marchandise, la rejettent, se la disputent, se l'arrachent. Il y a de mauvais regards, des mots aigres-doux, des jalousies, des insultes. Le voyageur de commerce écrit la commande sur son carnet avec un crayon de fuchsine, il détache la feuille pour en donner le double à M. Pablo et, l'un après l'autre, ils en vérifient le détail :

« Paquita : 1 corset satin ponceau,
1 jupon assorti avec volants à espagnole,
1 pantalon chantilly noir,
1 chemise assortie. »

« Calandre : 1 robe satin noir, forme fourreau,
1 pantalon collant assorti,
1 paire bottes vernies « à l'écuyère. »

« Vivette : 1 déshabillé pongé rayé bleu, volants dentelles blanches,
1 corset satin rose. »

Sur chaque compte, le voyageur marque les prix. M. Pablo fait le total en majorant, comme il se doit, de vingt pour cent et donne chaque papier à chacune de ses pensionnaires. En général, elle le plie sans le regarder et le met dans le tiroir, avec ses fards. Il n'y a que Paquita qui est économe et refait soigneusement ses additions.

Ensuite viennent la coiffeuse, l'habillage et les parfums. Il y a des clients qui ne sont pas libres de leurs soirées et s'amènent vers la tombée du jour. Mais tout de même, c'est le soir, vers les dix heures, que commence véritablement le travail. Il se termine vers les trois, quatre, cinq heures du matin et le sommeil alors, après la fatigue, est bien accueilli.

Tandis qu'aujourd'hui, Marguerite se trouve les yeux ouverts en pleine nuit. Il règne autour d'elle une paix à laquelle elle n'est pas habituée. A *Las Delicias* il arrivait souvent que le repos général soit troublé par un client saoul qui avait exigé une nuit et maintenant menait la bagarre avec sa compagne de plaisir ; ou un autre, de faible constitution, qui vomissait ou un qui gueulait avoir payé trop cher et alors Pablo arrivait en pyjama pour apaiser le mécontent ou le jeter dehors selon les cas. Mais ces dérangements ne faisaient que rendre ensuite le sommeil plus profond, parce qu'on était abruti. Ici, quel calme ! Un clair de lune étale pénètre par les persiennes à claire-voie qui sont restées à demi ouvertes, de larges rais d'une lumière surnaturelle se glissent sur le sol carrelé de mosaïque, sur le lit, sur l'armoire et viennent éclairer le crépi blanc des murs. Marguerite s'assied sur son dur matelas, elle comprend qu'elle ne va pas pouvoir se rendormir, car elle est envahie de pensées.

Les pensées de la nuit sont bien différentes de celles du jour, tous ceux qui souffrent d'insomnie le savent. Elles en sont comme l'envers. La nuit et le jour sont les visages de Janus. L'un est torturé quand l'autre est paisible. Le jour, tout s'arrange, les petites dents des engrenages s'accrochent harmonieusement, la machine ronronne dans l'huile de la facilité et semble devoir tourner toujours ainsi, sans accident possible. La nuit, tout se détraque, l'huile est tarie, le moteur chauffe et tourne à vide, follement ; l'acier le plus dur fond comme la cire, le métal se disperse en parcelles, on peut plus compter sur rien. Retourner à la Guirande comme le conseille Florestan ? Retourner à la Guirande... C'est facile à dire. Tout revoir, tout retrouver : Pierre, Solange, les oignons à nouer, les affronts, la cuisine à faire, les mains sales, les ongles noirs, l'eau qui n'est pas à l'évier, les allusions désagréables, le lever à cinq heures pour donner aux cochons, le poulailler avec les fientes et les pépidons des poules qui vous salissent et vous font démanger, les questions de Vincente : « Mais où étais-tu, maman, tout ce temps-là ? » Les grands yeux graves de Faustin qui interrogent. Et à chaque seconde, chaque minute chaque heure, la charge des souvenirs de cette autre vie qui fut d'insouciance et de luxe et dont on a honte d'avoir traîné la pourriture sous des jupons de soie.

Retourner à la Guirande ? Tout à coup, Marguerite sent que ce projet fait partie de ces rêves colorés qui sont irréalisables. Elle le dira à Florestan demain matin : « Tu comprends Florestan, ne me demande pas de retourner à la Guirande. Je ne pourrai jamais ! » Est-ce que l'eau retourne à la source ? Quand elle est devenue le ruisseau où l'on jette les chats crevés, où les ordures se diluent, où l'écume grasse nourrit des vers suintant de bave, est-ce qu'elle peut s'alléger de tout cela, se décanter, se retrouver limpide, apte aux clairs reflets du ciel ? Et redevenir le jet cristallin de sa naissance ? Non, non, c'est impossible ! Elle est vouée à plus de détritus encore, à plus de tournoiements à odeurs de charogne, jusqu'à ce qu'elle aille se perdre dans le grand fleuve où l'attend la mort.

Marguerite ne pense pas tout ça, ce serait trop compliqué pour son cerveau. Elle sait seulement tout d'un coup, avec une clarté aveuglante, qu'elle ne retournera pas à la Guirande. Alors ?

Elle pourrait peut-être, avec ce neveu Ollivier que Florestan a l'air d'aimer beaucoup, avec la belle-sœur Arnaude, devenue veuve, avec Vincente et Faustin, aller habiter à Grand-Cap ? Quelle bêtise ! Cette cabane de Grand-Cap, on pouvait juste y tenir à quatre en se serrant et couchant deux par deux Et là, que faire ? Le charbon dans la montagne, comme Arnaude et Antoine ? Vie de sales, vie de pauvres, avec des draps toujours mâchurés et les reins brisés par les sacs poudrés de noir. Belle existence à offrir à Vincente ! Elle est sûrement mieux dans la maison de Salernes, tout odorante de plantes sèches, cette maison qui sera sienne un jour, avec celle de Sainte-Trinide. « Et puis… Je décide, Florestan décide, mais Vincente quittera-t-elle sa grand-mère pour venir avec moi ? Sûr que non ! Moi, est-ce qu'elle me connaît seulement ? Pour ainsi dire pas. Elle avait cinq ans, la dernière fois que je l'ai vue, elle en a quinze, elle dirait en me voyant : « Ah c'est ma mère ? Et il faut que j'aille avec elle ? Moi, je préfère rester avec ma grand-maman. » C'est que, toute petite, cette Vincente, elle avait déjà une volonté terrible. Et aussi une curiosité de tout. Alors ce sera des questions : « Mon père ? Qu'est-ce qu'il faisait ? » Faudra-t-il dire : « Ton père c'était un voleur, un vendeur de femmes ? » — « Et toi maman, pourquoi nous as-tu laissés comme ça, mon frère et moi ? — Je travaillais. — A quoi maman ? Où tu travaillais ? Je suis grande, j'ai le droit de savoir ! » Il faudra mentir, ne jamais avoir une faiblesse de sincérité, ne jamais s'appuyer sur cette épaule de la fille qu'on a mise au monde, pour demander pardon d'avoir souillé en elle l'idéal de mère. Mais, même si on tient le coup, même si on ne dit rien, jamais, ni Florestan ni elle, d'autres le diront. Les voisines bavardes, les rivales jalouses, et un jour Vincente saura. Et alors, si elle me crache au visage, qu'est-ce que je pourrai faire d'autre, moi, que d'essuyer le crachat... »

La fièvre monte dans le sang de Marguerite. Elle voit que, partout où elle marche, elle se trouve devant un mur. Elle se souvient soudainement de cette grosse mouche noire qui, un jour, dans la cuisine de Lagoubran, marchait sur la vitre, cherchant à passer au travers pour aller vers le soleil. Elle s'envolait, revenait, bourdonnant de colère, se tapait contre cette vitre qui était un mur. Nestor l'avait écrasée de son gros pouce à l'ongle fendu. C'était une de ces mouches qui ne servaient à rien qu'à aller sur les ordures et vous donner ensuite toutes sortes de maladies. Il avait bien fait de la tuer. C'était le seul remède.

» Le seul remède. Y en a pas d'autres. La tuer. C'est le seul remède. Pourquoi elle n'était pas restée sur son fumier, cette mouche noire ? Au moins elle n'aurait empesté personne. Il l'a tuée, c'est bien fait, c'est tout ce qu'elle méritait.

« Il fallait bien s'en débarrasser, n'est-ce pas ? »

Il semble à Marguerite que cette dernière pensée agrandit des ronds dans l'air comme la pierre qu'on lance agrandit des ronds dans l'eau. Elle s'élargit, s'élargit, revient sur elle des quatre coins de l'univers où elle s'est cognée : « Se débarrasser. »

De quoi se débarrasser ? De tout. Des souvenirs, de l'avenir, de maintenant, des questions de Vincente, de la bonté de Florestan, du mépris de Solange, des observations de Pierre, des fientes du poulailler, de l'odeur des oignons, de tout de tout de tout.

Et vite... C'est vite qu'il faut se débarrasser. Demain ce sera trop tard. Demain Florestan prendra les billets, elle montera sur le bateau, elle arrivera quelque part, on lui parlera, elle retrouvera cette vie d'il y a quinze ans où il a fallu tant réfléchir, tant souffrir... « Non non non, je ne veux pas ! Il faut se débarrasser. » Ça tape dans sa cervelle : se-dé-bar-ras-ser. Elle saute sur le parquet, nerveusement. Puis elle réfrène son geste... Elle écoute... Il faut faire ça sans bruit... il ne faut pas que Florestan entende... Il l'empêcherait... « Tu comprends, Florestan, il faut bien que je me débarrasse ? Et toi aussi, il faut que je te débarrasse ! Tu aurais mieux fait de me laisser où j'étais. J'avais l'habitude. Maintenant je ne peux plus m'arranger une autre vie. Et Vincente ? Et Faustin ? Eux aussi, il faut que je les débarrasse. Ne sois pas fâché, Florestan, ne dis pas que j'ai été une ingrate... »

*

Elle glisse vers la malle en osier qu'on a placée dans l'angle de la chambre. Cette malle, Pablo la lui a achetée à Toulon, au marché en plein air de la place Saint-Roch. Elle a emporté dedans tout ce qu'elle avait à elle, depuis la robe bleue à petites fleurs, les bottines jaunes payées par deux ou trois amants en coopérative, du linge de pongé tout neuf comme elle n'en avait jamais eu. Et au fond, elle avait mis aussi cette tunique de brocart rouge, toute brodée d'or, volée à M. Faustin de Rouvre. Oui, elle ne l'avait jamais perdue, cette tunique, ni le pantalon en lamé qui va avec. Ça paraît drôle et pourtant c'est vrai, elle ne les a jamais remis et pourtant jamais abandonnés. Nulle part. Même Calandre voulait qu'elle les lui prête, elle a refusé. C'est sacré pour elle, c'est l'incarnation de ce luxe que tant d'années elle a désiré et qui, à la fin, lui a coûté toute sa vie. Et ce drôle de papier soyeux comme du tissu, avec des caractères bizarres tracés en lignes verticales, qui était dans la longue poche fermée par un gros bouton vert, elle ne l'a pas jeté non plus, ni le mince flacon revêtu d'un métal brillant comme de l'or et contenant quelques pilules à reflets nacrés.

Toujours elle a gardé tout ça, comme un secret cadeau qu'elle se serait fait à elle-même, un de ces cadeaux magnifiques qu'on ne possède qu'une fois.

Cette nuit, elle repousse les autres vêtements qui emplissent la malle (c'est que maintenant elle en a des robes ! Et des jupons ! Et des corsages ! Et des déshabillés !). Elle repousse tout et prend, au fond, le carton blanc où elle a rangé la tunique. Elle l'ouvre et déploie le brocart brodé d'or. Jamais il ne lui a paru plus beau. Elle est maintenant lucide et calme. Son cerveau a cessé de bouillir. Elle sait ce qu'elle veut.

Elle étale le vêtement sur le lit, elle fouille dans la poche et elle trouve le mince flacon serti de métal précieux, où dix pilules à reflets nacrés dansent sous son geste. Un jour, Calandre lui a dit avec un ton d'effroi : « C'est sûrement du poison, tu sais ? — Tu penses ? Mais oui, c'est écrit en bas de la feuille qu'on ne sait pas lire, mais ça c'est en français. Vois : « Ne jamais prendre plus de deux pilules. Opium-Ylang. » L'opium-Ylang ? a dit le médecin de la marine, client attitré de Calandre, ne vous amusez pas avec ça ! C'est un poison foudroyant. J'espère que vous n'en avez pas ? Ça vient de Chine. — Non ! a répondu Calandre, on nous en a parlé comme ça... — Je préfère, a conclu le médecin de la marine. Vous seriez vite passées de l'autre côté. »

« Pas plus de deux pilules. » Il y en a dix.

Posément, Marguerite place à nouveau toutes les robes dans la malle, elle garde seulement le pantalon de tissu argenté. Elle le met. Elle coiffe ses cheveux dérangés par le sommeil, elle farde avec soin ses joues, ses paupières, ses lèvres. Comme si elle allait recevoir un amant. Et n'est-ce pas le plus fidèle des amants, celui qui la gardera toute une éternité, qu'elle s'apprête à recevoir ? Elle revêt la tunique brodée d'or, si belle. Elle serre à sa taille la ceinture faite de cabochons verts brillants. Elle s'allonge sur son lit recouvert, gardant, entre ses doigts serrés, le petit flacon où dort la solution de tout. Elle réfléchit encore quelques secondes : « Je fais bien ? Je fais mal ? Peut-être que Florestan avait raison et qu'on aurait pu être encore heureux ? Non non, c'est pas possible. Il n'y a que ça à faire. J'ai raison. » Elle entend sonner trois coups. Ils tombent dans la laiteuse atmosphère du clair de lune, comme trois gouttes tranquilles. « Trois heures du matin. » La maison s'éveillera bien plus tard dans le soleil. La servante ouvrira les fenêtres d'en bas. A *Las Delicias* le garçon sale balaiera les bouchons de champagne et les bouts de cigarettes. Pablo ouvrira l'œil du patron, Mme Éliane étendra vers lui son gros bras blanc, ils se rendormiront. Florestan se lèvera, il écoutera si elle fait du bruit ? « Non elle dort encore. » Elle dort, elle dormira. . Faustin dira en parlant d'elle : « Ma mère que je n'ai pas connue » et Vincente : « J'avais quinze ans quand ma maman est morte. Mais vous savez, j'étais avec ma grand-mère depuis longtemps, je ne m'en suis pas aperçue. »

Elle prend les petites pilules nacrées dans le creux de sa main. Elle en met une sur la langue : ça s'avale facilement. Elle en met une autre... Deux. « Pas plus de deux. » Si elle s'arrêtait maintenant ? Qui sait ce qui arriverait ? Elle s'endormirait sans doute et on aurait de la peine à la réveiller. « Le bateau va partir sans nous », dirait Florestan ennuyé.

Les voilà toutes dans la main : huit. On croirait que ce sont des perles. « Je n'en ai jamais eu, de collier de perles. Un vrai, je veux dire. Pourvu que je ne retrouve pas Richard de l'autre côté ! Je voudrais retrouver Damien. Lui, oui. Est-ce qu'on se retrouve ? Je n'ai jamais été à l'église depuis ma communion. Alors, je les prends, les autres ? Huit, y en a encore. Qu'est-ce que j'attends...

Cette tunique, comme ça on m'enterrera avec. Trois. Quatre. Cinq : ça s'avale facilement. Les cinq dernières, je peux les mettre toutes à la fois. Ça s'avale facilement. C'est fini. Mon Dieu que j'ai froid...

« Il faut me pardonner, tu sais Florestan ? C'est tout ce que je pouvais faire pour nous débarrasser. On avait quatre chevaux à la Guirande : le noir, le roux, le blanc avec des taches et celui d'Antoine qu'on appelait Jeunhomme, quatre beaux chevaux... Ah, je meurs... »

*

« Et aussitôt l'arbre sécha », disent les trois Évangiles.

Saint-Pierre d'Allevard, 11 septembre 1944.

Nice, 21 novembre 1946.

Achevé d'imprimer en juin 1983
sur les presses de l'imprimerie Bussière
à Saint-Amand (Cher)
pour le compte de France Loisirs
123, boulevard de Grenelle, Paris

Dépôt légal : juin 1983.
— N° d'édit. 8109. — N° d'imp. 1307. —